KB210873

영의 식별

성 이냐시오가 안내하는 매일의 삶

영의 식별

티모시 갤러허 지음

김두진 옮김

이냐시오영성연구소

감사의 말

이 책이 나올 수 있도록 도움과 지지를 보낸 많은 분에게 깊은 감사를 표합니다. 먼저 관구장이신 윌리엄 브라운 O.M.V. 신부님께 감사합니다. 신부님께서는 저술이라는 과제를 저에게 허락하셨고 제가 글을 쓸 수 있는 좋은 여건을 마련해 주셨습니다. 또한 책을 써 나가는 전 과정에서 지속적인 도움을 주신 데이비드 보리가드 O.M.V., 원고를 꼼꼼히 읽고 서문도 써 주신 하비 이건 S.J., 그리고 원고를 검토해 주고, 집필에도 도움을 주었으며 마지막 정리 과정도 아낌없이 도와준 클레어-마리 하트에게도 감사하는 마음을 전합니다.

로즈 블레이크, 클레어 캘러핸 S.N.D., 수전 뒤머스, 제임스 갤러허, 질 굴딩 I.B.V.M., 엘리자베스 케슬러, 에드 오플래허티 S.J., 거트루드 머호니 S.N.D., 저마나 산토스 F.S.O., 어니스트 셔스튼 O.M.V., 메리 로즈 설리번에게도 감사의 마음을 전합니다. 책을 집필하는 동안 원고를 읽고, 의견을 제시하고, 응원해 준 분들입니다.

출판과 관련된 기술적인 문제들을 능숙하게 해결해 준 버나뎃 리스 F.S.P.에게도 깊이 감사합니다. 탁월한 컴퓨터 기술로 출판용 원고를 준비하는 데 도움을 주신 캐럴 맥기네스에게도 감사의 마음을 전합니다.

마지막으로 지난 30여 년간 이냐시오의 영의 식별에 대해 가르침과 저서, 경험을 나누어 주신 많은 분에게 감사드립니다. 특별히 미겔 앙헬 피오리토 S.J., 다니엘 힐 S.J., 줄스 토너 S.J.에게 깊이 감사합니다. 이냐시오 식별 규칙에 관한 이들의 심오하고 체계적인 연구가 없었다면 이 책을 쓸 수 없었을 것입니다.

추천사

로욜라의 이냐시오. 오늘날에도 이 이름을 들으면서 중립적이거나 무관심한 자세를 견지하기는 쉽지 않습니다. 그리스도교 역사에 이냐시오가 등장한 이래로, 많은 이가 그를 승리자로 받아들이거나 적으로 받아들였습니다. 이냐시오가 교회에서 시성되었지만, 그의 이름을 언급하기 힘들 때도 있고, 의심의 눈길을 받기도 합니다. 하지만 그가 이룩한 뛰어난 업적을 조금이라도 아는 사람들은 대부분 경의와 존경을 표하지 않을 수 없습니다. 비록 간간이 마지못해서 하더라도 말입니다.

'로욜라의 이냐시오'라는 이름은 다양한 이미지를 불러일으킵니다. '교황의 특공대'라고 불리기도 하면서 논란이 많은 예수회라는 수도회의 설립자, 목적이 수단을 정당화한다고 가르쳤다는 평판을 받기도 하는 반종교개혁의 전위부대를 이끈 아버지, 교황 외에 지상의 그 누구에게도 순명하면 안 된다고 주장하면서 교황에 대한 맹목적 순명을 가르친 초대 '검은 교황'이라는 이미지입니다. '예수회원Jesuit'이라는 명칭 자체도 많은 이에게는 결의론(決疑論), 교활함, 음모와 동의어로 간주되기도 합니다. 도스토옙스키가 『카라마조프

형제들』에서 그린 무자비한 종교재판소장에게도 이냐시오의 이미지가 반영되었고 카뮈의 『페스트』라는 작품에도 호감 가지 않는 예수회원이 나오지 않습니까?

현대의 주석가들도 종종 이냐시오를 신하, 신사(紳士), 군인으로 거의 묘사하고 있습니다. 깊은 종교적 회심을 한 후, 이냐시오는 그리스도를 위해서 순례하는 순례자가 되었고 용맹한 성덕을 이뤘습니다. "영혼을 돕는" 사제가 되고자 하는 사도적인 목적으로 공부도 결심했습니다. 그리스도 안에서 한 동료가 되는 이들을 모았고, 유명한 수도회를 설립했으며, 단과 대학과 종합대학, 자선 기관을 설립하였고, 늘 사목 활동에 관여하고 있었습니다. 그는 광범위한 선교 활동을 관리했고 민감한 외교적 임무도 맡았습니다. 게다가 큰 영향력을 발휘하고 있는 『영신수련』과 『예수회 회헌』을 썼고, 사회정치적으로 넓게 관여하고 있음을 보여 주는 수천 통의 편지를 쓰기도 했습니다. 이렇게 복잡한 면모를 지닌 성인이 추구한 목표는 삼위일체이신 그리스도와 함께함으로써 교회에 봉사함이라는 말로 잘 요약됩니다.

이냐시오의 영신수련은 16세기부터 오늘날까지의 영성사를 바꾸어 놓았습니다. 여전히 많은 이들이 이 고전을 의지에 대한 금욕주의나 기술적으로 달성되는 주의주의(主意主義), 오직 실제적인 해결책을 중심에 둔 실용적 영성을 단계별로 가르치는 요리서와 같은 책으로 대하기도 합니다. 사실, 이 영신수련 방법이 너무 추론적이거나, 감각적인 이미지에 매여 있거나, 어떤 면에서는 기도를 기계적인 방식으로 하게 한다거나, 오직 초보자에게만 해당한다거나, 기도를 더 깊고 더 신비주의적인 수준으로 이끄는 데에 오히려 장애물이 된다는 주장도 있습니다.

하지만 기도의 관상적 차원을 과하게 강조한다는 비난이 영신수련에 대한 가장 큰 공격입니다. 오히려 이 점이 영신수련의 왜곡된 이미지를 반박해 줍니다. 최근의 연구에 따르면, 영신수련은 자그마치 20개의 다양한 기도 방법을 담고 있고, 영신수련의 기도 안에서 일어나는 근본적 역동성은 점진적 심화의 단순화입니다. 예수회 초기에 영신수련으로 기도했던 많은 이가 나중에 관상 수도회에 들어가기도 했습니다. 막 생겨난 예수회에 닥친 첫 번째 위기는 다름 아닌 더 많은 시간을 할애해서 기도에 매진하고자 하는 요구 때문이었습니다. 그리고 이 요구를 이냐시오는 온 힘을 다해 막고자 했습니다. 이냐시오 본인의 영성과 신비주의가 영신수련을 해석하는 열쇠로 쓰인다면, 영신수련의 신비주의적 차원은 자명해집니다.

요약하면, 이냐시오의 영신수련은 영성 발달 단계 어디에 있는 사람이든지 더 깊은 영성 생활의 영역으로 이끌 수 있고, 심지어 신비적 삶으로도 이끌 수 있습니다. 이냐시오의 강생 중심적이며 표상 중심적 영성과 신비주의는 모든 것 안에서 하느님을 찾고 하느님 안에서 모든 것을 찾습니다. 그의 영성과 신비주의는 하느님 사랑과 이웃 사랑, 그리고 세계를 향한 사랑을 결코 떼어 놓지 않습니다. 이는 이 세계 안에서 기쁨을 찾는 영성이고 신비주의이며, 삼위일체 하느님께서 이 땅을 창조하시고 구원하시며 사랑하시고 변화시키시기 때문에 이 세상을 사랑하는 부활 영성입니다. 삼위일체와 그리스도 중심의 이냐시오 영성과 신비주의는 사도직 봉사를 효과적으로 하기 위해 사랑의 공동체를 설립했으며, 이 봉사는 사회적, 정치적 차원을 모두 포함합니다.

이냐시오의『자서전』을 보면, 영의 식별에 대한 첫 번째 통찰은 종교적 회심과 거의 동시에 일어난 것으로 보입니다. 스페인 만레사에 있는 카르도넬 강가에서 영의 식별의 바탕이 되는 체험을 통해, 그는 신앙과 학식에 대한 사정을 새롭게 이해하는 새사람이 되었습니다. 로마 근교 라스토르타의 작은 경당에서 환시를 받는 중에는, 십자가를 지고 있는 성자 곁에 이냐시오의 자리를 마련하시는 영원하신 성부를 체험했습니다. 성부께서는 이냐시오의 내면에 이렇게 말씀하셨습니다. "로마에서 나는 너희에게 호의를 베풀겠다." 그리고 "아들아, 이 사람을 너의 종으로 삼기를 바란다." 그러자 그리스도께서 이냐시오에게 "나는 네가 우리(성부와 성자)에게 봉사하기를 바란다"라고 말씀하셨습니다. 라스토르타에서 받은 은총은 이냐시오가 가진 삼위일체적이고 그리스도 중심인 봉사와 교회적 신비주의를 확인시켜 주었습니다. 『자서전』은 영을 식별하는 신비적인 능력이 발전한 체험뿐만 아니라 다른 극적인 신비 체험도 증언하고 있습니다.

다른 중요한 문헌은『영적 일기』입니다. 아마도 삼위일체적이며 그리스도 중심적인 신비주의에 관해 쓰인 글 중에서는 가장 놀라운 문헌일 것입니다. 삼위일체의 각 위격과, 그 신성(神性)과, 그 강생하신 말씀과 마리아와 가진 이냐시오의 신비적인 친밀함을 잘 드러내는 놀라운 기록이 담겨 있습니다. 신비로운 눈물, 삼위일체에 대한 현시와 조명, 다양한 종류의 신비적 음성, 심오한 신비적 위로, 신비로운 손길, 공경하는 사랑의 체험, 신비로운 평온함, 아름다운 선율로 울려 퍼지는 내면의 목소리가 이 짧은 문헌에 배어 있습니다. 이런 체험을 통해 이냐시오는 자신을 향한 하느님의 특별한 뜻을 찾아가도록 자신을 움직이는 다양한 영들을 식별할 수 있었습니다.

　이냐시오의 성공적인 사도직 수행과 이냐시오 시대부터 오늘에 이르기까지 예수회가 거둔 성공적인 사도직 수행이 그의 신비주의의 중요성을 덮어버린 듯 보입니다. 이 신비주의는 자신을 위해서가 아니라 하느님의 뜻을 가르치고 확인시켜 주는 그 능력 때문에 찾아 나선 신비주의였습니다. 이냐시오가 거의 7천 통이나 되는 편지를 "우리 주님이신 그리스도께서 넘치는 은총으로 우리를 도우시어 우리가 그분의 거룩한 뜻을 알고 온전하게 이루어낼 수 있기를 바랍니다"라는 글로 끝맺었다는 사실은 이 점을 잘 증명하고 있습니다. 이런 성공적인 사도직 수행은 이냐시오의 영성과 신비주의의 중심에 놓인 영의 식별의 중요성을 흐리기도 했습니다. 영의 식별에 대한 이냐시오의 규칙을 잘 이해하기 위해서는 하느님의 뜻을 찾아 나선 사람이자 그 뜻을 실행하고자 한 사람으로서의 이냐시오의 삶을 먼저 이해해야 합니다.

　저는 한때 이냐시오를 "감정moods과 생각의 신비가"라고 부르기도 했습니다. 하지만 너무 단순한 설명인 것 같습니다. 그는 성령, 선한 천사들, 마귀들, 인간의 영이 가진 이성적이고 의지적인 구조에서 흘러나오는 것들, 상상력에서 나오는 것, 기억, 감정, 죄스럽고 무질서한 본성, 먹고 마시는 것, 빛과 어둠, 심지어 한 해를 지내며 맞이하는 계절 등 그리스도인의 삶과 그리스도인의 결정에 영향을 미치는 인간 삶의 모든 것을 고려하고 살펴보았던 성인입니다.

　영의 식별은 유다-그리스도교 전통에서 이례적이라 할 수는 없습니다. 하느님께서 올곧은 사람을 이끄신다는 점이 성경 문헌에도 분명히 드러납니다. 아담과 하와는 밝은 미래와 전망을 보여 주는 약속에 속을 수도 있다는 교훈을 비싼 대가를 치르고 배웠습니다. 예레미야는 얽혀 있는 인간의 마음을 잘 감지하고 있었습니다. 하느님은 유다인들에게 참된 예언자들과 거짓 예언자들을 구분하는 길을 가르쳐 주셨습니다.

초기 그리스도교 공동체도 자신들이 받은 다양한 영향을 식별하고 시험해야 한다는 점을 알았습니다. 바오로 사도는 공동체가 참된 예언의 말씀과 성령의 은사로 일어나는 현상을 거짓된 것들과 구분하고 식별하는 것이 오직 성령을 통해서만 가능하다고 이해했습니다. 심지어 지도자들도 성령의 시험을 통과해야 했는데, 이는 그들이 때로는 "거짓되고 사람을 속여먹는 일꾼들"일 수도 있었기 때문입니다. "육의 행실"은 분명히 악한 영으로부터 나오고 있으며, 성령의 열매는 자명합니다. 사랑 기쁨 평화 인내 호의 절제 선의, "이러한 것들을 막는 법은 없습니다."

초기 그리스도인들은 이런 이유로, 성령을 따르고 성령 안에서 살며 성령의 인도를 받아야 한다는 권고를 들었습니다. 성령은 그들 안에서 "아빠, 아버지," "예수님은 주님이시다"라고 고백할 수 있도록 기도해 주었습니다. 성령은 그들에게 힘을 주어 신비롭고 숨겨진 하느님의 지혜를 식별하게 해 주었습니다. 그 지혜는 바로 모든 식별의 규범이며 "이스라엘의 위로"이신 그리스도 자신입니다.

초기 그리스도교 전통을 살펴보면, 오리게네스는 생각이 하느님과 천사들, 악마들, 그리고 바로 우리 자신에게서 나올 수 있다고 가르쳤습니다. 오리게네스 이후 많은 교회 교부들은 마음에서 일어나는 생각과 마음으로 들어

오는 생각이 남긴 족적을 잘 살펴 그 생각이 어디에서 왔는지에 철저한 주의를 기울이도록 조언했습니다. 결국에는 그리스도인의 삶에 영향을 미치는 모든 요소를 세심하게 살펴보는 것도 영의 식별 과정으로 포함되었습니다. 특별히 결정과 선택에 연관된 요소 말입니다. 위로와 실망이라는 정감적 상태, 이성적으로 이해하는 과정, 생각, 상상, 환상, 꿈, 현시, 신비적 음성 등은 하느님으로부터 온 것인지, 천사들, 악마들, 또는 단지 우리 자신에게서 온 것인지를 묻는 물음의 대상이었습니다. 출처를 정확히 알 수는 없지만, 예수님의 말씀으로 여겨지는 경구 중 가장 많이 언급되는 "약삭빠른 환전상이 되라"는 순금과 쇠붙이를 식별하는 능력, 즉 영을 식별하는 능력에 관심을 집중한 표현이었습니다.

이냐시오는 분별 있는 사랑을 강조하는데, 이는 그의 영성과 신비주의를 잘 드러내는 특징이며 인장이라고 할 수 있습니다. 그는 그리스도교 전통에서 존경받는 "약삭빠른 환전상"의 전형적인 예입니다. 그의 종교적 체험이 얼마나 강렬하였든, 그는 이 체험들을 신중히 판단했고 비판적으로 성찰하였으며 그리스도교 신앙의 내용에 맞는 내용인지를 늘 살펴보았습니다.

유명한 독일 신학자이자 이냐시오 성인을 존경했던 칼 라너Karl Rahner는 상대적으로 간단한 이냐시오의 영의 식별 규칙이 각 개인에게 있어서 하느님의 뜻을 발견하는 실용적이고 아주 체계적인 방법이라고 주장했습니다. 그는 이 규칙이 그리스도교 영성의 역사 안에서 그렇게 체계적인 방법으로 세세하게 식별하는 첫 번째이자 유일한 시도라고도 했습니다. 그리스도교 영성 유산의 전문가였던 첫 세대 예수회원 몇몇은 영의 식별에 관한 이냐시오의 규칙이 "지금까지 보지 못한 새로운 규칙이며 이후로도 들어볼 수 없는 대단한 내용"을 담는다고 말하기도 했습니다.

이 규칙은 이냐시오 자신의 영성 생활과 사목 경험에서 일어나고 검증된 통찰과 대응법을 공식적으로 명문화한 것이라 할 수 있습니다. 이냐시오가 영의 식별 전통 안에 머물러 있는 것은 분명했지만, 이상하리만치 이 전통에 대해서 무지했습니다. 그의 『자서전』과 『영적 일기』가 잘 보여 주듯이, 그는 주로 자신이 직접 경험한 영적 체험으로부터 영의 식별을 배웠습니다. 그가 만든 도식과 간결하고 정확한 체계와 규칙의 내부 구조는 이냐시오 이전뿐만 아니라 이후에도 그 누구도 하지 않은 방식으로 그리스도교 영성 유산에 이바지했습니다. 영의 식별 규칙은 유일하고 독특합니다.

칼 라너는 그리스도교에는 교의(教義)의 역사뿐만 아니라, 거룩함의 역사도 있다고 말했습니다. 성인들은 그들이 살았던 시대 안에서 참된 그리스도인으로 살아가는 길을 몸소 보였으며, 라너는 이냐시오도 그중 하나라고 여겼습니다. 그러면서도 이냐시오를 성인들의 초자연적 논리를 설명하고 체계화한 사람으로 보았습니다. 그는 아리스토텔레스가 철학 영역에서 중요한 인물이듯이, 이냐시오는 교회에서 그만큼 중요한 인물이라고 여기기도 했습니다. 아리스토텔레스를 통해 논리가 철학의 첫째 학문이 되었던 것처럼, 이냐시오를 통해 실존적 결정의 논리, 곧 영의 식별이 성인들의 학문이 되었습니다.

하지만 라너는 이냐시오가 분명함의 대가라기보다는 간략함의 대가라고 말했습니다. 영의 식별 규칙에 쓰인 간결한 표현이나 모호한 표현들은 오해의 소지를 남길 수도 있습니다. 규칙의 본문을 세심하고 조심스럽게 읽고, 그리스도를 더 깊이 알고 더 열렬히 사랑하며 더 충실하게 따르고자 하는 이냐시오의 정신을 잘 받아들일 때만이, 이 위대한 신비가가 정리한 규칙들의 영적 깊이를 가늠하기 시작할 것입니다.

제2차 바티칸 공의회 시기에 이냐시오 영성과 그의 신비 사상에 대한 새로운 관심, 특히 이냐시오가 집중하는 영의 식별에 관한 관심이 새로이 일었습니다. 이냐시오 규칙을 이해하는 데에 학자들에게는 큰 도움이 되지만 일반인들에게는 그렇지 않은, 상세하고 장황한 연구들도 나왔고, 이냐시오나 그의 규칙의 의미를 제대로 다루지 않고, 읽는 이에게도 적절치 않은, 대중적이지만 피상적인 연구들도 나왔습니다.

티모시 갤러허 신부님은 명쾌한 문장을 사용하고, 규칙을 세심하고 조심스럽게 읽어 내려가며, 자료를 필요한 곳에 알맞게 드러내고, 실례가 되는 인용구로 도움을 주며, 적절한 예를 사용하여, 이런 상황을 타개하는 데 도움이 될 책을 썼습니다. 신부님의 책은 영신수련의 "제1주간"에 해당하는 영의 식별 규칙을 아주 적절한 방식으로 잘 드러내 보여 줍니다. 문체나 내용을 적절하게 간소화하여 이 영역에 사전 지식이 거의 없는 신자들도 쉽게 받아들일 수 있게 적었습니다.

물론 이 규칙에 대한 완전무결하고 최종적인 책은 존재하지 않습니다. 하지만 갤러허 신부님은 이냐시오가 바랐던 바를 아주 건실하게 충족합니다. 즉 선한 의지를 지닌 그리스도인들이 그 배경이 어떠하든 "영혼 안에서 일어나는 여러 움직임을 …… 받아들일 선한 움직임인지, 거부해야 할 악한 움직임인지를 어느 정도는 구분하여" 파악하는 능력을 갖추기를 바랐던 갈망입니다. 이냐시오가 제시하는 원칙을 올바로 이해하고 일상생활에 능숙하게 적용함으로써, 갤러허 신부님은 피정 지도자, 피정 참가자, 영성신학도, 그리고 영성 생활의 깊이를 더하고자 하는 이들의 강한 요구에 부응합니다. 제가 아는 한 이 책만큼 도움을 주는 다른 책은 아직 없습니다.

보스턴 칼리지 조직신학·신비신학 교수*

하비 이건Harvey D. Egan, S.J.

---

* 현재는 은퇴하여 보스턴 칼리지 명예교수이다(편집자 주).

차례

서문

영성 생활의 핵심

레프 톨스토이의 책 『안나 카레니나』의 주인공 레빈은, 자신에게 큰 기쁨을 안겨 주는 체험을 통해 하느님을 만나게 되었다.[1] 이 체험은 하느님을 위해 살아가는 어떤 올곧은 사람과의 만남이었는데, 이는 영적으로 모든 것이 분명해지는 길을 그에게 열어 주었다. 레빈이 흘린 눈물은 주님 안에서 그의 마음이 얼마나 깊은 행복감에 젖었는지를 말해 준다. 그의 신앙은 더 굳세어졌고 새로운 영성 생활이 눈앞에 펼쳐진다. 레빈은 그가 받은 풍성한 은총에 힘입어 가족과의 관계도 훨씬 좋아지리라고 기대한다. 하지만 그 체험 후 집으로 돌아가서도 여전히 가족들과 불화를 겪게 되자, 이내 그의 마음은 실망으로 가득 찬다. 거우 잠시 혼자만의 시간을 가지면서 레빈은 최근의 영적 체험에 대해 묵상해 본다.

그는 자신이 느꼈던 영적 평화를 날려 버린 현실 생활에서 벗어나 회복할 수 있는 혼자만의 시간을 보내게 되어 기뻤다. 그의 머릿속에는 이반에게 화를 냈던 시간, 자신의 형제에게 냉랭했던 시간, 그리고 카타바

---

1   Leo Tolstoy, *Anna Karenina*, trans. Constance Garnett (Garden City, N.Y.: Nelson Doubleday, 1944), 717-721. [레프 톨스토이, 『안나 카레니나』, 연진희 옮김, (서울: 민음사, 2012)].

소프에게 경솔하게 이야기했던 시간들이 떠올랐다.

"내가 느낀 영적 평화가 그저 찰나의 기분이었던가? 그리고 그 어떤 흔적도 없이 사라지려나?" 하고 그는 생각했다. 바로 그 순간, 그가 느꼈던 영적 평화로 되돌아오면서 기쁨에 찬 그는 무언가 새롭고 중요한 것이 자신에게 일어났음을 느꼈다. 현실 생활은 그가 찾았던 영적 평화를 잠시만 가렸을 뿐, 그의 마음에는 여전히 그 평화가 훼손되지 않은 채로 남아 있었다.[2]

하느님 안에서 즐기는 기쁨을 맞이했나 싶으면 이내 줄어드는 기쁨. 행복에 들뜨다 보면 이내 들게 되는 실망과 의심. 굳건한 믿음도 언젠가는 지나가 버리는 기분에 불과할지도 모른다는 걱정에 잠기다가 다시 찾아오는 영적 기쁨. 영적 평화와 곧이어 그 평화를 무색케 하는 어둠. 그러고는 마침내 하느님 안에서 맞이한 온전한 평화…… 이렇게 레빈의 생각과 감정을 표현하면서, 톨스토이는 모든 신앙생활에서 기본이 되는 것을 보여 준다. 즉 인간의 마음이 하느님을 향해 나아가면서 기쁨과 두려움, 평화와 걱정, 희망과 좌절이 끊임없이 교차하는 것은 모든 신앙생활에서 기본 요소라는 점이다.

이런 감정이 번갈아 생겨난다는 게 중요하다. 하느님께서 가까이 계시다는 체험에서 오는 기쁨은 사랑하고 봉사하는 노력에 새로운 힘을 더해 준다. 반면에, 좌절감과 두려움이 몰고 오는 어둠은 이런 노력에 찬물을 끼얹고 어쩌면 그 노력을 완전히 집어삼킬 수도 있다. 각자가 걸어가는 삶 안에서 열심

---

2   Tolstoy, *Anna Karenina*, 725.

한 신앙인들이 모두 내적으로 이렇게 오르락내리락하는 영적 움직임을 어떤 형태로든 체험하게 된다. 하느님에 대한 봉사에 힘과 열정을 쏟는 때가 있는가 하면 또 다른 때에는 이 힘과 열정이 시들해진다. 이렇게 서로 반대가 되는 마음의 움직임을 두고 우리는 그저 손 놓고 있을 수밖에 없는가? 이렇게 복잡한 영적 체험을 이해할 수 있는 길이 있을까? 우리 마음에 일어나는 이런 변화에 현명하게 대처할 수 있는 방법을 배울 수 있을까? 만약 이런 질문들에 답을 주는 가르침이 있다면, 그 가르침은 분명히 우리 신앙인에게 큰 도움이 될 것이다. 그런 지혜는 그야말로 영성 생활의 핵심이다.

로욜라의 이냐시오

우리보다 먼저 살았던 신앙인들도 그런 마음의 여러 움직임을 체험했다. 그들도 우리와 마찬가지로 마음의 움직임에 대응하여 받아들이기도 하고 배척하기도 했을 것이다. 창세기에 기록되어 있는 첫 인류부터 구약과 신약 전체에 걸쳐서, 우리는 하느님에게로 이끄는 것들과 그렇지 않은 것들을 분별해야 하는 상황에 놓인 사람들을 만난다. 수 세기를 거쳐 오면서 나타난 영성의 대가들은 열심한 신앙인들의 마음에서 일어나는 움직임을 파악하고 대응할 수 있게 도와주었다. 몇몇 이름을 들자면, 오리게네스, 이집트의 안토니오, 아우구스티노, 요한 카시아노, 클레르보의 베르나르도, 시에나의 가타리

나 등이다.[3]

그중에서도 구별되는 인물이 하나 있다. 바로 로욜라의 이냐시오(1491-1556)이며 그의 '식별(識別, discernment)'에 대한 가르침이 이 책에서 집중하고자 하는 주안점이다. 우리가 곧 살펴보겠지만 이냐시오는 자기만의 방식으로 마음에서 일어나는 상반된 움직임을 설명하였는데, 그 설명이 구체적이고 실제적이었다. 그리고 구체적, 실제적 언어를 써서 마음의 움직임에 대응하는 효과적인 방법들도 가르쳤다.

이냐시오의 내적 삶은 풍부한 정감과 영적으로 뛰어난 자기인식을 특징으로 한다. 이냐시오의 민감한 영적 감수성에 대한 언급은 그와 절친했던 사람들의 글에 아주 많이 나타나며, 그 글들은 이냐시오 전통에서 고전이 되어 있다. 이냐시오의 측근 중 한 사람 헤로니모 나달Jerónimo Nadal은 이렇게 단언한다. 이냐시오가 받은 특별한 은사는 "모든 것, 행동, 그리고 대화 속에서 하느님의 현존과 영적인 것들에 대한 사랑을 발견하고 관상하는 것이었다. 심지어 활동하고 있는 중에도 관상적 태도를 유지하였다."[4] 이냐시오의 삶을 증언하는 다른 많은 이들도 같은 생각이었다.[5]

---

3 Cf. Sr. Innocentia Richards, trans., *Discernment of Spirits* (Collegeville, Minn.: Liturgical Press, 1970), "Discernement des Esprits" by Jacques Guillet et al., in the *Dictionnaire de Spiritualité Ascetique et Mystique*, III, cols. 1222-1291의 영문판.

4 Joseph de Guibert, *The Jesuits: Their Spiritual Doctrine and Practice. A Historical Study* (St. Louis: Institute of Jesuit Sources, 1986), 45에서 인용.

5 페드로 리바데네이라, "우리 신부님께서 바쁜 업무 중에서도 어떻게 그렇게 쉽게 자신을 살펴보시는지 놀라울 따름이다. 다른 말로 하자면 어떻게 그렇게 쉽게 본인이 의도한 대로 몰두하시고 많은 눈물을 활용하시는지 그저 놀라울 따름이다."(위의 책, 45) 디에고 라이네스, "이냐시오는 자신의 양심을 잘 보살펴서 매일 이번 주를 지난주와 비교하고 이번 달을 지난 달과 비교하며 오

이냐시오의 삶과 그가 쓴 글, 그리고 그의 삶을 지켜본 이들의 증언을 보면, 그는 마음에서 일어나는 영적인 움직임들에 잘 대응하는 사람, 즉 이런 움직임들에 민감하며 하느님에게서 오는 움직임과 그렇지 않은 것을 신중하게 분별하는 사람이었다. 이냐시오에게 이런 영적 감지awareness는 매우 중요했고, 하루 종일 잠시도 방심하지 않았다. 영적 감지는 그의 모든 영성 생활과 저술에서 중심을 차지했다. 마음에서 일어나는 상반된 영의 움직임을 감지하고, 이와 짝을 이뤄 이 움직임을 파악하고 현명하게 대응하려고 노력을 기울이는 것이 이른바 **영의 식별discernment of spirits**이며, 이것이 이 책의 주제이다.

여기서 **식별**이란, 어떤 것이나 어떤 생각을, 다른 것이나 다른 생각과 구별하는 과정을 뜻한다. '식별discernment'의 어원은 라틴어 'discernere'인데, 특질에 따라 사물을 각각 구분하고 어떤 것을 다른 것과 구분한다는 의미이다. 이렇게 유래한 식별이란 말은 하나의 영적 실재를 다른 영적 실재와 구분하여 확인한다는 뜻을 갖는다.[6] **'영의'**라는 말은 식별 **대상**을 가리킨다. 다시 말

늘을 어제와 비교하면서 하루하루 성장하려고 했다."(위의 책, 39-40) 루이스 곤사우베스 다 카마라는 생애의 후반기를 보내는 이냐시오가 어떻게 자신의 삶을 대하는지에 대해 이렇게 기술한다. "그는 계속해서 더 많이 하느님을 찾고자 하는 자신의 재능을 키우려고 몰두했고, 그의 생애에 있어서 이전보다 지금 더 많이 그렇게 하고자 해 왔다. 하느님을 찾기 바랐던 매 순간, 그는 하느님을 만났다."(위의 책, 41) 이냐시오의 생애와 성격에 대해 자세히 기술하는 것은 이 책의 범위를 넘어서는 것이어서 여기서는 이냐시오가 제공하는 영적 가르침의 한 부분에 대해서만 특별히 집중하고자 한다. 더 자세한 부분은 이냐시오를 다룬 많은 책에서 찾을 수 있다. Cándido de Dalmases, *Ignatius of Loyola, Founder of the Jesuits: His life and Work* (St. Louis: Institute of Jesuit Sources, 1985); José Ignacio Tellechea Idígoras, *Ignatius of Loyola: The Pilgrim Saint* (Chicago: Loyola University Press, 1994) 등이 있다.

6 "discernment"라는 단어의 의미를 알고자 한다면, Thomas Green, *Weeds among the Wheat. Discernment: Where Prayer & Action Meet* (Notre Dame, Ind.: Ave Maria Press, 1984), 22를

해, 서로 구별되어야 하는 **영적 실재들**이다. 이런 맥락에서 이냐시오가 사용하는 단어인 **'영들spirits'**은 마음속에서 일어나는 각종 정감적 움직임, 즉 기쁨, 슬픔, 희망, 두려움, 평화, 걱정, 기타 비슷한 감정들과 이에 연루된 생각을 가리킨다. 식별의 대상이 되는 영적 실재는 마음에 일어나는 움직임과 이 움직임에 연루된 생각인 셈이다. 이 다양한 영적 실재들이 우리의 신앙생활과 하느님께로 나아가는 여정에 영향을 미친다.

이 지점에서 우리는 이렇게 말할 수 있다. 이냐시오에게 있어 영의 식별은 우리 마음속에 일어나는 서로 다른 종류의 영적 움직임을 구별하여, 어떤 움직임이 하느님에게서 온 것이고 어떤 것이 아닌지를 알아보고 확인하고서, 하느님에게서 온 것은 받아들이고 그렇지 않은 것은 배척하는 과정이다.[7] 이 책의 주된 관심사는 '영의 식별'을 설명하고, 실례를 제시하여, 열심한 신앙인들이 매일 일상의 삶에서 맞이하는 영적 체험에 영의 식별을 적용해 보도록

참조하라. [토머스 그린, 『밀밭의 가라지: 기도와 행함이 만나는 곳』, 최상미 옮김, (파주: 로뎀, 2012)].

7 **영의** 식별은 영적인 문제를 식별하는 데 유일한 식별의 종류가 아니다. 마누엘 루이스 후라도는 다른 수많은 형태의 영적 식별을 첨가해서 목록을 제시한다. '시대의 징표'의 식별, 단체들과 교회 운동의 식별, 성령 운동 현상에 대한 식별, 교회의 진정한 의미에 대한 식별, 공동체 식별, 성소 식별 등이다. Cf. *El discernimiento espiritual: Teologia, Historia, Practica* (Madrid: BAC, 1994), IX-XI. [마누엘 루이스 후라도, 『영적 식별』, 박일 옮김, (서울: 가톨릭대학교출판부, 2010)] 줄스 토너는 *A Commentary on Saint Ignatius' Rules for the Discernment of Spirits: A Guide to the Principles and Practices* (St. Louis: Institute of Jesuit Sources, 1982), 12-15에서 영의 식별과 하느님 뜻의 식별을 구분한다. 이 책에서 나는 **영의 식별**에만 집중한다. 즉, **우리 마음에서 일어나는 움직임들** 중 어떤 것이 하느님에 의한 움직임이고 어떤 것이 아닌지, 그리고 이런 움직임에 어떻게 대응하는지에 집중하고자 한다. 영의 식별에 관해서는 18세기를 대표하는 조반니 바티스타 스카라멜리는 이렇게 적는다. "여기에서 '영'이라 함은 우리를 이끄는 충동, 특정한 것을 향한 우리 영혼의 움직임 또는 내적인 이끌림으로 이해된다." *Dottrina di S Giovanni della Croce e Discerniment degli spiriti* (Rome: Pia Società S. Paola, 1946), 230.

돕는 데에 있다.

이 주 관심사를 위하여 기본으로 삼는 이냐시오의 저작은 그의『영신수련』에 포함된 '영들의 식별 규칙들'이다.[8] 가톨릭 영성의 전통에서 찾아볼 수 있는 영의 식별에 대한 가르침 중에서 이냐시오의 규칙들이 가장 분명하고 가장 구체적인 가르침이라 할 수 있다. 영의 식별을 실행하는 것과 관련해서 토머스 그린은 이렇게 쓴다.

로욜라의 성 이냐시오가『영신수련』에서 적은 영의 식별에 대한 규칙들은 걸작이다. 450년이 흐른 오늘날에도 가톨릭교회의 식별에 관한 한 이 규칙들이 표준이요 본산이라 해도 과언이 아니다. 성 아우구스티노의 업적이 악의 문제이고 아빌라의 성녀 데레사와 십자가의 성 요한의 업적이 기도의 현상학이라면 성 이냐시오가 하느님의 은사를 받아 이룩한 업적은 식별의 기술이라 할 수 있다.[9]

---

8 이냐시오,『로욜라의 성 이냐시오 영신수련』, 정제천 옮김, (서울: 도서출판 이냐시오영성연구소, 2019), 313-327번 제1주간에 적합한 식별 규칙.

9 Green, *Weeds among the Wheat*, 14. 토너는 *Commentary*, xvi에서 "로욜라의 이냐시오 성인의 규칙들은 지금까지 만들어진 영의 식별에 관한 지침 중에서 수 세기 전부터 현재까지 가장 완전하고 실질적으로 도움이 되는 지침"이라고 적고 있다.

이 책에서 식별 규칙을 설명하는 방식

나는 20년 전 피정 지도와 영성 지도를 하면서 처음으로 영의 식별에 관심을 가졌다. 피정 지도를 하면서, 그리고 후에 식별에 관한 세미나를 통해 영의 식별 규칙에 대한 논의를 시작했다. 그동안 이 가르침을 받고 열정적으로 응답하는 사람들을 만나면서 나는 한 가지를 확신하게 되었다. 진심으로 주님을 찾는 사람들의 체험에 들어 있는 아주 근본적인 것을 이냐시오가 건드린다는 점이다. 영의 식별 규칙은 열심한 신앙인들이 영적으로 성장하려는 노력을 기울이면서 만나게 되는 주요한 장애물, 즉 좌절감, 두려움, 희망의 상실, 그리고 마음을 괴롭히는 움직임 등을 극복할 수 있는 원동력이 된다는 점을 나는 실감했다. 이것은 이냐시오가 남긴 비할 데 없이 귀중한 유산이다.

피정이나 세미나가 끝날 때 이냐시오의 값을 매길 수 없는 영적 도구 덕분에 실망감과 두려움을 극복할 수 있었다는 피정자나 참석자들의 사례를 수없이 목격하면서 나는 늘 깊은 감동을 받는다. 그들은 이냐시오의 도움으로 힘든 시간을 잘 이겨 냈고, 앞으로 닥칠지 모르는 비슷한 시련도 극복할 수 있는 영적 장비로 무장되었다고 느꼈다. 이 체험으로부터 새로운 희망이 커 나갔다.

여러 해에 걸쳐 나는 이 규칙을 설명하는 방법론을 발전시켰고 그 방법론에 따라 이 책을 쓰고 있다. 방법론은 두 가지 확신에 기반하고 있다. 첫째, 영의 식별 규칙을 가르치는 가장 훌륭한 방법은, 문장과 문장 때로는 단어와 단어를 이냐시오가 원래 쓴 그대로 살펴보는 것이다.[10] 이냐시오의 문체가 읽기 힘들고 복잡하며 어렵기 때문에 이 방법이 더더욱 필요하다.[11] 사실 사람들이 이 규칙을 처음 읽어 보고는 실망하던 모습을 나는 봐 왔다. 처음 읽을 때는 이 규칙이 별 알맹이 없는 이야기 같기도 하고 몰랐던 새로운 이야기를 하는 것 같지도 않다. 하지만 문장을 하나씩 살펴보고, 하나를 써도 여러 의미를 드러내고자 신중하게 선택한 단어들을 주의 깊게 살펴볼 때만 비로소 그 풍성한 의미가 온전히 드러난다.

둘째, 이 규칙이 이냐시오의 체험에서 나왔기 때문에 어디까지나 이냐시오의 체험에 의거하여 설명하는 것이 가장 좋은 방법이다. 이냐시오는 그가 직접 겪은 체험과 그가 지도한 피정자들의 체험을 집약해서 이 규칙을 썼다. 그러므로 나는 추상적 이론을 동원하지 않고 다양한 피정자들의 실생활과 실제 체험을 연구해서 이 규칙을 설명한다. 어떤 설명은 가톨릭의 영적 전통에 잘 부합하는 것도 있고, 별로 그렇지 않은 것도 있다. 하여간 나는 체험 사례에 대한 연구와 해명이 각 규칙의 의미를 잘 드러낼 것이라고 믿는다.

이런 방식으로 접근할 때, 이 규칙이 생생하게 살아난다. 영의 식별 규칙이 영적 체험으로 들어가면 얼마나 큰 위력을 발휘하는지 나는 많이 목격하였다. 영적 체험 속에서 이 규칙이 제자리를 찾아가 본래 제 몫대로 작동하기 시작하면 놀라운 일이 벌어진다. 열심한 신앙인들은 날것처럼 가공되지 않고

---

10 나는 풍성한 열매를 맺는 이런 접근 방식을 다니엘 힐에게서 처음 배웠다. 힐은 이 접근 방식을 그의 책 *Discernimiento según San Ignacio* (Rome: Centrum Ignatianum Spiritualitatis, 1983)에서 사용한다.

11 *The Jesuits*, 71.

생기다 만 것 같은 문장들이 얼마나 심오하게 그들의 영적 체험을 이해하고 묘사하고 있는지, 얼마나 노련하게 도움을 주고 있는지, 얼마나 지혜롭게 답하고 있는지를 경이로움 속에 깨닫게 된다. 이 책을 읽는 사람들도 같은 깨달음을 키워 나갈 수 있었으면 하는 것이 나의 소망이다.

이 책의 목적

내가 목표로 삼는 것은, 신앙인들의 영성 생활이 계속 촉진될 수 있도록 실제 체험에 기반하여 영의 식별 규칙을 설명하는 것이다. 나는 이 실용적 목적을 염두에 두고 내용을 풀어 나간다. 이 책은 영성 생활을 실제로 살아 내는 데 대한 책이다.[12]

이냐시오는 『영신수련』에서 영의 식별 규칙을 두 세트로 나누어 제공한다.[13] 이 책에서 나는 14개의 규칙으로 구성된 첫째 세트를 논하고자 한다. 영

---

12 여러 작가가 다른 접근 방식을 가지고 이 규칙에 대한 주석을 제공해 왔다. 나는 특별히 줄스 토너, 다니엘 힐, 미겔 앙헬 피오리토에게서 도움을 받았다. 이 규칙들에 대한 그들의 주요 작품은 다음과 같다. Jules Toner, *A Commentary on Saint Ignatius' Rules for the Dicernment of Spirits: A Guide to the Principles and Practice* (St. Louis: Insittute of Jesuit Sources, 1982); Daniel Gil, *Discernimiento según San Ignacio* (Rome: Centrum Ignatianum Spiritualitatis, 1983); Miguel Angel Fiorito, *Discernimiento y Lucha Espiritual* (Buenos Aires: Ediciones Diego de Torres, 1985).

13 『영신수련』에 따르면, 313-327번은 제1주간에 더 적당하고, 328-336번은 제2주간에 더 적당하다고 한다. "제1주간"과 "제2주간"은 『영신수련』 책에서 볼 때 여러 날을 묶은 특정 기간이기보다는, 하나는 영적 실망에 의한 유혹을 이겨 내는 전술(제1주간 규칙들)과 다른 하나는 영적 위로에 의한 움직임을 활용하는 전술(제2주간 규칙들)이라고 하는 두 개의 다른 전술을 가리킨다. Cf. Gil, *Discernimiento*, 26-27,51. Fiorito, *Discernimiento y Lucha*, 35-37.

의 식별 규칙의 둘째 세트는 다른 책에서 논할 계획이다. 사실, 이냐시오는 둘째 세트를 첫째와 동시에 쓰지 말라고 권했다. 첫째 세트를 적용하고 있는 사람에게 도움이 되지 않기 때문이다(『영신수련』, 9번). 우리가 이제 보게 되겠지만, 첫째 세트를 완전히 이해하면서 이룰 성장 자체로도 이미 대단하다. 그러므로 이 책은 첫째 세트에 집중하여 이 심오한 가르침을 쉽게 구사할 수 있도록 할 것이다. 그렇게 해서 더 잘 이해하고 실생활에 적용할 수 있게 할 것이다.[14]

이냐시오는 영신수련을 안내하는 동반자를 위해 이 규칙을 썼다. 그는 동반자가 이 규칙을 완전히 소화하고 있고, 피정자의 필요에 맞추어 이를 잘 설명해 주리라는 전제를 두고 이 규칙을 썼다(『영신수련』, 8번). 이 전제를 두고 피정을 하면서, 이냐시오는 동반자의 도움을 통해 피정자가 이 규칙을 스스로 구사할 수 있는 수준까지 발전해 가기를 희망했다. 그래서 피정이 끝나도 피정자가 활용 능력을 유지할 수 있기를 희망했다.[15]

그렇기에 식별에 관한 규칙은 정식 피정 기간에만 사용하는 것이 아니다. 피정 이후 하느님을 찾는 모든 이의 모든 영적 체험에 계속 사용하는 것

---

14 피오리토(*Discernimiento y Lucha*, 7-11)는 영의 식별 규칙의 첫째 세트를 분리해서 다루고자 하는 이유를 좀 더 제시하고 있다. 이 규칙은 식별에 관한 다른 규칙을 소개하는 글로서 역할을 한다는 것이 그 이유이다. 이 규칙은 특별히 영적 실망을 다루고 있다. 그리고 이 규칙은 매일의 신앙생활의 부분인 영적 투쟁에 주의를 기울인다.

15 "이냐시오가 분명히 의도하는 바는 피정 참가자들이 영신수련을 마치고 매일의 삶으로 돌아가서도 그들이 열네 개의 규칙과 관련해서 배운 것에 따라 계속해서 살아가야 한다는 점이다."(Fiorito, *Discernimiento y Lucha*, 10) 마누엘 루이스 후라도는 이렇게 단언한다. "영신수련의 시간을 보내면서 하는 집약된 영적 체험은 앞으로의 삶 속에서 실행해야 할 것을 집중적으로 하는 훈련의 역할을 한다." *El Discernimiento Espiritual: Teologia, Historia, Práctica* (Madrid: Biblioteca de Autores Cristianos, 1994), 125.

이다. 일단 이 규칙을 한번 배워 봤고 계속해서 능숙한 영적 지도자의 도움을 받으면 열심한 신앙인들은 자신의 마음속에서 매일 일어나는 영적인 움직임을 파악하고 대처하는 데에 이 규칙만 한 것이 없음을 알게 될 것이다.

이 책은 식별에 관한 이냐시오의 규칙을 더 깊이 이해해서 자신들의 영성 생활에 적용하고자 하는 모든 사람을 위한 책이다. 이 책은 영적 지도를 하는 사람들뿐만 아니라 영적 지도를 받는 사람들을 위해서도 쓴 글이며, 식별에 대한 이냐시오의 가르침을 전하고 받아들이는 데 좋은 자원으로 활용할 수 있다. 영신수련 피정 맥락에서뿐만 아니라 일상에서 이 규칙을 따라 살아가고자 노력하는 사람들도 이 책의 대상이다. 이 책은 열네 개의 규칙들을 체계적으로 소개하는 안내서로 활용될 수도 있고 필요에 따라서 각각의 규칙을 상기시키는 책으로 삼아도 된다. 이 책에서 선택한 예들에서 보듯이, 이 책에 포함된 가르침은 각자가 걸어가는 삶의 길과 소명의 길에 있는 사람들에게도 적용된다. 이 책이 우리의 삶과 거리가 먼 영적 현상들에 관심이 있는 게 아니라 열심한 신앙인 모두가 일상에서 겪는 영적 경험에 관심이 있다는 점 또한 같은 예들을 통해 알 수 있다.

식별 규칙에 대해 훌륭한 자료들이 이미 나와 있다. 하지만, 기존에 나온 자료들이 해결하지 못한 부분이 있어, 식별 규칙이 여전히 이해하기 어려운 것으로 남아 있고 거의 활용되지 못하는 실정이다. 어떤 자료들은 이론적으로 광범위하고 철저하며 풍부하지만 바로 그런 이유로 전문가들만 볼 수 있다. 다른 자료들은 쉬워서 일반 독자들이 볼 수 있지만 이 규칙을 충분히 담기에는 너무 피상적이다. 이 책은 일반 독자도 쉽게 읽을 수 있으면서 또한 내용도 충실히 겸비하려고 노력하였다. 규칙마다 한 장(章)을 할애하여 깊이 있게 논의하였다. 이냐시오가 실제로 적은 원문과 원뜻을 존중하였고, 거기서 더 나아가거나 치장을 더하지 않았다. 이냐시오가 가르치는 방법을 존중하면서 설명을 장황하게 늘어놓거나 어렵게 만들지도 않았다.[16] 이 규칙을 사례를 들어 설명할 텐데, 그렇게 하면 독자의 부담을 덜고 실제 경험을 통해 가르치는 바를 이해하게 되며 규칙의 의미와 용법을 분명히 알아듣게 될 것이다.

열네 개의 규칙을 보면 곧 분명히 드러나겠지만, 이냐시오는 우선 식별의 본질에 대해 가르치고 있다. 그리고 나서 우리가 이 본질을 이해하게 되면 실제로 사용할 수 있는 지침을 알려 주는데, 이 지침은 우리가 이해하게 된 식별에 따라서 살아갈 수 있게 도움을 주는 지침이다. 이 책은 세 번째 장에서부터 사람들의 개인적 경험에 각 규칙을 직접 적용할 것이고 행동으로 실천하기 위한 실용적 지침을 제공할 것이다. 이 책의 1-2장은 뒤이어 나오는 나머지 열두 장이 알찬 결실을 보는 데 필요한 기반을 제공한다.

식별에 대해서 이냐시오가 적은 열네 개의 규칙이 일관되게 전하는 메시지가 있다. 영성 생활에는 실망과 속임수가 있기 마련이지만 그 실망과 속임수를 몰아내고 자유로울 수 있다는 것이 그 메시지이다. 이 규칙을 가지고 일을 하면서 내가 겪은 가장 행복한 경험 중의 하나는 이 규칙을 공유한 사람들의 마음에 규칙이 어떻게 새로운 희망을 일깨우는지를 계속해서 목격할 수 있었다는 점이다. 위에서 언급한 영적 실망을 오랫동안 경험한 열심한 신앙인들은 그들을 자유롭게 해 줄 가르침을 이냐시오의 식별 규칙에서 찾게 된

---

16 줄스 토너의 *Commentary*는 영의 식별이 가지는 복잡함을 좀 더 살펴볼 수 있는 좋은 자료이다.

다. 예수님께서 당신의 구원 사명을 요약하여 나자렛 회당에서 선포하신 말씀도 이 책의 중심 주제를 잘 표현하고 있다. "주님께서 나에게 기름을 부어 주시니 주님의 영이 내 위에 내리셨다. 주님께서 나를 보내시어 가난한 이들에게 기쁜 소식을 전하고 **잡혀간 이들에게 해방을** 선포하며 …… **억압받는 이들을 해방시켜** 내보내며."(루카 4,18. 저자의 강조 추가) 이 책은 잡힌 이들을 해방시키는 데 관한 책이다. 다음의 각 장에서 살펴보듯이 각각의 규칙에 힘입어 우리는 한 걸음 더 해방을 향하여 나아갈 수 있을 것이다.

영의 식별 규칙의 첫째 세트[17]

[313] 영혼 안에 일어나는 여러 움직임을 어떤 식으로든지 감지하고 파악하여 선한 것들은 받아들이고 악한 것들은 배척하기 위한 규칙들이다. 제1주간에 더 적합하다.

[314] **규칙 1.** 대죄에서 대죄로 나아가는 사람들에게 원수[18]는 노골적인 쾌락을 제시하고 감각적인 쾌락과 즐거움을 상상하도록 하여서 악

---

17 도입부에서 기술한 방법을 유지하면서 내가 추구하는 목표는 『영신수련』 자필본에 실린 스페인어 규칙을 가능하면 가장 원문에 가깝게 영어로 번역하는 것이다. 이런 번역 양식은 이냐시오 성인이 직접 하신 말씀을 가장 자세히 살펴볼 수 있게 해 주며, 이는 이 책에서 저자가 규칙을 대하는 데 있어서의 중요한 핵심이다. 이 번역본의 바탕이 되는 이냐시오 성인의 자필본은 성인의 스페인어 문장을 우리에게 가장 잘 제시하고 있다. 이 자필본의 권위 있는 번역본은 José Calveras and Cándido de Dalmases, eds., *Sancti Ignatii de Loyola Exercitia Spiritualia* (Rome: Monumenta Historica Societatis Jesu, 1969), 100: 374-386이다. 영어로 옮겨 이 책에 인용한 부분은, 내가 이냐시오 성인의 "거칠고 어려운 양식"(Toner, *Commentary*, 21)에 최대한 가깝게 번역하고자 하는 원의와 영어로 충분히 읽을 수 있게 번역하고자 한 원의 사이의 균형을 유지하고자 한 노력의 결실이다. 어색한 문체가 종종 나올 텐데 그것은 이냐시오 성인이 쓴 원문을 살린 결과이다. 이냐시오 성인이 적은 그대로 가장 정확하게 규칙들을 살펴보고자 한다면 이런 어색함을 드러내는 것이 필요하다고 생각한다. 영어로 번역하면서 나는 초기 번역본에서 도움을 받아 왔고, 특히 『영신수련』을 비슷한 목적을 가지고 번역했고 내가 여러 부분에서 단어 선택을 차용한 Elder Mullan의 번역본에서 도움을 받았다. Cf. Elder Mullan, *The Spiritual Exercises of St. Ignatius of Loyola Translated from the Autograph* (New York: P.J. Kennedy & Sons, 1914), 169-175. 나는 또한 Louis Puhl, *The Spiritual Exercises of St. Ignatius Based on Studies in the Language of the Autograph* (Chicago: Loyola University Press, 1951), 141-146과 Toner, *Commentary*, 22-27에 나오는 단어 선택 부분도 종종 참조했다. 나는 이와 같은 절차를 따라서 이 책에 나오는 규칙뿐만 아니라 『영신수련』에 있는 다른 부분들도 인용했다. [이 한국어판에서는 『영신수련』 정제천 번역본과 정한채 번역본을 인용하되, 때로 문맥에 맞추어 고쳤다(편집자 주)].

18 사탄, 악한 영이라는 뜻(역자 주).

덕과 죄들을 유지하고 더욱 키워 가게 한다. 이런 사람들에게 선한 영[19]은 이성의 분별력으로써 양심을 자극하고 가책을 일으키는 등 정반대의 방법을 쓴다.

[315] **규칙 2.** 자기 죄를 깊이 정화하고, 우리 주 하느님을 섬기는 데 선에서 더욱 큰 선으로 나아가는 사람들에게는 첫째 규칙과는 정반대의 방법을 쓴다. 이 경우에 악한 영은 슬픔에 빠져 애타게 하며 진보하지 못하도록 장애물을 두고 거짓 이유로 마음을 혼란스럽게 한다. 그리고 선한 영은 용기와 힘, 위로와 눈물, 좋은 영감들을 주고 침착하게 하며 선행에 있어서 쉽게 진보하도록 해 주고 장애가 되는 모든 것을 제거한다.

[316] **규칙 3.** 영적 위로에 대하여. 위로란 내적 움직임이 일어나서 그것으로 말미암아 영혼이 창조주 주님에 대한 사랑으로 불타올라 세상의 어떤 피조물도 그 자체로서만 사랑할 수가 없고 그 모든 것을 창조주 안에서 사랑하게 되는 때를 말한다. 또한, 자기 죄에 대한 아픔이나, 우리 주 그리스도의 수난 때문이든, 혹은 하느님을 위한 봉사와 찬미에서 바르게 질서 잡혀 있는 어떤 것들 때문이든, 주님에 대한 사랑으로 이끄는 눈물이 쏟아지는 경우이다. 결국, 믿음, 희망, 사랑을 키우는 모든 것과 창조주 주님 안에서 영혼을 침잠시

---

19 성령을 가리킨다(역자 주).

키고 평온하게 하면서 천상적인 것으로 부르고 영혼의 구원으로 이
끄는 모든 내적인 기쁨을 위로라고 한다.

[317] **규칙 4.** 영적 실망에 대하여. 실망은 규칙 3과 정반대되는 것으로
서, 영혼이 어둡고 혼란스럽고 현세적이고 비속한 것으로 기울어지
고, 또한 여러 가지 심적인 동요와 유혹에서 오는 불안감 등으로 불
신으로 기울고 희망도 사랑도 사라지며, 게으르고 냉담하고 슬픔에
빠져서 마치 스스로가 창조주 주님으로부터 멀리 떨어져 있는 것처
럼 생각되는 상태이다. 위로가 실망에 반대되는 것과 같이 위로에
서 나오는 생각들도 실망에서 나오는 생각들과 반대가 된다.

[318] **규칙 5.** 실망에 빠졌을 때는 결코 변경을 해서는 안 되며 그런 실망
에 빠지기 전에 의도하였던 것들이나 결정한 것, 또는 전에 위로 중
에 있을 때 결정한 것에 변함없이 항구하여야 한다. 왜냐하면 위로
중에 주로 선한 영이 우리를 인도하고 권고하는 것과 같이 실망 중
에는 악한 영이 똑같이 하는데, 악한 영의 권고를 따라서는 우리가
올바른 길을 택할 수 없기 때문이다.

[319] **규칙 6.** 실망 중에는 처음에 세운 목적들을 바꾸지 말아야 하지만
실망에 거슬러서 힘껏 대응하는 것은 크게 도움이 되므로, 기도와
묵상에 더욱 노력하고 더 많이 성찰하고 적당한 형태의 고행을 더

늘리도록 한다.

[320] **규칙 7.** 실망 중에 있는 사람은, 주님이 어떻게 그를 본성의 능력만 지닌 채 시련에 처하게 놔두시어 원수의 여러 가지 책동과 유혹에 저항하도록 하시는지를 생각한다. 이 경우에 비록 그가 분명하게 느끼지 못할지라도, 그에게 항상 남아 있는 하느님의 도우심에 힘입어 대처해 낼 수 있다. 왜냐하면 주님은 그에게서 큰 열성과 넘치는 사랑과 열렬한 은총을 거두었지만 영원한 구원을 위해서 필요한 은총을 충분히 남겨 두었기 때문이다.

[321] **규칙 8.** 실망 중에 있는 이는 자기가 당하고 있는 괴로움에 상반된 인내를 유지하도록 노력하고, 규칙 6에서 말한 것과 같이 이런 실망에 상반된 노력을 한다면 머지않아 위로를 받을 것으로 생각해야 한다.

[322] **규칙 9.** 우리가 실망에 빠지는 데에는 세 가지 중요한 이유가 있다. 첫째는 우리가 영적인 수련들에 대해 미온적이거나 게으르거나 소홀하기 때문인데, 이런 경우는 우리 탓으로 영적 위로가 떠나간 것이다. 둘째는 우리가 얼마만 한 존재인지, 즉 위로와 넘치는 은총의 상급이 없이 우리가 봉사와 찬미에 있어서 얼마나 나아갈 수 있는지를 시험하기 위해서다. 셋째는 우리에게 참된 지식과 인식을 주

어서 우리가 큰 열심과 뜨거운 사랑, 눈물이나 다른 어떤 영적 위로를 일으키거나 갖는 것은 우리 힘으로 되는 것이 아니며, 이 모든 것이 우리 주 하느님의 선물이고 은총임을 마음속 깊이 느끼게 하기 위함이다. 그리고 어떤 교만이나 허영심에서 그러한 신심이나 다른 영적 위로가 우리 자신의 것인 양 생각하며 거기에 우리 마음을 빼앗기는 일이 없게 하려는 것이다.

[323] **규칙 10.** 위로 중에 있는 이는 다음에 실망이 올 때에 어떻게 처신할 것인지를 생각하고 그때를 위해서 새로운 힘을 마련하도록 해야 한다.

[324] **규칙 11.** 아울러 위로 중인 이는 그런 은총이나 위로가 없는 실망 중에 있을 때 자신이 얼마나 보잘것없었는지를 생각하며 되도록 자신을 겸손하게 낮추도록 애쓸 일이다. 이와 반대로 실망 중에 있는 이는 자신이 원수들에 대항하기에 충분한 은총을 받고 있으며 창조주 주님께 힘을 얻어 많은 것을 할 수 있음을 생각해야 한다.

[325] **규칙 12.** 원수는 강한 자에게 약하고 약한 자에게 한껏 강한 것이 마치 여자와 같이 행동한다. 다시 말해서 여자가 어떤 남자와 다툴 때에 남자가 단호한 모습을 보이면 기가 죽어서 피하지만, 반대로 남자가 기가 꺾여 피하기 시작하면 성내고 사납게 달려드는 기세가

더 심해지고 걷잡을 수 없이 되는 것과 같다. 원수도 영적인 수련을 하는 이가 유혹들에 저항하여 정반대의 행동과 단호한 태도를 취하면 기력을 잃어 유혹을 거두며 도망가고, 반대로 수련을 하는 이가 겁을 먹고 유혹을 견디지 못하여 기가 꺾이기 시작하면 인간 본성의 원수는 이 세상에 둘도 없는 사나운 짐승이 되어 온갖 교활한 방법으로 자신의 사악한 의도를 추진한다.

[326] **규칙 13.** 또한 원수는 비밀에 부쳐져 발각되지 않으려고 하는 점에서 마치 연애 사기꾼과 같이 행동한다. 마치 사기꾼이 못된 속임수를 써서 훌륭한 아버지의 딸이나 선량한 남편의 부인을 유혹하면서 자기의 말과 거짓 약속들이 비밀에 부쳐지기를 바라는 것과 같다. 반대로 원수는 딸이 아버지에게, 혹은 부인이 남편에게 자기의 허황된 말과 사악한 의도를 밝히는 것을 대단히 불쾌하게 여긴다. 그렇게 되면 자기가 시작한 일이 제대로 되지 않을 것이 뻔하기 때문이다. 이와 마찬가지로 인간 본성의 원수가 자신의 흉계와 거짓 약속들을 올바른 사람에게 제시할 때에는 이것들이 받아들여져서 비밀리에 간직되기를 원하고 바란다. 그러나 이들이 훌륭한 고해 사제, 또는 원수의 속임수와 사악함을 아는 다른 영적인 사람에게 그것들을 밝히면 무척 원통해 한다. 이로써 그의 명백한 속임수들이 드러나게 되어 자신의 흉계대로 이루어지지 않을 것이기 때문이다.

[327] **규칙 14.** 또한 원수는 적을 쳐부수어 자기가 원하는 것을 약탈하고자 하는 적장처럼 행동한다. 즉, 전쟁터의 최고 사령관이 진을 치고 상대방의 병력과 성의 배치를 살핀 다음 가장 취약한 부분을 공격하는 것과 같이 인간 본성의 원수도 우리 주변을 맴돌며 향주덕과 사추덕 및 윤리덕을 살펴보아 가장 취약한 곳, 우리의 영원한 구원에 가장 필요한 곳을 틈타서 우리를 공략하고 정복하려 한다.

도입

영의 식별이란 무엇인가?

우리가 장막을 걷어 올릴 수 있다면, 그리고 우리가 깨어 주의 깊게 볼 수 있다면, 주님은 끊임없이 우리에게 자신을 드러내실 것이고 우리는 우리에게 닥쳐오는 모든 것 안에 주님께서 활동하고 계심을 보고 기뻐할 것이다. 모든 일에서 우리는 외쳐야 한다. "바로 주님이시군요!"

― 장피에르 드 코사드

"그의 눈이 조금 열리면서"

이냐시오가 로욜라에서 병상에 누워 요양하는 중에 회심하게 된 이야기를 먼저 살펴보고자 한다. 수년의 시간이 흐른 후에 이냐시오가 동료 중 하나였던 카마라Luis Gonçalves da Câmara신부에게 말해 준 이야기이다.[20] 그 체

---

20 Joseph O'Callaghan, trans., *The Autobiography of St. Ignatius of Loyola with Related Documents* (New York, Hagerstown, San Francisco, London: Harper Torchbooks, 1974), 21-26. 이후로는 줄여서 『자서전』이라고 적는다. 한국어판은 『로욜라의 성 이냐시오 자서전』, 예수회 한국관구 옮김(서울: 도서출판 이냐시오 영성연구소, 2019)을 사용했으며, 때로 문맥에 맞추어 고쳐서 인용하였다(역자 주).

험은 이냐시오의 삶에서 분수령이 된 순간이었다. 그 전까지는 전장에서 이룬 업적과 기사로서 이룬 위업을 통해 명성을 얻고자 하는 것이 그의 주된 삶의 방향이었다. 그 체험 후에 이냐시오는 하느님을 섬기는 데 자신의 삶을 바쳤고 거룩함을 추구하고 탐구하는 여정을 시작했는데, 이냐시오 이후 후손들에게 대대로 축복이 되는 여정의 시작이었다.

우리는 이냐시오의 회심 이야기에 흐르는 **생각들**thoughts과 **정감**affectivity의 패턴에 특별히 초점을 맞추고자 한다. 또한 그의 영적 여정에서 결정적인 이 순간에 그가 받은 영적 체험에 관해 이 생각들과 정감이 드러내는 모든 것에도 주의를 기울이고자 한다. 그 순간이 바로 영의 식별에 관한 그의 모든 가르침이 흘러나오는 원천이었다.

프랑스 군대에 맞서 용감히 싸웠으나 패했던 팜플로나 전투에서 부상을 당한 후 이냐시오는 고향인 로욜라로 돌아왔다. 부상을 당한 다리에 첫 수술을 하고 나서 곧이어 두 번째 수술을 받는다. 다친 다리 외에 그의 몸은 멀쩡했지만 서 있을 수가 없어서 꼼짝없이 병상에 누워 있게 된다. 회복은 더디다. 무료한 시간을 보내기 위해서 그는 읽을거리를 갖다 달라고 한다. 그는 군대와 기사의 무용담을 좋아했지만 하필 그런 책은 찾을 수 없어서 그리스도의 생애와 성인들의 삶에 관한 신심 서적들을 대신 받게 된다. 별로 내키지는 않지만 달리 다른 선택이 없는 탓에 받은 책들을 읽으면서 무료한 나날을 달랜다.

하지만 점차 그는 흥미를 느낀다. 아래의 글은 그가 책을 읽으면서 자신에게 어떤 일이 일어났는지를 적은 글이다. 여기에서 **생각을** 강조하고 있는 것이 분명히 드러난다.

이 두 권의 책을 여러 번 거듭 읽는 동안 그는 그 내용에 진지한 흥미를 느끼기 시작했다. 때로는 책을 옆으로 밀어 놓고 금방 읽은 이야기를 곰곰이 **생각해** 보기도 하고, 때로는 전부터 **생각해** 오던 세상사를 공상해 보기도 하는 것이었다. 문득 떠오르는 많은 상념 가운데 특별히 그를 사로잡는 것이 하나 있었는데, 그 **생각**만 떠오르면 그는 자기도 모르게 두서너 시간씩 공상에 빠져드는 것이었다. 어느 귀부인에게 봉사하는 일을 머릿속에 상상하는 것인데, 그 귀부인이 사는 나라까지 가는 방법이며, 귀부인에게 건넬 말과 찬사의 구절들이며, 그녀를 받들어 쌓아 올릴 무훈 따위를 공상해 보는 것이었다. 그는 그 생각에 하도 열렬히 사로잡혀서, 그 귀부인이 낮은 귀족도 아니고 백작 부인이나 공작 부인도 아니며 그보다 훨씬 높은 신분에 있는 몸이므로, 자기로서는 그 일이 불가능에 가깝다는 사실을 미처 염두에 두지 않고 있었다.[21]

이냐시오가 가진 체험의 뼈대는 그가 세속적인 것에 대해 가진 넓고도 강렬한 **생각들**과 특히 그중 하나에 대해 든 생각이다. 이렇게 오랫동안 생각하는 중에 그의 마음의 다른 기능도 함께 작동한다. 정감도 활동하기 시작한다. 즉 세상으로 향한 계획이 "그의 마음을 강하게 사로잡는다." 그가 이 세속적인 계획을 생각하는 동안에는 이냐시오의 상상력도 마찬가지로 폭넓게 적용된다. 게다가 우리는 이런 모든 생각들 안에서 생길 수 있는, 미처 알아채

---

21 『자서전』, 6번. 『자서전』 번호는 인용문 끝에 적는다. 여기에서 논점의 중심이 되는 부분을 굵은 글씨로 강조해 드러내고자 하며, 이후 같은 방식으로 사용하고자 한다.

지 못한 비현실적 요소들에 관해서도 주목해야 할지 모른다. 이냐시오는 자신이 이런 생각에 지나치게 사로잡혀 있어서 그 계획이 근본적으로 실현 불가능하다는 사실을 깨닫지 못한다고 단순하게 말하고 있다. 이미 어떤 것은 자신에게 진실을 들려주지 않는다는 것을 이런 내적 체험을 통해서 알게 되기 때문이다.

또 다른 계획이 성인전을 읽을 때 떠올라 이냐시오의 생각을 사로잡는다. 이 계획이 세속적인 계획을 대체한다. 이제 이냐시오는 성인들의 거룩한 삶을 열정적으로 따라 사는 것을 고려하기 시작한다. 생각하는 것에 몰두한다는 점이 여기에서도 다시 드러난다.

그러나 주님께서 그를 도와주시어 그 같은 생각에 연이어서 그가 읽은 것에서 다른 **생각**이 떠오르게 해 주셨다. 주님의 생애와 성인들의 전기를 읽다가 그는 간혹 읽기를 멈추고 마음속으로 **헤아리는** 것이었다. "성 프란치스코나 성 도미니코가 한 일을 나도 하면 어떨까?" 하고, 그리하여 그는 좋아 보이는 일들을 여러 가지로 **심사숙고해** 보았으며, 늘 험난하고 심각한 일들을 자신에게 제안하면서 자기로서는 쉽게 달성할 수 있으리라고 생각해 보는 것이었다. 하지만 그의 **생각**은 늘 "성 도미니코가 이것을 했으니까 나도 해야 한다. 성 프란치스코는 이러저러한 일을 했다. 그러므로 나도 하겠다"는 식이었다. 이 같은 **생각들**은 상당히 오래 계속되긴 했지만, 다른 일이 끼어들면 위에 말한 속세의 **생각**

이 되돌아와 많은 시간을 그것에 사로잡히는 것이었다.(7번)[22]

이 거룩한 계획, 성인들처럼 살겠다는 선택도 오랫동안 몰두하는 생각의 중심이 된다. 생각에 대한 이런 강조는 "생각", "헤아림", "심사숙고" 그리고 이와 연관된 단어들을 반복해서 언급하고 있다는 점을 보면 충분히 알 수 있다.

이냐시오는 계속해서 자신이 겪은 내적 체험을 기술하면서, 이런 반대되는 두 계획, 거룩한 계획과 세속적인 계획에 생각이 비등하게 적용된다는 점을 분명하게 강조한다.

> 자기가 성취하고 싶은 세속적인 업적에 관한 공상과 머리에 떠오르는 하느님을 위한 행업에 대한 **생각**이 그의 마음을 지배하고 있었다. 그는 **생각**에 지쳐서 그것을 떨쳐 버리고 다른 일에 마음을 돌려 버릴 때까지 오랫동안 그 **생각**에 잠겨 있곤 했다.(7번)

그러나 이제 변화가 일어난다. 지금까지 이냐시오는 자신의 체험에서 정감적인 요소와 상상력과 관련된 요소도 언급했지만, 두 개의 상반되는 계획 사이에 구분되었던 생각을 더 강조해 왔다. **생각**도 여전히 중요한 부분으로 남겠지만, 이 시점에서 **정감**이 전면에 등장한다. 그리고 이냐시오의 삶을 송두리째 바꿀 은총이 그 힘을 발휘하는 순간을 위한 자리가 마련된다.

---

22 이냐시오는 "생각"이라는 단어에 선한 영과 악한 영이 미치는 영향뿐만 아니라, 우리 자신의 사색 활동도 포함시킨다.

그런데 거기에 하나 다른 점이 있었다. 세상사를 공상할 때에는 당장에는 매우 **재미**가 있었지만, 얼마 지난 뒤에 곧 싫증을 느껴 생각을 떨치고 나면 무엇인가 **만족하지 못하고 황폐해진** 기분을 느꼈다. 그러나 예루살렘에 가는 일, 맨발로 걷고 초근목피로 연명해 가는 성인전에서 본 고행을 모조리 겪는다고 상상을 해 보면, **위안**을 느낄 뿐만 아니라, 생각을 끝낸 다음에도 **흡족**하고 **행복**한 여운을 맛보는 것이었다.(8번)

두 가지 대비되는 생각이라는 기본 뼈대는 여전히 남아 있다. 그러나 이제 이냐시오는 그의 생각에 함께하는 정감적 체험에 주된 초점을 맞추기 시작한다. "재미", "만족하지 못함", "황폐", "위안", "흡족", "행복" 등 정감을 표현하는 단어들을 사용하면서 이 점을 분명히 한다.

생각의 차원에서 보면 두 계획에는 공통점이 있다. 다시 말해 거룩한 계획과 세속적인 계획 둘 다 한 번에 여러 시간 동안 집중적으로 생각에 잠길 수 있게 된다는 점이다. 그는 하나나 다른 하나를 번갈아 집중해서 생각하는 시간을 가졌다. 유일한 차이점은 생각하는 대상이 거룩한지 세속적인지 하는 차이이다. 생각하고 있다는 체험 그 자체를 고려해 본다면, 두 생각 모두 오랜 시간 동안 계속되고, 마음을 끈다는 본질적인 유사점이 나타난다.

하지만 정감의 차원에서 보면 아주 다른 차이가 있다. 그의 체험을 드러내는 데 있어서 시간의 흐름에 따라 근본적인 차이가 여기에 생겨난다. 즉 생각하는 '동안'과 생각한 '이후'이다. 어떤 계획이든 그 계획에 집중해서 생각하는 시간 **동안**에는 중요한 정감적 차이가 없다. 두 계획을 생각하는 각각의 시간에는 기꺼이 받아들이는 마음, 행복한 정감, 기쁨이 동반된다. 하지만 생각하는 시간이 끝난 **이후**에는 전혀 다르다. 이냐시오가 세상에 대한 계획을 살펴 생각하는 시간을 끝내고 나서는 "만족하지 못하고 황폐"하다. 하지만 성인들을 닮아 가고자 하는 계획을 생각한 이후에는 계속 "흡족하고 행복"하다.

그러고 나서 은총의 순간이 나타난다.

하지만 처음에는 이것을 이상히 생각지도 않았고 그 차이를 따져 볼 엄두도 안 냈었다. 그러다가 **조금 그의 눈이 열리면서** 그는 그 차이점에 놀랐고 곰곰이 따져 보기 시작했으며 드디어는 앞의 공상은 씁쓸한 기분을 남기는데 다른 공상은 행복감을 준다는 사실을 경험으로 깨달아 갔다. 그는 서서히 자기를 동요시키고 있는 영들의 차이를 깨닫기에 이르렀으니, 하나는 악마에게서 오는 영이고 다른 하나는 하느님께로부터 온다는 사실이었다.(8번)

"조금 그의 눈이 열리면서." 간단한 문장이지만 이 안에 들어 있는 영적인 힘은 아무리 강조해도 지나치지 않다. 이제 이냐시오는 완전히 새로운 영적 세계로 발걸음을 옮긴다. 두 개의 반대되는 삶의 계획과 연결되어 일어나는 정감적 체험이 그의 마음에서 대비되어 생겨나고 있었다. 하지만 그는 **그 정감적 체험을 감지하지 못하고 있었다.** 이제 이 체험이 계속해서 생겨난다. 그의 영적 눈은 단지 조금 열렸을 뿐이지만, 마음속에서 생기는 이런 대조적 패턴을 **감지할** 정도는 되었다. 이냐시오가 대비되는 정감을 통한 영적 체험을 처음으로 알아본 이 순간에, 영의 식별에 대한 그의 가르침이 탄생한다. 이 가르침은 그의 개인적 체험으로부터, 우선은 병상에 누워 회복하던 은총의 시간에서 직접 나왔다. 그래서 우리는 이냐시오가 병상에서 회복하던 때부터 영의 식별을 살펴보고 있는 것이다. 이 순간이야말로 다른 모든 것으로 들어가는 특별한 관문인 셈이다.

이냐시오는 감지만으로 만족하지 않는다. 물론 감지하는 것도 중요하지만 말이다. 그의 영성의 특징이라고 할 수 있는 주의 깊은 태도로, 이제 그는 자신이 감지하여 알아보게 된 차이점을 "곰곰이 따져 보기" 시작한다. 그는 이 곰곰궁리에서 나아가, 그가 감지하게 된 정감적인 영적 체험의 다양한 패턴의 의미를 "경험으로 깨닫고" "서서히 깨닫기에" 이른다. 그는 "자기를 동요시키고 있는 영들의 차이점을," 악한 영에서 온 것인지 하느님에게서 온 것인지를 점점 더 **파악**할 수 있게 된다.

이냐시오는 그가 해 왔던 두 종류의 다른 생각에 으레 어떤 정감적 패턴이 동반된다는 점을 감지해 왔다. 생각이 끝나고 난 뒤에 그가 언급하는 대비되는 정감(거룩한 계획에 관한 생각을 마친 후에 그에게는 지속적인 행복이 남아 있고, 세속적 계획에 관한 생각의 끝에는 궁극적으로 슬픔이 남아 있다는 것)은 집중해서 살펴보고자 하는 대상이 된다. 그리고 이냐시오는 다음과 같은 결론을 내린다. 만약 어떤 (세속적) 계획에 관한 생각이 기쁨을 일으키지만 계속해서 슬픔으로 바뀐다면, 이 계획은 하느님의 활동이 아니라 악한 영의 것이라는 "느낌"을 준다. 그리고 또 다른 (거룩한) 계획에 관한 생각이 불러일으킨 기쁨이 지속한다면, 그 계획은 그의 마음속에서 하시는 하느님의 활동이라는 "느낌"이 있다.

그 뒤에 일어난 일은 역사가 보여 준다. 이냐시오는 이 통찰에 따라 **행동을 취한다.** 그는 새롭게 얻은 인식과 깨달음에서 나아가서 거룩한 계획을 하느님에게서 오는 것으로 **받아들이고,** 세속적인 계획을 악한 영으로부터 오는 것이라 하여 **배척한다.** 그는 아주 대범하게 하느님께서 불러일으키신 계획에 따라 새로운 삶을 시작한다. 그는 만레사로 떠나, (처음에 가진 무모함을 여전히 버리지 않은 채) 성인들의 삶을 따라 살기 시작한다. 예루살렘으로 순례하려는 계획도 착수한다. 그의 삶이 새로운 방향을 찾았다.

이것이 이냐시오가 로욜라에서 요양하는 동안 체험한 영적 과정이다. 이 과정은 세 가지 단계로 정확하게 표현된다. **감지하기, 파악하기,** (받아들이거나 배척하는) **행동하기**의 단계이다. 이냐시오 자신의 삶뿐만 아니라 오늘날까지 이어지는 교회의 삶에 영구히 던진 이 순간의 영향과 충격은 우리가 여기에서 이냐시오의 삶과 그의 영성 생활 전반에 걸쳐 아주 중요한 무언가를 다루고 있다는 것을 확인시켜 준다. 만약 "그의 눈이 조금 열리지" 않았다면? 만약 이냐시오가 그가 새롭게 감지한 것을 곰곰 되새겨 보지 않았다면? 그에 맞춰 행동하지 않았다면? 매혹적으로 다가왔던 세속적 계획을 따라갔더라면? 그리고, 만약 우리의 영적인 눈이 매일의 삶에서 그렇게 열리지 않는다면 우리의 삶은 어떤 삶일까? 우리의 영적 눈이 열린다면 무슨 일이 생겨날까?

영의 식별에 관해서 이냐시오가 가진 처음의 체험만으로도 우리 마음에서 일어나는 움직임을 영적으로 확인하는 일이 얼마나 가치 있을지 분명하게 보여 준다. 영의 식별을 실용적으로 사용할 수 있도록 가르치는 데 있어서도 이 체험은 짐작조차 할 수 없을 정도로 대단히 유익하다. 만약 영성 전통이 우리가 따를 수 있는 지침을 제공하여 매일 식별할 수 있게 해 준다면, 그 전통은 우리에게 값을 매길 수 없을 만큼 귀중한 보물을 주고 있다고 볼 수 있다. 앞으로 우리가 살펴볼 식별에 관한 열네 개의 지침이 바로 그런 가르침이다.

우리는 지금까지 이냐시오가 요양하던 시기에 겪은 체험을 분석해 보았다. 그 이유는 그 체험이야말로 영의 식별 규칙이 나온 생생한 맥락이며, 이 장(章)의 주제인 규칙 제목을 가장 잘 소개하기 때문이다. 집약적 표현으로 쓰인 이 제목에서, 이냐시오는 지금까지 우리가 기술한 로욜라에서의 체험을 글로 잘 드러낸다. 그의 인생을 바꾼 일대 사건에 비추어 바라보아야만, 간결한 언어로 쓰인 문장이 담고 있는 풍성한 의미를 제대로 캐낼 수 있을 것이다.

영의 식별 규칙 제목

이냐시오는 적은 수의 단어를 사용하여 많은 의미를 보여 주는 제목으로 영의 식별에 대한 가르침을 시작한다.

영혼 안에 일어나는 여러 움직임을 어떤 식으로든지 **감지하고 파악하여** 선한 것들은 **받아들이고** 악한 것들은 **배척하기** 위한 규칙들이다. 제1주간에 더 적합하다.[23]

---

23 굵은 글씨는 저자의 강조. 스페인어 원문에서는 "sentir", "conocer", "recibir", "lanzar"를 썼다.

이 문장은 간단하게 썼지만 식별에 관해 많은 중요한 요소를 말하고 있고 우리가 주의 깊게 볼 가치가 있다. 이냐시오가 요양 중에 겪은 체험을 살펴보면서 이미 알 수 있는 바와 같이, 영의 식별에 대한 그의 가르침을 전반적으로 이끌어 갈 세 가지 틀에 따라 이 문장은 구성되어 있다.

이 제목은 앞으로 나올 내용을 규칙이라고 정의함으로써 이냐시오가 사용하는 문학 장르를 드러낸다. 그는 식별의 가르침을 일련의 **규칙**이라고 말한다. 이냐시오는 잘 다듬은 영적 저술, 예를 들어 프란치스코 살레시오, 십자가의 성 요한, 또는 다른 사람들이 쓴 것과 같은 영적 저술을 쓰고 있지는 않다. 이와 달리, 이냐시오의 문장은 간결하게 핵심을 말하고 있으며 두 가지 목적을 가지고 있다. 첫째는 영의 식별에 관련된 요소들에 대해 우리를 **가르치**는 목적이고, 둘째는 그 가르침에 따라 행해야 할 실천 **규범**을 주고자 하는 목적이다.[24] 이것들은 식별을 해야 하는 구체적이고 특정한 영적 실체들과 연결되어 있는 정확한 지침들이며, 이 영적 실체들을 어떻게 다룰 것인지에 대한 지시를 포함하고 있다. 이것들은 사변적이기보다는 실용적이다. 이런 의미에서, 이냐시오는 이 본문을 규칙들이라고 부른다.

『영신수련』 전체에서 잘 드러나듯이 이 규칙은 피정자 혼자 보라는 것이 아니다. 이냐시오는 이 규칙에 밝은 동반자가 피정자를 돕는다는 것을 전제로 하여 이 규칙을 썼다.[25] 피정자가 규칙에서 묘사하는 영적 상태에 처해 있

---

24 Daniel Gil, *Discernimiento según San Ignacio* (Rome: Centrum Ignatianum Spiritualitatis, 1983), 18-20.

25 『영신수련』, 8-10, 17번.

으면 동반자가 그것을 발견하고 규칙을 잘 설명해 주어야 한다. 그래서 함께 적절히 대처하는 법을 배워 이냐시오의 가르침으로부터 영적 체험에 유익한 것을 취해야 한다. 이렇게 이 규칙에 담긴 이냐시오의 지혜에서 도움을 받고 이 규칙을 시의적절하게 전해 주는 동반자의 도움도 받으면서 피정자는 체험으로 영적 감수성을 발달시켜 나갈 수 있다. 그리하여 마침내 하느님의 뜻에 맞추어 살아가는 것이 모든 식별의 목표다.

이냐시오는 그의 열네 개 규칙이 영을 식별하는 데 "어떤 식으로든지" 도움을 줄 것이라고 적었다. 이 표현은 규칙이 식별의 기술로서 도움이 되겠지만 영의 식별에 대해 모든 것을 다 해결해 주지는 않는다는 점을 말해 준다. 이 구절은 다양하게 해석할 수 있다. 영의 식별 규칙의 둘째 세트도 염두에 두었기 때문으로 해석할 수도 있다. 지금 단계에서는 이 열네 개 규칙만으로도 이냐시오의 영의 식별에 대한 지혜를 담기에 충분하다는 사실을 아는 것으로 족하다.

이냐시오는 "어떤 식으로든지"라고 겸손하게 표현했지만 사실 이 규칙은 영의 식별에 관한 한, 그리스도교 전통을 통틀어 가장 현실적이고 유용한 것이다. **규칙**이라는 문학 장르를 선택한 것도 유례가 없을 뿐 아니라 바로 규칙이라고 콕 찍어서 선택해 썼기 때문에 이 열네 개 규칙은 우리 마음에서 일어나는 움직임을 영적으로 이해할 수 있게 해 주는 특출한 도구가 된다.

세 가지 틀

그다음으로, 이냐시오는 영의 식별에서 중요한 세 가지 단계를 규칙 제목에서 보여 준다. 이 세 가지 단계는 그가 병상에서 요양하면서 처음 식별이 깨어나던 체험을 정확하게 반영한다. 우리는 여기서 감지하고, 파악하고, 받아들이거나 배척한다는 동사를 사용한 표현을 확인할 수 있다. 그래서 아래의 틀이 세워진다.

감지하라

파악하라

행동하라 (받아들이기 또는 배척하기)

감지하라. 이것은 우리가 내적으로 가지는 영적 체험 안에서 무슨 일이 일어나고 있는지, 우리의 마음과 생각 안에 영적으로 일어나는 움직임이 무엇인지를 **알아차리려는** 노력이다.

파악하라. 이것은 알아차린 움직임을 **곰곰이 숙고하고 되새겨 보아** 그것이 하느님에게서 온 움직임인지 아닌지를 분별해 보는 것이다.

행동하라. 이것은 하느님에게서 오는 것이라고 판별된 움직임을 **받아들이고** 그에 따라 살아가며, 반면에 하느님에게서 오는 것이 아니라고 판별된 움직임은 **배척하고** 삶에서 없애 버리는 것이다. 이냐시오가 이후에 식별에 관해 이야기하는 모든 것은 이 세 가지 단계를 전제로 하며, 우리가 이 단계에 친숙해지는 것이 중요하다. 세 가지 단계를 하나씩 좀 더 자세히 알아보자.

"감지하라"

이냐시오 자신의 체험에서는 그의 "눈이 조금 열리는" 때가 "감지"하는 순간이었다. 이 순간은 이전의 영적 상황에서 다른 상황으로 바뀌는 결정적 전환점이었다. 이전의 영적 상황에서는 생각과 정감의 움직임이 생겨나고 이 움직임이 영혼의 상태에 영향을 미치지만, 그는 이 움직임이 일어나는 것을 알아차리지도 못하고 이 움직임이 영혼의 상태에 영향을 미친다는 사실을 감지하지도 못한다. 전환점 후에 영적 상황에서는 내적 움직임이 일어나는 것을 알아차리고 있고, 이제 그는 이 움직임이 영혼의 상태에 영향을 미친다는 사실을 감지하게 된다. 이것이 "그의 눈이 조금 열리는" 현상이며 자신의 내적 체험을 영적으로 **알아차리는** 사람의 현상이다. 이런 전환이 없으면 그 어떠한 영적 식별도 불가능하다. "감지하게 되는 것"이 모든 식별로 나아가는 관문이다.

그리고 우리는 이렇게 감지하는 것을 당연한 것으로 여길 수는 없다. 우리 자신이 내적으로 체험하는 영적 체험을 우리가 얼마나 감지할 수 있을까? 얼마나 몸에 밴 습관으로 이 체험을 감지할 수 있을까? 하루를 보내면서 얼마나 자주 우리는 이 체험에 주의를 돌릴 수 있을까? 우리는 무엇이 우리 내면에서 영적으로 움직이고 있는지를 감지하려 일부러 하던 일을 멈춘 적이 있는가? 이것이 영성 생활에서 해야 할 주요한 질문이며 아무리 강조해도 지나침이 없다. 이런 질문이 이냐시오가 식별에 대한 그의 규칙을 시작하면서 강조하고자 하는 문제이다.

『고백록』에서 아우구스티노는 "그의 눈이 조금 열리는" 순간을 되돌아보며 다음과 같은 명언을 남긴다.

> 당신은 제 안에 계셨지만 저는 당신 안에 있지 않았습니다. …… 당신은 저를 부르셨고, 소리치셔서 마침내 멀어 있던 저의 귀를 뚫으셨습니다. 당신은 저에게 빛을 내리시고, 당신이 빛나셔서 마침내 멀어 있던 저의 눈을 뜨게 하셨습니다.[26]

자신의 체험을 되돌아보면서 아우구스티노는 하느님께서 자신 안에서, 마음속에서, 내면의 세계에서 활동하고 계심을 알게 된다. 아우구스티노는 자신의 바깥세상으로만 몰두하다 보니 그의 내면에서 활동하시는 하느님을 깨닫지 못하고 하느님을 무시했다는 것도 알게 된다.

아우구스티노는 자신 안에서 하느님께서 하시는 활동을 두 개의 힘찬 이미지로 표현한다. 하느님께서는 "부르시고" 심지어 그 안에서 "소리치신다." 하느님께서는 "빛을 내리시고" 그 안에서 "빛나신다." 하느님의 목소리는 내면의 귀를 가득 울릴 만큼 크고 하느님의 빛은 내면의 눈을 가득 채우고 흘러내릴 만큼 쏟아진다. 그러나 은총의 순간이 오기 전까지 아우구스티노는 들지도

---

26 *Confessions*, X.27. [A. 아우구스티누스, 『고백록』, 최민순 옮김, (서울: 바오로딸, 2010)].

못하고 보지도 못하며 자신 안에서 일어나는 하느님의 활동을 **감지하지 못한다.** "당신은 제 안에 계셨지만 저는 당신 안에 있지 않았습니다."

너무나 자주 우리를 둘러싼 모든 문화는 "바깥에서" 경험되고, "안에서" 이루어지는 하느님의 활동을 감지하지 못하게 한다. 그리고 우리가 원하는 것 이상으로 우리의 의식이 "바깥에" 집중되어 있고, 우리가 원하는 것보다 "안에서" 일어나는 것을 덜 감지하며 산다. 다시 말하지만, **감지하는 것**이 식별에 대해 이냐시오가 가르치는 제일 첫 번째이자 가장 기본적인 가르침이다. 충분히 "내면 안에" 머무르다 보면 영적 움직임이 우리 의식에 분명히 잡힐 것이다.

영적으로 감지하기 위한 용기

이렇게 "감지하기"를 숙고하다 보면 모든 영의 식별과 일반적 영성 생활에 가장 근본적인 질문을 하게 된다. 왜 우리는 영적으로 감지하기가 그렇게 어렵다고 느낄까? 왜 우리는 계속되는 마음의 영적 움직임을 더 잘 알아차리지 못할까? 왜 그렇게 자주 우리는 저절로 "밖으로" 쏠려서 "안에서" 살아가지 못할까? 이처럼, "안에" 무엇이 있는지 감지하려는 분명한 노력을 하지 않으면 우리는 알지 못하게 되는 걸까? 그리고 그 노력이 왜 그토록 힘들다고 할까? 그 노력을 매일매일 하는 것이 왜 그렇게 어려울까? 내면의 영적 감지는 영의 식별로 들어가는 데에 없어서는 안 될 관문이다. 그렇기에 우리가 영의 식별을 효과적으로 하는 삶을 살아가고자 한다면, 앞의 질문들은 주의를 기울여야 할 충분한 가치가 있다. 이런 질문에 응답하는 것도 영적 감지를 만들어 가는 데에 관계되는 요소를 더 깊이 이해할 수 있는 길이다.

이 질문에 적절하게 접근하려면 영적 감지를 하고자 하는 사람이 처한 많은 차원을 반드시 고려해야 한다. 첫 번째로 고려해야 할 것은, 어떤 영역이 식별의 영역인지에 대한 가르침이 기본적으로 필요하다는 점이다. 영성 생활 중에 맞닥뜨리는 어려움에 관해 5세기 저술가 요한 카시아노가 다음과 같이 단언했는데 이는 마음속 영적 움직임들에도, 그것을 감지하는 데에도 특정한 방식으로 적용된다.

> 정욕의 원인은 원로들의 가르침에 이미 다 나와 있어서 모든 이들이 알아볼 수 있다. 그런데도, 우리 중에 많은 이를 해치고 모든 이에게 만연한 지경에 이르렀어도, 드러나기 전까지는 도대체 원인이 뭔지 제대로 아는 사람이 아무도 없다.[27]

이 언급은 정감적 움직임이 일어나는 우리 내면의 영적 세계에 대해서도 마찬가지라고 말할 수 있다. 언급한 모든 것이 우리 안에도 존재하고 우리 모두에게 영향을 끼친다. 그러나 이들에 관해 도움이 되는 가르침이 없으면 우리는 우리 안에 이들이 존재한다는 사실을 단지 일반적이고 모호하게만 느낀다. 우리는 "안에서" 무엇을 찾아보아야 하는지를 분명하게 알지 못하기 때문에, "감지하기"가 더 어려워진다. 이런 어려움이 있으므로, 이냐시오는 영의

---

27 John Cassian, *Institutes* V.2. '팔죄종'에 대한 설명이다. [요한 카시아누스, 『요한 카시아누스의 제도집』, 엄성옥 옮김, (서울: 은성, 2018)].

식별 규칙을 실용적이고 명쾌하게 쓰려고 애썼다.

실용적이고 명쾌하게 쓰려 했던 또 하나의 이유는 토미즘의 가르침에 있다. 감각적 기쁨과 지적 기쁨 사이에는 차이가 있다. 감각적인 것들은 정신적, 영적인 것들보다 더 잘 보이고 더 잘 만져질 수 있고 우리에게 더 확실하다. 따라서 우리는 감각적으로 파악할 수 있는 "밖으로" 쉽게 끌린다. 반면에, 감각적이지 않은 "안에" 있는 세계를 파악하기 위해서는 더 큰 노력이 요구된다.[28]

줄스 토너는 영적 감지에 대해 논의하면서 "안에" 머무는 것에 저항을 일으키는 또 다른 요소들을 지적한다. 인간의 죄성, 악한 영의 속임수, "즉흥적 자극에 휘둘리면서 정처 없이 방황하는" 우리의 주의력을 붙잡아 집중시키는 훈련의 어려움 등이다. 그리고 이렇게 덧붙여 말한다.

> 심지어 우리가 정말 생각과 마음에서 일어나는 내적인 움직임에 집중
> 할 수 있는 주의력을 가질 때에도 이런 움직임 자체가 너무나 다양하고
> 많이 움직이며 복잡하고 변화무쌍하다. 그래서 다른 것과는 달리 강렬
> 하고 오래 계속되고 있는 움직임일 경우를 제외하고는 이 흐름 안에서
> 어떤 특정한 움직임을 분명히 의식하기가 어렵다.[29]

---

28 *Summa Theologica*, I-II, q.2, a.6, reply obj.2; q.31; q.73. [토마스 아퀴나스, 『신학대전』, 제16권, 정의채 옮김, (서울: 바오로딸, 2000)].

29 Jules Toner, *A Commentary on Saint Ignatius' Rules for the Discernment of Spirits: A Guide to the Principles and Practice* (St. Louis: Institute of Jesuit Sources, 1982), 41-42. 토너는 다른 곳에서 이렇게 적는다. "대부분 사람의 의식에서 일어나는 것은 윌리엄 제임스가 쓴 단어를 빌리면, 대개 '쾅하고 울리며 윙윙거리는 혼란스러움'이다."["Discernment in the Spiritual Exercises," *A New Introduction to the Spiritual Exercises of St. Ignatius*, John Dister, ed. (Collegeville, Minn.: Liturgical Press, 1993), 66]. 쥘리앵 그린도 이렇게 적는다. "할 시간이 된다면 순간적으

이 사실은 매일 삶 속에서 누구나 느끼고 있는 진리이다. 우리의 일상 삶이라는 융단에는 생각과 정감이 수많은 씨줄과 날줄처럼 짜여 있는데, 그 실들을 풀어내고 확인하는 것은 쉬운 일이 아니다. 내적 움직임은 다양하고 빠르며 의식 수준에 따라 달라지기 때문에 이 일이 더욱 어려워진다. "감지"는 거저 주어지는 것이 아니다.

내적 감지를 약화하는 오늘날 문화 풍토에 대해서도 할 말이 많다. "빨리 흐르고 있다"고 말한 소로의 세계보다 오늘날의 세계는 점점 더 빨라지고 있다. 조용한 공간들을 채우는 이동식 텔레비전, 핸드폰, 인터넷 등 전자 수단은 계속해서 증가한다. 세속화된 세계관은 신앙과 내적인 영성 생활이 과연 실재하는지를 의심한다. 따라서 우리 마음속에서 여러 영적 목소리들을 알아차리는 가치는 간단히 무시된다.

비록 오늘날의 이런 시대적 풍토가 내적 감지에 다다르는 데 어려움을 가중하는 것은 부정할 수 없는 사실이지만, 바로 이 문화 풍토가 엄연히 "안에" 살고자 하는 삶에 대한 더욱 뿌리 깊은 저항의 결과이면서 표현임도 분명하다. 이 뿌리 깊은 저항이 모든 영적 투쟁의 중심에 있는 문제이다. 『팡세』'위락' 편에서 이 심각한 저항을 적나라하게 묘사한 파스칼은 이렇게 단언한다. "나는 인간이 불행한 단 한 가지 원인을 꼽으라면 자신의 방에서 조용히 머물러 있는 법을 모르기 때문이라고 종종 말해 왔다."[30] 파스칼의 설명에 따

로 우리의 뇌에 생겨나는 것은 기록되어야 한다. 하지만 충분한 종이도 없을뿐더러 헤아릴 수 없이 빠른 속도로 뒤따라오는 생각의 실타래를 어떻게 하겠는가?" [*Diary*, trans. Anna Green, selected Kurt Wolft (New York: Harcourt, Brace & World, Inc., 1964), 118-119].

30 Blaise Pascal, *Pensées* (Harmondsworth: Penguin Books, 1984), no. 136, p. 67. [블레즈 파스칼,

르면, 관심을 밖으로 **돌리는**diversion 인간의 속성은 본질적으로 자신의 한계로부터의 도피 행각이다. 의식적으로 "안에" 살아가다 보면 반드시 인간의 한계에 직면하기 때문에, "밖으로", 감지하는 방향을 외부로 **돌려** 사는 게 더 수월하다. 그런데, 밖으로 돌려도 궁극적으로 만족 못 하기는 매한가지이다. 오늘날 첨단 기술이 근사해 보이지만 사실 옛날 옛적부터 오래 묵은 이 도피 행각에 새 장난감을 쥐어 준 거나 다름없다. 현대를 사는 우리는 기막힌 "도피 행각의 대가"가 되어 버렸다.[31]

"안에" 산다는 것이 인간이 짊어진 한계를 직면함을 의미한다는 점을 인정해야 한다. 인간은 원래 우연한 존재, 유한한 존재이다. 창세기 3장에 표현된 성서 신학은 인간이 손상된 존재이고, 인간이 받은 손상은 역사적 내력이 있으며, 이 손상은 우리 인간성의 모든 부분에 영향을 끼친다는 점을 알려 준다. 더불어, 각 개인의 인생사에서 쌓인 심리적 상처를 직면하는 것도 매우 힘들 수 있다. 우리는 하느님의 자비를 알지만 도덕적 약점은 여전히 불편함으로 남아 있고 영적 투쟁의 고됨도 이와 별반 다르지 않다. 이 모든 것 중에 대면하기 쉬운 것이라고는 없다. 아무리 이해받고 배려받는 환경이라 할지라도 쉽지 않다.

이 뿌리 깊은 저항에다 앞에 언급한 다른 요소—영적 감지에 관한 명쾌한 가르침이 필요하다는 것, 내적 움직임은 만져볼 수 없고 복잡하고 변화무쌍하다는 것—를 합쳐서 고려해 보면 우리 감지를 밖으로 돌리려는 위력을

『팡세』, 이환 옮김, (서울: 민음사, 2003)].

31 *The Wall Street Journal*, May 5, 2000, p. W17.

똑똑히 이해할 수 있고 우리가 왜 그렇게 금방 도피 행각에 빠져 버리는지도 이해할 수 있다. "그 빛이 어둠 속에서 비치고"(요한 1,5) 있다는 진리를 우리가 체험을 통해 터득할 때에만, 그리고 "안에" 산다는 것이 무엇보다도 그리스도의 현존과 사랑과 치유를 직접 만나는 것임을 체험을 통해 터득할 때에만, 비로소 이 뿌리 깊은 저항은 허물어지기 시작할 것이다.

이런 도전에 응전하는 용기를 지속해야 영의 식별이 가능하다. 이냐시오는 규칙의 서두에서부터 이 엄연한 사실을 의식하도록 우리를 초대하고 있다. 이것이 이냐시오를 따라 영의 식별을 살아가려는 사람이 해야 할 첫 번째이자 가장 기본적인 선택이다. 이냐시오의 생애가 증명하듯이, "안에" 살고자 하는 선택은 영성 생활에서 모든 것을 변화시키고 주님과 함께하는 새로운 여정을 열어 준다.

'영적' 감지

중요한 질문이 남아 있다. 우리의 내면세계는 매우 복잡하고, 내면의 움직임은 여러 수준에서 벌어진다. 그래서 이 복잡다단한 세계 중에서 이냐시오가 감지해 보기를 원했던 내적 움직임의 유형을 명확히 한정하는 것이 필요하다. 식별할 대상을 명확히 하는 것이 진실로 **영의** 식별로 나아가는 열쇠다.

이냐시오가 『영신수련』에서 피정 동반자가 피정자와 매일 만나는 것에 대해 말할 때, 그는 피정을 주는 동반자가 "피정자의 개인적인 생각이나 죄 따위를 묻거나 알려고 하지 말되, 다양한 영이 일으키는 여러 가지 마음의 동요나 생각을 충실히 파악하는 것이 대단히 중요하다"라고 적고 있다.[32] 식별의 대상이 무엇이냐는 우리의 질문을 풀어 가는 방식 하나가 여기서 제시된다. 다니엘 힐의 설명에 따르면 다음과 같다.

> 17번은 심리적 감지("개인적인 생각")와 도덕적 감지("죄")와 영적 감지("다
> 양한 영이 일으키는 여러 가지 마음의 동요나 생각")에 속하는 생각을 분명하
> 게 구분한다.

그는 계속해서 이렇게 말한다. "규칙의 제목에서 '선한 것들', '악한 것들'이라고 불리는 마음의 여러 동요와 생각이 영적으로 감지해야 하는 대상이다. 이 생각은 죄나 피정자가 스스로 만들어 낸 생각과 분명히 구별된다."[33]

서로 밀접하지만 구별되어야 하는 내적 감지 세 가지 유형을 자세히 조사하다 보면, 영의 식별의 초점인 영적 감지가 어디에 위치하는지 더 정확히 파악할 수 있게 된다. 아래와 같은 순서로 내적 감지 세 가지 유형을 알아보자.

내적 감지의 세 가지 유형

심리적 감지

도덕적 감지

---

32 『영신수련』, 17번.

33 Gil, *Discernimiento*, 42.

영적 감지

우리는 저마다 아주 다양한 방식으로 자신을 둘러싼 세계에 반응한다. 만약 주의를 기울이면, 다양한 상황에서 나오는 사람들의 정감적 반응을 상당히 많이 알아볼 수 있다. 그렇게 하면서 우리의 감정이 드러나는 방식들, 우리의 정감적 강점들과 힘들어하는 부분에 관해 더 깊은 지식을 얻게 된다. 이것을 전문적으로 체계화한 분야가 심리 상담이며, 내적 감지의 첫 번째 유형인 **심리적 감지**가 그 상담 대상이다. 우리는 일상생활에서도 다양한 경로를 통해 심리적 감지를 체험한다. 친구들의 반응, 하루를 보내며 자신의 정감적 상태를 스스로 살펴보는 노력, 인간관계에 대한 반성 등.

이처럼 우리는 어떤 상황에서는 습관적으로 화가 나거나 두려워지고, 어떤 상황에서는 더 안전하게 느끼거나 아니면 덜 안전하게 느끼며, 어떨 때는 기분이 좋았다가 낙심하면서, 각각의 느낌에 따라 행동하는 경향이 있다. 개인의 심리적 패턴과 그 원인을 더 잘 감지하게 되면 정서적 건강을 유지하는 방법이 더 명쾌해지고 더 폭넓은 선택을 할 수 있다. 당연히 생활의 활력도 증가한다. 이런 심리적 감지는 살아가는 데 매우 가치 있는 자원임이 틀림없다. 그러나 이냐시오가 영의 식별 규칙에서 제안하여 적용하는 감지는 아니다.

두 번째 유형의 내적 감지는 우리 삶의 도덕적 질(質)을 평가하는 감지인데, 여기에는 "안에" 임하시는 주님도 관련된다. 우리의 행동과 말과 선택, 그리고 다른 사람들과의 관계는 예수 그리스도의 복음을 얼마나 충실히 따르고 있는가? 아니면 그렇지 않은가? 우리는 산상설교에 따라, 새 계명에 따라,

바오로 사도가 기술하는 사랑의 특성에 따라 살고 있는가? 이런 질문이 성찬례를 시작할 때, 고해성사를 볼 때, 성경에 우리 삶을 비추어 볼 때 우리가 살펴보고자 하는 **도덕적 감지**다. 이는 그리스도의 삶과 가르침에 일치하여 살아가고자 열망하는 주님에 대한 사랑에서 나온다. 이 도덕적 감지 역시 영성 생활에서 커다란 가치를 지니고 있다. 도덕적 감지가 없다면, 주님을 사랑하고 예수님의 제자로 살아가고자 하는 진정한 열망에 중요한 요소 하나가 빠진 것이다. 그렇지만 이런 도덕적 감지도 이냐시오가 영의 식별 규칙에서 제안하여 적용하는 감지는 아니다.

영의 식별은 오히려 세 번째, **영적 감지**라 명확히 할 수 있는 내적 감지에 초점을 맞춘다. 심리적, 도덕적 감지는 상대적으로 우리에게 친숙하지만 영적 감지는 꼭 그렇지는 않다. 규칙 제목을 다루고 있는 이 시점에서는 영적 감지의 일반적 윤곽을 그리는 것으로 족하다. 나는 곧 뒤따라 나오는 각 규칙을 논하면서 사례를 들어 영적 감지에 대해 좀 더 심도 있게 여러 번 되풀이해서 설명할 것이다. 일단 이냐시오가 로욜라에서 요양하면서 얻은 체험을 자세히 살펴본 것으로 영적 감지에 대해 운을 떼었고, 심리적, 도덕적 감지와 비교한 지금까지의 논의가 영적 감지의 본론 첫 번째인 셈이다.

이냐시오는 자신에게 나타난 두 가지 계획을 살펴보면서 서로 다른 두 개의 내적 움직임이 함께 파생되어 나오는 것을 체험한다. 세속적 계획과 관련된 생각은 그에게 "메마르고 불만족스러운" 느낌을 남기고 거룩한 계획에 부합하는 생각은 그를 "만족하고 행복하게" 한다. 불만족이나 행복이 정감적 심리 체험이긴 하지만 이것을 감지하는 것은 심리적 차원에만 국한된 것이 아니라는 점이 그의 진술에서 분명하게 드러난다. 이냐시오는 이런 정감적 패턴이 반복된다는 사실이 자신의 그리스도교 신앙에 직접적으로 연관되어 있고, 하느님께서 그의 삶을 이끄시는 징표라고 이해했다. 이런 감지에는 본질적으로 **종교적** 차원이 들어 있다. 이 종교적 차원은 하느님께서 인간의 삶 요소요소에 일하고 계신다는 그리스도교의 이해와 신앙을 전제로 한다.[34] 이냐시오는 이제 내적 움직임이 그의 심리 상태를 표시하는 신호일 뿐만 아니라, 어떤 것이 그를 하느님에게로 가까이 가게 하거나, 또는 멀어지게 하는지를 표시하는 신호로도 점차 알아보게 된다.

이냐시오는 자신의 체험을 통해 마음속에 일어나는 많은 움직임 중 어떤 움직임은 신앙과 하느님의 뜻을 따르는 데 특히 중요하다는 것을 배웠다. 영적 감지는 이런 움직임에 초점을 맞춘다. 이 영적 감지는 정감적 움직임과 이와 함께 나오는 생각이 신앙과 하느님의 뜻을 따르는 데 큰 영향을 미칠 때, 이 움직임과 생각을 영성에서 중요하다고 알아차리는 내적 감지다. 그리스도교 신앙인에게 심리적 감지보다 영적 감지가 더 중요하다는 사실은 두말할 나위가 없다.

이냐시오가 체험한 메마름과 행복 둘 다 **저절로** 솟아난 정감적 움직임이라는 점도 분명하다. 이냐시오가 발견했을 때 움직임은 이미 생겨나 있었다. 그런 움직임이 영향을 미치고 있는데도 초반에는 감지하지 못하였다. 그리고 분명하게도 이 움직임은 도덕 이전의 문제이다. 저절로 그냥 생겨나기 때문에 도덕적 책임을 따질 차원이 아니다. 나중에 이 움직임과 관련해서 중요한 도

---

34 3장에서 이냐시오의 규칙 3을 다룰 때, 이 요소들을 더 자세히 살펴볼 것이다.

덕적 결정을 내릴 때가 올지도 모른다. 이렇게 대비되는 마음 상태를 알아채는 지금 이냐시오의 감지는 도덕적 감지가 아니다. 물론 이어져 나오는 그의 체험 이야기가 아주 강력하게 증명하듯이 지금의 감지가 그의 영성 생활 전체에 매우 중요함은 분명하다. 여기서 우리가 집중하고자 하는 것은 도덕적 감지나 단순히 심리적 감지가 아닌, 신앙생활에 특히 중요한, 명확히 말하면 **영적** 감지다.

우리가 식별의 이해에 들어가기 전에 미리 필요해서 세 종류의 내적 감지를 구분하였지만 이 세 종류가 서로 긴밀히 연관되어 있다는 것을 간과해서는 안 된다. 한 사람 안에 이 세 종류가 모두 있다. 하나가 발달하면 다른 종류도 따라 발달하고, 혹은 하나가 부진하면 다른 종류도 따라 발달이 부진해진다. 심리적 자아의식이 증가하면 영적 감지의 폭도 넓어진다. 심리적 감지를 증대시키려는 모든 노력은 식별에 큰 도움이 된다. 덧붙여, 영적 감지는 우리 그리스도교 생활에 대한 높은 도덕적 감지를 전제로 한다. 이런 도덕적 감지는 영적 감지의 탄탄한 기반이며 식별의 과정에서 모든 생활의 바람직한 통합을 촉진한다. 도덕적 감지는 선명한 영적 감지를 약화할 수 있는 사각지대를 알아차리고 피할 수 있게 도움도 준다. 역으로, 명료한 영적 감지는 심리적으로 건강한 선택을 하는 데 도움을 주며 현명한 도덕적 결정을 하게 돕는다.

"파악하라"

식별에서 첫 번째 단계는 "밖으로" 향하려는 우리의 의식을 "안으로" 향하도록 방향을 잘 잡고 우리의 마음과 생각 안에서 영적으로 일어나는 것을 **알아차리는** 것이다. 그러나 "안에" 머문다는 것으로 끝난 것은 아니다. "안에" 있는 것을 영적으로 감지한다는 게 중요하긴 하지만 이것으로 영의 식별이 다 된 것은 아니라는 말이다. 더 나아갈 단계가 있다. 영적 감지만이 영의 식별에서 두 번째 단계로 나아갈 가능성을 열어 주기 때문에 중요한 가치를 지닌다. 이제 영적으로 감지한 모든 것을 가지고 다음 단계로 가는 순간이 온다. 영적 감지로 알아보았으면 그렇게 알아차린 모든 내적 움직임의 영적 의미를 **파악하는** 것이 다음 단계이다.

이냐시오는 두 개의 상반된 계획에 관한 생각에 따라 나온 상반된 두 정서인 불만족과 행복감을 감지하자마자 즉시 다음 단계로 넘어간다.

> 그는 그 차이점에 놀랐고 **곰곰이 따져 보기** 시작했으며 드디어는 앞의 공상은 씁쓸한 기분을 남기는데 다른 생각은 행복감을 준다는 사실을 체험으로 **알게 되었다.** 서서히 그는 자기를 동요시키고 있는 두 영의 차이를 **알아보기에** 이르러, 하나는 악마에게서 오고 다른 하나는 하느님에게서 온다는 것을 알게 되었다.(8번)

인지적 활동에 대한 강조가 분명히 드러난다. 이제 그의 영적인 눈이 "조금 열리면서" 이냐시오는 그가 주목한 두 개의 대비되는 정감적 패턴 사이의 차이점을 살펴보기 시작한다. 그는 자신 안에서 작용하고 있는 두 개의 반대되는 영에서 나오는 차이의 의미를 "조금씩 차츰" 깨닫는다. 점차로 그는 이 중 하나는 하느님의 것이고, 다른 것은 그렇지 않음을 파악하게 된다. 이것이 식별에서 해석하는 단계이며, 첫 번째 단계인 영적 감지와 똑같이 이것 역시 값을 매길 수 없을 정도로 가치 있는 영적 체험이다. 우리의 마음에서 일어나는 영적 움직임이 어디서 생겨나고 어디로 나아가는지를 분명히 바라보게 되면 우리는 성령께서 인도하시기 위해 비추시는 빛을 틀림없이 따라갈 수 있다.

두 번째 성찰 단계는 다음과 같은 질문들에 대한 답을 찾는 단계이다. 이들 내적 움직임이 나에게 참된 **영적** 체험인가? 다시 말해, 믿음 희망 사랑을 추구하는 삶과 하느님의 뜻을 따르고자 하는 삶에 영향을 미치는가? 만약 그러하다면, 그다음은 영의 식별이 정말로 필요하다. 이 경우에, 이 움직임은 (거룩한 계획을 상상할 때 이냐시오가 느꼈던 행복감처럼) 하느님의 신호를 지니고 있는가? 아니면 (세속적 계획을 상상할 때 느꼈던 메마름과 불만족처럼) 그 반대인가? 이렇게 성찰해서 앞의 질문들에 대해 분명한 답을 할 수 있고 영적 체험이 하느님에게서 왔는지 아닌지를 분별할 수 있으면 영의 식별의 두 번째 단계까지 완수한 것이다. 다시 말해 이 영적 체험을 **파악**하게 된 것이다.

"행동하라(받아들이거나 배척하거나)"

두 번째 단계인 해석하는 단계는 아직 그 자체로 끝이 아니고, 세 번째 단계로 나아가는 길을 열어 준다. 감지하고 파악하는 두 단계를 다 마쳐도 이냐시오가 생각하는 영의 식별에는 아직 미치지 못했다. 이 두 단계는 **행동**하는 길을 열어 준다. 식별하는 사람이 감지하게 되었고, 정확하게 해석하고서 그다음에 이런 영적인 움직임과 관련해서 적절한 행동을 취하게 되었을 때야 비로소 진정한 영의 식별이 이루어졌다고 할 수 있다.

이냐시오는 규칙 제목을 쓰면서, 그가 묘사하고자 한 영적 행동을 두 개의 동사를 사용해서 표현한다. 즉 "받아들이다"와 "배척하다"이다. 이 동사를 사용하게 된 이유도 역시 이냐시오 자신의 고유한 체험에서 비롯된다. 하느님의 것이 아니라는 불만족으로 끝이 나는 세속적 계획의 반복된 패턴을 파악하자마자 그는 이 계획을 **배척한다.** 그리고 이후로 그는 세속적 계획을 완전히 버리고서 다시는 돌아보지 않는다. 반면에 그를 위한 하느님의 계획을 이해하게 되자, 거룩한 계획과 이에 따라 계속되는 행복감을 체험하면서, 이냐시오는 이 계획을 **받아들이고** 행동으로 추구한다. 그는 만레사로 옮겨 가고 거기에서 성인들의 삶을 닮으려는 생활을 시작한다. 그는 그 계획에 따라 예루살렘으로 성지순례를 하고 주님의 계획을 따라 사는 삶을 시작하였다.

영의 식별에서 일어나는 모든 것은 행동으로 나아간다. 하느님의 것을 굳건히 받아들이는 방향으로 그리고 하느님의 것이 아닌 것은 똑같이 굳건한 마음으로 배척하는 방향으로 나아간다. 정확하고도 굳건한 행동은 그 전에 영적으로 감지하고, 영적으로 해석한 덕분에 가능한 것이다. 이냐시오 자신의 체험이 예시하듯이, 식별의 삶은 그 사람이 기꺼이 행동하기를 요청하는 삶이다. 영적인 실체들을 통찰력을 가지고 파악하는 것으로는 충분치 않다. 식별하는 사람은 파악한 것에 따라 행동할 준비가 되어 있어야 한다.

감지, 파악, 행동. 이것이 영의 식별 규칙의 근본적 틀이다. 규칙 제목에서 이냐시오는 이 세 가지 틀을 간단하게 밝힌다. 뒤따라 나오는 열네 개의 규칙은 우리에게 세세하게 그리고 풍부하게 실용적인 통찰을 통해 이런 단계를 어떻게 실천할 것인지 가르쳐 줄 것이다. 식별에 대해 묵상하고 살펴보면서, 우리는 이 세 가지 틀을 계속 상기하게 될 것이다.

마음의 여러 움직임

우리는 지금까지 영의 식별에 관한 기본적인 구조를 규칙 제목에 나오는 개요에 따라 살펴보았다. 각 규칙의 분석으로 들어가기 전에 제목과 관련하여 간단하게나마 언급하고 싶은 한 가지가 더 있다. 이 역시 제목에서 언급되어 있으며 규칙을 하나하나 살펴볼 때 다시 언급하겠다.

한 개인이 내적으로 체험하는 다양한 **움직임**이 영의 식별에서 중심이 된다고 이냐시오는 말한다. 이미 살펴본 것처럼 이냐시오는 그중 아주 구체적인 움직임을 다루고 있다. 그가 말한 영의 식별에서 중심이 되는 움직임은 우리 마음에서 일어나는 행복하거나 무거운 움직임과 그와 연관되어 생겨나는 생각이다. 이들은 그 자체로 믿음 희망 사랑이라는 **우리 그리스도인의 삶**에 영향을 미친다. 영의 식별에서 이냐시오는 우리 마음의 모든 움직임을 감지하고 파악하여 그에 따라 행동하라고 요구하지는 않는다(다른 여러 관점에서 보면 이 모든 움직임을 살펴보는 것도 가치가 있기는 하지만 말이다). 대신 하느님의 뜻을 따르려는 의지를 강화하거나 약화하는 움직임을 식별하라고 요구한다.

이냐시오는 제목에서 이런 내적 움직임을 "선한 것"과 "악한 것"으로 나눈다. 그는 우리에게 다양한 움직임을 감지하고 파악하면서 **선한 움직임**은 받아들이고 **악한 움직임**은 배척"하라고 요청한다. 우리가 앞에서 말했던 것처럼, 선한 것이 도덕적으로 옳은 것, 악한 것이 도덕적으로 나쁜 것이라는 의미가 아님은 분명하다. 이냐시오는 여기에서 도덕적 선악에 대해 말하고 있지 않다. 우리를 하느님의 뜻에 가까이 인도하는 움직임이면 선한 것이고, 멀어지게 하는 움직임이면 악한 것이다. 이것은 『영신수련』 1번에 밝힌 영신수련의 주목적과 일치한다. 어떤 생각과 연관해서 일어나는 행복감이 하느님의 뜻을 더 따르고 싶고, 믿음 희망 사랑의 삶을 강화하는 방향을 가리키면, 이 움직임은 영적으로 선하다. 저절로 일어나는 다른 정감과 이와 함께 나타나는 생각들이 하느님의 뜻을 따르고 싶은 의지를 약화하고 하느님의 뜻에서 우리를 멀리 이끈다면, 이 움직임은 영적으로 나쁘다. 우리를 하느님의 뜻에 따라 살도록 이끄는 움직임, 믿음 희망 사랑이라는 향주덕의 삶을 더 강화하는 방향으로 이끄는 움직임은 **선한** 움직임이고, 우리를 하느님의 뜻에서 멀어지게 하고 향주덕의 삶을 약화하는 움직임은 **악한** 움직임이다.

규칙 제목은 "**제1주간**에 더 적합하다"로 끝맺고 있다. 이냐시오는 이 열네 개 규칙이 영의 식별에 관한 그의 모든 가르침을 담고 있지 않다는 점을 분명히 한다. 그가 "제1주간"이라는 특정한 영적 상황에 이 열네 개 규칙이 알맞다고 조언하고 있음을 알 수 있다. 왜냐하면『영신수련』10번의 제1주간에 대한 언급과 같이, "정화의 길" 단계에서 이 열네 개의 규칙이 염두에 둔 식별이 "더" 일어나기 쉽기 때문이다. 그가『영신수련』2번에 언급한 것처럼, 이 열네 개의 규칙은 죄를 극복하고자 아낌없이 노력하고 있는 사람과 이와 동시에 하느님을 섬기는 데 있어 성장해 가는 사람에게, 즉 열심하고 성장하고 있는 그리스도인 모두에게 적용된다. 만약 누군가가 그리스도인의 삶을 진지하게 산다면, 그 사람은 이들 규칙이 예견하는 종류의 영적 체험을 할 수 있다. 그리고 그 사람은 이들 규칙이 대단히 큰 도움이 된다는 사실도 알게 될 것이다.

이것이 의미하는 것은, 이 열네 개 규칙이 이 책을 읽고 있는 사람 모두에게 호소력이 있다는 점이다. 이 규칙을 배우는 것은 그저 머리 굴리는 학습이 아니다. 이 규칙이 우리의 체험에 말을 건넬 것이다. 이제 열네 개 규칙으로 들어가 보자.

1장

하느님에게서 멀어질 때 (규칙 1)

그 발걸음이 내 옆에 멈춰 선다.

나의 어둠이, 결국,

어루만지듯이 내민

그분의 손 그림자인가?

— 프랜시스 톰프슨

영적 해방의 체험

앞 장의 패턴을 따라서, 우리는 다시 한번 구체적 영적 체험이라는 관점에서 이냐시오의 글에 접근할 것이다. 언급했듯이, 영의 식별 규칙은 이냐시오의 영적 체험에서 나왔으며 그 체험을 서술한 것이다. 이런 방법을 쓰면 규칙을 현실적인 상황에 위치시키고, 이냐시오가 사용하는 소박한 언어가 지닌 풍부함 전부를 효과적으로 드러낼 수 있다. 이 장에서는 규칙 1을 논하고자 한다. 하지만 규칙 1과 2는 서로 밀접하게 연관되어 있으므로 함께 이해하는 것이 좋다. 그래서 나는 규칙 1과 2의 공통 배경이 되는 영적 체험 하나를 살펴볼 것이고, 규칙 2에 대해 논하는 다음 장에서도 이 체험을 다시 다루겠다.

아마도 우리의 영성 전통에서 가장 잘 알려진 회심 체험은 아우구스티노의 회심일 것이다. 그 이야기는 유명한 그의 책 『고백록』에 잘 기술되어 있다. 그는 영적으로 다시 태어나고자 오랜 세월 찾아 헤맨 끝에 정원에 있는 무화과나무 아래에서, 마침내 그 은총의 순간을 맞이한다. 눈물을 흘리면서 그는 정원의 담 너머 아이의 노랫소리를 듣는다. "집어서 읽어라, 집어서 읽어라." 그가 펼친 성경에서 바오로 사도의 말씀이 그의 눈에 들어왔다. "밤이 물러가고 낮이 가까이 왔습니다. 그러니 어둠의 행실을 벗어 버리고 빛의 갑옷을 입읍시다"(로마 13,12). 바로 이 순간 아우구스티노가 다시 태어났고 거룩한 삶으로 나아가는 영적 여정이 시작된다.[35]

여기에서 우리의 초점은 아우구스티노의 마음에서 복잡하게 일어나서 회심의 순간 직전에 일어나는 일련의 내적 움직임이다. 우선 우리는 이 움직임을 좀 더 넓은 맥락에서 살펴본 다음에, 이 움직임이 어떻게 전개되는지 구체적으로 살펴보고자 한다.

사실, 이 이야기는 아우구스티노가 아주 방탕하게 살았던 사춘기 시절에서 시작된다. 그가 냉정하게 썼듯이, "어린 시절 나는 온갖 나쁜 짓에 젊음을 불태웠다. …… 나는 어두운 정욕을 좇아 난폭하게 살았다."[36] 이 과정은 고향 타가스테에서 15세 때 경제 사정으로 학업이 어려워지면서 시작되었고 카

---

35 R. S. Pine-Coffin, trans., *Saint Augustine Confessions* (Harmondsworth: Penguin Books, 1961), book VIII.12, pp. 177-178.

36 위의 책, II.1. 인용문과 다음 인용문은 저자의 번역이다. 이번 장에 『고백록』에서 인용한 나머지 다른 부분은 앞의 미주에서 언급한 파인-코핀의 번역문에서 인용한 문장들이다. 인용문이 들어 있는 쪽 번호는 인용문 끝에 적는다.

르타고라는 더 큰 도시로 옮겨 학업을 재개할 때 굳건해졌다. "나는 불태웠다"라는 자극적 단어가 이 시절을 함축한다. 이 시절 이후에도 젊은 아우구스티노의 마음에는 그야말로 무절제한 방탕으로 나아가는 움직임이 일어나 그의 삶의 방향을 이끌어 간다.

이 움직임이 지배적이긴 했지만 다른 움직임도 점점 도전장을 내민다. "수확 없는 노동만 계속하고 있는 슬픔", "끊임없는 고단함"[37]이 그를 점점 더 짓누르고, 그는 영적 변화를 간절히 바라게 된다. 시간이 갈수록 두 움직임 사이에 긴장이 점점 고조되었으나 그는 여전히 새로운 행동을 하지 않은 채 세월을 흘려보낸다.

그러던 어느 날 아우구스티노는 폰티치아노라는 궁정 관리, 알리피오라는 가까운 친구, 두 명과 대화하게 된다. 폰티치아노는 한 가지 일화를 얘기하는데, 그의 이야기가 아우구스티노에게 충격을 주리라고는 전혀 예상하지 못했다. 그가 알고 지내는 두 명의 로마 제국 하위 관리가 길을 걷다가 신심이 깊은 그리스도인들이 있던 집으로 들어가게 되었고, 거기서 아타나시오 성인이 쓴『성 안토니오의 생애』란 책을 보게 되었다. 둘 중 한 명이 그 책을 읽기 시작했고 젊은 안토니오가 예수님께서 부자 청년에게 하신 말씀을 어떻게 굳건하고 기쁘게 실천에 옮겼는지를 배우게 되었다. "네가 완전한 사람이 되려거든, 가서 너의 재산을 팔아 가난한 이들에게 주어라. …… 그리고 와서 나를 따라라"(마태 19,21). 그는 주님께 자신을 온전히 바친 안토니오 성인의 거룩한 삶에 대한 부분을 읽은 것이다. 이 이야기에 크게 감명을 받아, 그 관리

---

37 위의 책, II.2.

와 그의 동료는 즉시 똑같이 하겠다는 결심을 했다. 그들도 역시 그들이 추구하던 출세의 길을 포기했고 남은 생애 동안 안토니오가 한 것처럼 주님을 따르게 되었다.[38]

폰티치아노는 이 일을 이야기해 주고는, 이 이야기가 아우구스티노에게 어떤 영향을 미쳤는지 알지 못한 채 자리를 떠난다. 두 관리의 이야기를 들으면서 아우구스티노는 하느님의 부르심에 즉각적으로, 열정적으로 응답하는 그들의 모습과 오랫동안 무기력하고, 휘청대는 자신의 모습을 비교하면서 깊은 애통함에 빠진다. 아우구스티노가 느낀 애통함은 이 순간을 묘사한 부분에서 아주 분명하게 드러난다.

이것이 내 고통의 본질이었다. 나는 고문당하는 것 같았고 마치 쇠사슬에 칭칭 감겨 몸부림을 치는 것처럼 더 가혹하게 나 자신을 책망했다. 나는 이 쇠사슬이 영원히 끊어지기를 바랐다. 왜냐하면 지금 나를 묶고 있던 것은 단지 작은 것이었기 때문이다. …… 그리고 오, 주님은 내 숨겨진 마음을 끊임없이 지켜보고 계셨다. 쇠사슬이 완전히 끊어지지 않고 나를 더 세게 동여매어 나는 또 굴복할 수도 있었다. 그럴까 봐 주님은 두려움과 부끄러움이라는 두 개의 채찍으로 나를 내리치시는 엄한 자비를 베푸셨다. 나는 마음속으로 계속 되뇌었다. "지금이 바로 그때가 되게 하소서, 지금이 바로 그때가 되게 하소서!" 단순히 이렇게 말하는 것으로도 나는 결심의 순간에 가까이 갔다. 그러나 결심의 순간을

맞이했지만 나는 결심에 성공하지는 못했다.[39]

한 자 한 자 긴장감이 팽팽하다. 아우구스티노는 "고통" 중에 있고, "자신을 어느 때보다 가장 가혹하게 책망한다." 그는 "쇠사슬에 칭칭 감겨 몸부림을 친다." 하지만 그는 마음의 괴로움 속에 **하느님께서 일하고 계심**을 감지하고, "당신의 엄한 자비"라는 아주 놀라운 문장으로 이를 표현한다. 그의 이야기는 계속된다.

나는 곧 결심의 순간을 맞이했다 …… 나는 다시 시도했고 내 목표에 좀 더 가까이 다가갔다. 그러고는 다시 조금 더 다가가서, 내가 붙잡을 수 있을 정도가 되었다. 그러나 나는 더는 다가가지 않았다.(175)

분명히 이 시점에서 아우구스티노에게 방향 전환이 있었다. 만약 그가 이전에 가려 했던 방향, 즉 하느님을 위한 것은 고려하지 않은 채 자기만 생각하는 방탕한 생활과 이제 그가 "더 가까이 가고 있는 목표", 즉 **하느님께로 향하는** 방향 전환을 비교한다면, 이 변화는 분명해진다. 두 개의 목표는 정반대이다. 그는 수년 동안 방탕한 삶을 추구했다. 확신하지 못하고 머뭇거리긴 하지만 그는 이제 반대 방향, 하느님께로 향하는 방향으로 움직이고 있다. 이

---

39 위의 책, VIII.11, p. 175; Fiorito, *Discernimiento y Lucha*, 54-55, 60-61, 105-108과 더 간단한 Toner, *Spirit of Light or Darkness*, 44-45의 글은 폰티치아노와의 대화 내용 일부분과 대화 결과를 규칙 1과 2를 설명하기 위해 사용한다. [J.J. 토너, 『하느님 안에서 나를 발견하기』, 정제천 옮김, (서울: 도서출판 이냐시오영성연구소, 2008)].

두 개의 상반된 방향 사이에서 방황하며, 폰티치아노의 이야기를 계기로 아우구스티노는 한층 더 고조된 영적 투쟁의 나날을 겪는다.

교활하면서도 여전히 강력한 장벽이 새로운 목표로 전환하려는 그를 막아 세운다.

나는 아주 하찮은 것들, 볼품없는 어리석음, 내 낡은 집착 때문에 뒷덜미가 잡혀 더 나아가지 못했다. 여태껏 날 포로로 잡았던 많은 유혹은 내 껍데기 같은 육체를 붙들고 속삭였다. "우리를 버릴 작정이냐? 이 순간부터 우리는 다시는, 영원히 너와 함께하지 않을 거야. 이 순간부터 너는 다시는, 영원히 이것저것을 즐길 수 없을 거야……." 이들 목소리는 너무나 뻔뻔하게도, 나의 앞길을 막는 대신 몰래 뒤에서 나를 잡아채려는 것처럼 내 등 뒤에서 중얼중얼 저주의 주문을 걸었다. 마치 내가 앞으로 더 나아가려 할 때 내 고개를 돌려세우려는 것 같았다. 많은 유혹은 결단을 내리지 못하고 있는 나를 막아서서 벗어나지 못하게 했고, 털어 버리고 자유로워지지 못하게 했으며, 주님께서 부르시는 쪽으로 훌쩍 장벽을 뛰어넘지 못하게 했다.(175-176)

아우구스티노의 영혼이 향하는 방향에 대한 단어를 다시 주목하고자 한다. "**뒷**덜미가 잡혀" "등 **뒤에서** 중얼중얼 저주의 주문을 걸었다", "몰래 **뒤에서** 나를 잡아채려는", "내가 **앞으로** 더 나아가려 할 때." "앞으로"는 **하느님을 향하는** 방향이다. "뒤로"는 **하느님에게서 멀어지는** 방향이며, 하느님을 무시하고 방탕한 생활로 되돌아가는 방향이다. 그리고 그의 마음을 잡아채는 저주의 주문, 다시는 마음껏 쾌락을 불사를 기회가 없으리라는 이미지는 효과적으로 그를 "뒤로" 후퇴시키고 "앞으로" 나아가지 못하게 한다. 이젠 조금 더 희미해지기는 했지만, 긴장감과 갈등하는 말투가 여전히 남아 있다.

이제 아우구스티노의 소용돌이치는 마음에 어떤 새로운 것이 들어온다. 평화와 희망으로 가득 찬 신선한 움직임이 그의 고통을 찾아간다. 그의 어조는 점차 따뜻해지고 격려하는 투로 바뀐다.

> 그러나 이제 나는 눈을 돌려 다른 것을 보았다. 나는 장벽 앞에서 덜덜 떨며 서 있는데, 장벽 너머 저쪽에 아름다운 정결Continence이 고요히 서 있는 것을 볼 수 있었다. 그녀는 조용히 이리 건너오라고, 더는 망설이지 말라고 손짓하며 나를 불렀다. 그때 나는 전혀 다른 기쁨, 티끌 한 점 없이 깨끗한 기쁨을 맛보았다. 그녀는 팔을 벌려 나를 환영하고 안아 주면서 손님을 맞이하는 주인처럼 성의를 다하였다. 이 정결 옆에는 수많은 어린아이와 모든 세대의 남녀노소가 있었다. 정결은 주님의 배우자이시며 그 많은 아이의 어머니셨다. 그녀는 나를 향해 웃으면서 나에게 용기를 주었는데, 마치 이런 말을 하는 것 같았다. "이들이 하는 것을 너는 할 수 없겠니? 이들이 자기 혼자 힘으로 그런 일을 한다고 생각하니? 하느님 안에서 힘을 찾는다고 생각하지 않니? 너는 왜 너 혼자만의 힘으로 버티다 쓰러지고 그러니? 두려워 말고 주님께 맡겨 드려라. 그분은 너를 피하실 리가 없고 네가 쓰러지게 놔두지 않으신다. 너

를 환영하시고 너의 병을 고쳐 주실 것이니 두려워 말고 그분께 의탁하여라."(176)

다시금 방향을 가리키는 단어가 분명히 드러나며, 이제 하느님께로 향하는 움직임에 초점을 맞춘다. "이제 나는 눈을 돌려 다른 것을 보았다" "장벽 너머 저쪽에" "그녀는 조용히 이리 건너오라고 손짓하며 나를 불렀다."

이제 몸부림, 엄격함, 두려움과 부끄러움이라는 채찍질이 사라지고 고요함과 기쁨의 움직임이 그 자리를 차지한다. 아우구스티노는 그를 환영하려고 내뻗은 사랑의 손길과 용기를 주는 미소를 느낀다. 그는 하느님을 향해 나아가려는 영적 투쟁에서 의지할 데 없이 홀로 남겨지지 않았음을 깨닫는다. 하느님 안에서 힘을 얻어 영적 투쟁을 한 끝에 마침내 새롭게 태어난 사람들의 예를 보면서 새로운 희망이 생겨난다. 그의 마음에는 믿음을 향해 나아가는 따뜻한 초대의 말씀이 들린다. "두려워하지 말고 주님께 맡겨 드려라 …… 너를 환영하시고 너의 병을 고쳐 주실 것이다." 그의 말을 읽으면서 우리는 아우구스티노 안에서 작용하는 아름다움과 축복을 느낄 수 있다. 그것은 부드럽고도 강하게 그에게 희망을 주면서 하느님을 향해 "앞으로" 나아가게 해 준다.

이 시점에서 아우구스티노는 더는 자신을 억누를 수가 없어서 눈물을 흘리기 시작하며 무화과나무 밑으로 달려간다. 결정적인 은총의 순간이 이제 가까이 있다. 그는 "집어서 읽어라"라고 말하는 아이의 목소리를 듣고는 성경을 펼쳐서 로마서 13장 12절을 보고 …… 그의 삶은 다시 태어난다.

아우구스티노가 회심에 이르기까지 그에게 나타난 내적 움직임에 대한 이야기는 드라마로 가득 차 있다. 하느님에게서 **멀어지게** 하는 움직임과 그 것을 막아서는 움직임, 하느님을 **향해 나아가게** 하는 움직임과 그렇지 않은 움직임, 하나에 이어 다른 움직임이 나오고 서로 충돌한다. 분명히 여기에서 우리는 아우구스티노의 여정에 영향을 미쳐 하느님에게서 멀어지거나 하느님 을 향해 나아가게 하는 **영적** 움직임을 본다. 즉 우리는 생생한 영의 식별 현 장을 보고 있는 것이다. 우리는 이렇게 다른 움직임을 영적으로 이해할 수 있 는가? 마치 실타래를 풀어내듯이, 이런 영적 체험의 의미를 풀어내어 바르게 응답하는 길을 찾을 수 있는가?

이것이 이냐시오가 규칙 1과 2에서 설명하는 경험의 형태다. 우리는 이 두 규칙이 모든 식별의 근본 문제를 명확하게 하고 있음을 앞으로 살펴보면 서 알게 될 것이다. 즉, 하느님에게서 멀어지거나 하느님께 향하는 우리 영성 생활의 **근본 방향**에 따라, 우리가 식별하는 영들이 우리 마음 안에서 상반된 방식으로 행동함을 알게 될 것이다.

영성 생활의 두 가지 근본 방향

우리는 아우구스티노의 회심 이야기에서 방향을 나타내는 단어들에 주 목했다. 여기서 두 가지 근본 방향이 나타난다. 첫째는 하느님에게서 멀어져 서 방탕한 삶으로 나아가는 방향이다. 아우구스티노의 젊은 시절은 이 방향 이었다. 둘째는 방탕한 삶이 불러일으키는 피곤함이 가중되면서 그의 마음속에 첫째와 반대 방향으로 일어나는 움직임이다. 그는 하느님에게서 떨어져 나와 있는 의미 없는 삶을 점점 더 물리치고 싶어 하고 하느님을 향해 돌아서기를 바라게 된다. 결정적 회심의 순간 이전에, 그는 머뭇거리긴 했지만 이미 둘째 방향으로 움직이기 시작했다. "나는 다시 시도했고 조금 더 가까이 나의 목표에 다가갔다. 그리고 조금 더 다가가서……."

아우구스티노의 체험에서 입증되었듯이, 영성 생활에 있어서 두 가지 **근본 방향**을 규칙의 표현으로 다시 쓰자면 다음과 같다. **첫째 방향**은 **하느님에게서 멀어져서 대죄를 향해 나아가는** 움직임이고, **둘째 방향**은 첫 번째 방향의 반대, **하느님을 향해 나아가고** 대죄는 물론, 다른 모든 **죄에서 멀어지는** 움직임이다. 이냐시오는 규칙 1(314번)에서 **하느님에게서 멀어지고 대죄를 향해 가는** 사람에게서 선한 영과 악한 영이라는 두 가지 영의 활동을 묘사하는데, 아우구스티노의 방탕한 젊은 시절이 그랬다. 규칙 2(315번)는 아우구스티노가 나중에 영적으로 새롭게 되고자 노력하는 경우에서 보듯, **하느님을 향하고 대죄에서 멀어지는** 사람에게서 일어나는 두 가지 다른 영의 활동을 묘사한다.

그러므로 이냐시오는 이 부분을 가장 중요한 사실로 강조한다. 즉 사람의 마음에서 활동하는 영이 어떤 영인지 식별하기 위해서(그래서 어떤 영을 받아들여야 할지 배척해야 할지를 정확하게 알기 위해서), 우리는 먼저 그 사람의 영성 생활이 향하는 **근본 방향을 확인**해 보아야 한다. 이것이 그 사람의 마음에 어떤 영이 활동하는지 정확히 식별하기 위해 없어서는 안 될 조건이다. 영적 체험 속에서 일어나는 움직임은 무척 다양하고 혼란스러워 얼른 파악하기 어럽다. 이 두 가지 규칙은 혼란을 걷어 내어 그 움직임을 확인하고 바르게 응답하는 데 도움이 될 것이다. 이제 규칙 1부터 분석해 보자.

하느님에게서 멀어지는 사람

이냐시오의 첫 번째 규칙은 다음과 같다.

규칙 1. 대죄에서 대죄로 나아가는 사람들에게 원수[40]는 노골적인 쾌락을 제시하고 감각적인 쾌락과 즐거움을 상상하도록 하여서 악덕과 죄들을 유지하고 더욱 키워 가게 한다. 이런 사람들에게 선한 영은 이성의 분별력으로써 양심을 자극하고 가책을 일으키는 등 정반대의 방법을 쓴다.

이 규칙에서 이냐시오는 특정한 사람에게서 일어나는 영의 활동을 기술하고 있다. 그 사람은 "대죄에서 대죄로" 나아가는 사람이다.[41] 이 문장은 삶

---

40 이냐시오는 악한 영을 가리키는 데 이 용어를 쓰기도 한다(역자 주).

41 "de pecado mortal en pecado mortal." 『영신수련』에서 이냐시오가 사용하는 죽음에 이르게 하는 죄 "대죄mortal sin"라는 용어는 소죄venial sin에 대비되는 **대죄grave sin**를 의미한다. 그리고 더 넓은 의미로 **대죄capital sin**라는 그리스도인들이 체험하는 일곱 가지 죄로 향하는 뿌리 깊은 경향을 의미한다(『영신수련』, 18, 238, 244-245번). 이런 이유로 해서, "대죄에서 대죄로 나아가는 사람들"에 대해 말할 때 이냐시오가 생각하는 이들이 누구인지에 대해 질문할 수 있다. 이들은 통탄할 죄를 짓고서 또 통탄할 죄를 짓는 사람들인가?(첫 번째 해석) 덜 심각한 수준의 죄를 짓는 사람들이나 아니면 단순히 어떤 방식으로든 하느님에게서 멀어지게 만드는 경향을

의 지속적 진행 방향에 초점을 맞추고 있고, 그 방향으로 **"나아가는** 사람들**"**에게 초점을 맞추고 있으며, 또한 **하느님에게서 멀어지고 대죄를 향하는** 삶의 방향에 초점을 맞추고 있다. 규칙 1에서 이냐시오는 이처럼 영적으로 해로운 상태에 있는 사람들 안에서 영들이 어떻게 활동하는지를 명확하게 기술한다.

이는 분명히 이미 이냐시오 영신수련과 결합된 삶을 살고 있는 사람의 경우에는 해당되지 않는다. 마찬가지로 계속해서 진지하게 영의 식별을 하고 있는 사람에게도 해당되지 않는다. 이냐시오가 각각의 영이 어떻게 작용하는지를 묘사하면서, 사도 바오로 식으로 말하자면 순전히 "육을 따르는" 사람과 (규칙 1) 진심으로 하느님을 찾는 사람에(규칙 2) 관한 말로 그의 규칙을 시작하는 데에는 중요한 이유가 있다. 바로 이런 방식으로 이후에 이어 나오는 모든 규칙이 적용되는 굳건한 기초가 세워지기 때문이다.[42] 규칙 1과 2는 모든

지니게 되는 사람들인가?(두 번째 해석) 힐(*Discernimiento*, 56, 97-98)과 그린(*Diary*, 100-101)은 첫 번째 해석을 적용하고, 토너(*Commentary*, 50-51)는 두 번째 해석을 강조하며, 피오리토(*Discernimiento y Lucha*, 40-41)는 분명하게 두 해석을 다 포함한다. 나는 첫 번째 해석에 비춰 규칙 1을 논의하고자 하는데, 나는 첫 번째 해석을 이냐시오가 여기에서 의도한 기본적인 느낌이라고 이해한다. 즉 "mortal sin"은 대죄grave sin로 이해된다. 이냐시오가 분명히 밝힌 이유 때문이라도 이 해석을 선택하여 받아들이고자 한다. 토너(*Commentary*, 71)가 말하기를, "제1주간에 적합한 규칙 1-2(첫 두 개의 규칙)에서 좋은 교사인 이냐시오는 복잡함 때문에 헷갈리지 않도록 자신이 처음 접할 때 이해한 바를 잘 알려 주고자 적절한 예시를 들었다." 이 책에서 나는 내가 사용하는 방법을 유지하면서 이냐시오가 한 것처럼 "처음 접할 때 이해한 것처럼" 그리고 "헷갈리지 않게" 이해시키고자, 이냐시오가 이 규칙의 본문에서 본질적으로 이야기한 것만을 설명하고자 한다. 복잡한 부분에 대한 더 깊은 논의는 Toner, *Commentary*, 49-53, 70-78에 잘 제시되어 있다. 두 개의 해석을 다 보려면 D. Gil and M. Fiorito, "La primera regla de discernir de S. Ignacio, ¿a qué personas se refiere…?" *Stromata* 33 (1977): 341-360을 보면 된다. 힐은 첫 번째 해석에 대해 논의하며 피오리토는 두 번째 해석에 대해 논한다. 나는 규칙 9를 다룰 때, 다시 이 문제를 거론할 것이다.

42 『영신수련』의 가장 초기 원고인 스페인어 자필본을 자세히 살펴보면, 이냐시오가 나머지 규칙을 이미 다 작성했던 때인 두 번째 시기에 첫 두 개의 규칙을 거기에 첨가했다는 것이 드러난다.

영의 식별에서 항상 제일 먼저 던져야 할 질문을 가르쳐 준다. 이 사람이 정한 삶의 근본 방향이 하느님에게서 멀어지고 대죄를 향해 나아가는 방향인가? 아니면, 죄를 극복하고 하느님께 더 가까이 다가가려고 진정 노력하는 방향인가? 이 질문에 답을 하고 난 다음에야 우리는 그 사람이 체험하고 있는 영적 움직임을 정확하게 식별할 수 있다.

영적 진보를 막는 "원수"

아우구스티노의 회심 이야기에서 보듯, 그의 마음에서 일어나는 몇몇 움직임은 그를 하느님에게서 멀어지게 하는 경향을 보인다. 우리도 그가 겪은 내적 움직임을 체험한다. 우리가 이를 감지하지 못하고, 파악하지 못하고, 배척하지 않으면, 그런 내적 움직임은 우리에게 영향을 끼쳐 우리를 하느님에게서, 또한 하느님께서 바라시는 계획에서 멀어지게 할 것이다. 이냐시오는 이런 움직임의 근원을 **원수**라는 용어로 표현한다. "대죄에서 대죄로 나아가는 사람들에게 **원수**는 보통 익숙하다……."

규칙에서 이냐시오는 아무런 수식어 없이 "원수"에 대해 말하거나, 혹은 좀 더 구체적으로 "인간 본성의 원수"라고 예사롭게 말한다. 단 한 번 복수형

다음을 참조하라. José Calveras and Candido de Dalmases, *Sancti Ignatii de Loyola Exercitia Spiritualia*, MHSI, vol. 100, pp. 376, 380; Gil, *Discernimiento*, 142; Fiorito, *Discernimiento y Lucha*, 138-139; Ruiz Jurado, *El discernimiento espiritual*, 224 n. 75.

으로 "원수들에"(규칙 11)라고 쓰고, "원수"보다 빈도수는 적지만 "선한 영"과 대립시킬 때 "악한 영"이라고도 쓴다. 이렇게 이냐시오는 우리가 인간 본성에 새겨져 있는 완전한 진리에 따라 하느님의 사랑을 품고 하느님의 뜻을 따르려 할 때, 이런 노력에 대적하는 무엇과 마주친다는 것을 알아차린다. 즉 우리가 **'원수'**를 마주하게 되리라는 점이다. 그러면, 우리는 하느님께로 향해 나아가려는 사람들을 대적하는 이 "원수(들)"를 정확히 어떻게 이해해야 하나?

토너는 영의 식별 규칙에서 쓰이는 "영들"이라는 단어의 의미를 다음과 같이 설명한다.

> 이냐시오에게 이 단어가 성령과 창조된 영들, 즉 우리가 보통 천사라고 부르는 선한 영과 사탄이나 악령들이라고 부르는 악한 영 모두를 지칭한다는 것은 의심의 여지가 없다. 이냐시오의 규칙을 사용하는 데 있어서 우리는 "악한 영들"이라는 단어를 좀 더 폭넓은 의미로 써야 할 것이다. 사탄, 악령 외에도, 이기심, 무질서한 관능으로부터 유래하는 심리적 성향, 우리 삶에 악영향을 끼치는 개인 및 사회적 경향까지도 포함하는 의미로 보아야 한다.[43]

---

43 Toner, "Discernment in the Spiritual Exercises," in *A New Introduction to the Spiritual Exercises of St. Ignatius*, ed. J. Dister (Collegeville, Minn.: Liturgical Press, 1993), 64. 같은 점을 잘 지적하고 있는 글은 Green, *Weeds among the Wheat*, 103-104이다. 여기에서 그린은 이렇게 결론 내린다. "식별의 관점에서 볼 때, 우리는 '악한 영'이나 '악마'라는 단어를 '자연적인'이든 보다 엄격한 의미로 '악마'이든 그 무엇이든 상관없이 하느님에 반하여 작용하는 힘을 의미하는 단어로 받아들인다"(103).

'악한 영' 그리고 그에 상응하는 '원수'라는 명칭이 우리를 하느님에게서 멀어지게 하는 내적 움직임들의 몇 가지 근원을 두루 가리킨다고 볼 수 있겠다.

토너가 지적하듯이 이 근원들을 다양한 제목 아래 정리할 수 있겠다. 먼저 예로부터 전해 내려오는 그리스도교 신앙에 따라 이냐시오가 "원수"라는 말을 성경에서 "적대자"(1베드 5,8), "유혹자"(마태 4,3), "거짓말쟁이며 거짓의 아비"(요한 8,44)라 불리는 **타락한 천상 존재**를 가리키는 의미로 쓰는 것이 명백하다. 이냐시오는 하느님에게서 멀어지는 방향으로 우리 안에 일어나는 움직임들 일부가 "밖에서"(『영신수련』, 32번) 그리고 구체적으로는 이 근원들에서 온다고 생각한다.

"원수" 또는 "악한 영"이라는 단어는 **인간성의 나약함**을 의미하기도 하는데, 이 나약함 때문에 하느님을 향해 가는 움직임이 여러모로 방해받기도 한다. 우리는 인간성의 풍요로움을 잘 알지만 그에 못지않게 어떤 인간성은 단호히 배척하지 않으면 우리를 하느님에게서 멀어지게 한다는 것도 잘 안다. 성경에서 사용한 용어로 본다면 이것이 바오로 사도가 말한 "성령을 거스르는 육의 욕망"(갈라 5,17)이다. 이런 인간의 나약함은 고전 신학에서는 "정욕 concupiscence"이라는 용어로, 또 자기 자신을 중시하여 하느님께 저항하는 성향이라는 의미의 "칠죄종seven capital sins"이라는 용어로 표현되었다. 그리스도교 사상은 우리가 하느님을 찾아 나서면서 대면하는 "원수들" 중 하나는, 구원되었으나 여전히 깨지기 쉬운 우리 인간성이라는 점을 항상 성찰하고 이해해 왔다.

이것이 일반적인 인간의 조건이며 인류 모두가 공유하는 구원 역사, 인간의 타락과 하느님의 구원을 모두 포함하는 구원 역사의 유산이다. 그러나 이런 일반적인 조건은 우리 개개인 삶의 역사에서 그리고 그 역사의 결과로서 우리가 감당해야 하는 모든 상처들-아픔, 두려움, 자기 회의, 그리고 비슷한 응어리들-안에서 좀더 개별적으로 구체화된다. 그래서 고대의 금언 "너 자신을 알라"는 여기에서 아주 중요한 의미를 지닌다.

우리를 둘러싼 이 세계도 하느님에게서 멀어지게 하는 움직임의 근원 중하나이다. 사회, 문화는 우리 삶의 터전이고 매일매일 영향을 미치고 있다. 물론, 우리가 사는 세계는 창조주의 축복을 받아 선과 경이로움으로 가득 찬 세계이다. 그러나 예수님께서 말씀하셨듯이 이 세계에는 우리가 "속하지 않은"(요한 17,14-16) 세계도 있음을 우리는 알고 있다. 속하지 않은 세계와 접촉하면 악한 움직임이 자극받아 일어날 수 있다. 배척하지 않으면 이 세계는 우리를 하느님에게서 멀어지게 한다.

하느님께 반대되는 움직임의 다양한 근원에 대한 지금까지의 설명은 우리의 공통된 체험을 분명하게 밝혀 주고 있다. 우리가 은총의 힘으로 하느님을 향해 나아갈 때 우리의 진보를 막는 다른 내적 움직임도 체험한다. 이런 움직임을 일으키는 여러 근원이 합쳐져 영적 진보를 막는 "원수"가 된다. 그러므로 지금 이후부터는 "원수"라는 용어를 여러 가지 근원을 포괄하는 폭넓은 의미로 사용할 것이다.

"원수"에 집중하는 것만으로도 이냐시오는 우리에게 커다란 도움을 주고 있다. 우리가 하느님을 찾을 때 저항이 생길 수도 있다는 것을 감지하지 못하거나, 감지하더라도 그저 관념적으로, 또는 어쩌다 한 번씩이라면, 예상치 못한 영적 갈등에 빠질 소지가 다분하다. 예상치 못한 어려움이 닥쳤는데 전혀 준비되어 있지 않다면 극복할 수 없어 좌절하기 십상이다. 확실히, 우리와 함께하시는 하느님의 사랑과 은총은 "원수"가 던지는 그 어떤 저항보다 훨씬 더 강력하다. 그런데도 이냐시오가 우리에게 말하고자 하는 요지는 원수가 엄연히 존재하고 우리는 이런 원수의 방해 행동을 만나게 되리라는 점이다. 이 사실을 알고 원수의 수법을 파악한다면, 흔들리지 않고 끈기 있게 하느님을 향해 진보하는 데 큰 도움을 받게 된다. 정확히 이런 영적 파악을 돕기 위해 이냐시오가 영의 식별 규칙을 만들었다.

원수의 행동: 하느님에게서 멀어지게 하는 힘 강화

이 지점에서 이냐시오는 그가 기술하는 영적 드라마에 두 배우를 등장시킨다. 하나는 **하느님에게서 멀어지면서** 대죄를 선택한 사람이고, 다른 하나는 **원수**이다. 이런 이에게 원수는 "노골적인 쾌락을 제시하고 감각적인 쾌락과 즐거움을 **상상하도록** 하여서 악덕과 죄들을 유지하고 더욱 키워 가게 한다."

여기서 이냐시오는 다른 곳(10번, 334번)에서도 표현한 **원수의 상투적인 속임수**를 말하고 있다. 그는 자신의 영적 체험을 성찰하면서, 특정한 상황에서 특정한 사람에게 쓰는 원수의 수법이 정해져 있다는 것을 발견했다. 원수의 상투적 수법을 간단명료하고 실용적인 언어로 체계화했다는 장점이 이냐시오의 식별 규칙이 우리에게 주는 유용한 도움 중 하나이다. 우리가 이런 원수의 상투적 수법을 알아 두면 원수의 출현과 책동을 더 재빨리, 더 정확하게 가려낼 것이다.

이냐시오가 원수의 상투적 속임수와 관련해서 우리에게 말하는 한 가지가 더 있다. 원수는 대죄에 단단히 빠져 있는 사람들의 **상상력**을 악용하는 데 공을 들이는 상투적 수법을 쓴다는 점이다. 원수는 그런 사람들의 상상력을 "감각적인 쾌락과 즐거움"의 이미지로 가득 채운다. "감각적인 쾌락과 즐거움"을 탐하는 충동은 더욱 커지고 결국 "악덕과 죄"에 점점 더 빠지게 된다. 이것이 젊은 아우구스티노를 사로잡았던 원수의 행동이었다. "어린 시절 나는 온갖 나쁜 짓에 젊음을 불태웠다." 젊은 아우구스티노에게 커다란 에너지가 일어났지만 이 에너지는 그를 하느님에게서 멀어지게 하면서 "감각적인 쾌락과 즐거움"으로 향하게 한다. 상상력을 악용하는 것이 어느 때나 늘 하는 원수의 상투적 전술이라면 오늘날 이 거대한 '이미지의 문화' 속에서 그 위험성이 더욱 크다는 말은 사실로 들린다.

선한 영

원수의 행동을 자세히 살펴보고 난 뒤에, 이냐시오는 **선한 영**이 대죄를 계속 짓고 있는 사람에게 어떻게 작용하는지 돌아본다. 그런 사람에게 "선한 영은 정반대의 방법을 쓴다." "선한 영"이라는 용어도 "원수"라는 용어와 마찬가지로, 포괄적인 의미로 이해해야 한다. 무엇보다도 "선한 영"은 우선 인간의 내면에 직접 활동하시는 **하느님**을 가리킨다. 그리고 하느님의 설계에 따라 그분의 사랑을 드러내는 도구로 일하는 **천사**들도 포함된다.

이 용어는 세례 때 하느님에게서 받아 우리에게 심어진 **은총**도 표현한다. 성화(聖化)의 은총, 향주덕(向主德, theological virtues), 사추덕(四樞德, moral virtues), 성령의 선물들, 개인이 각자 받은 은사 등이다. 여기에 이 세계와 성인들의 통공 안에서 우리를 둘러싸고 있으면서 우리에게 **영향을 미치는 다양한 선(善)**도 포함된다. 예를 들면 이냐시오에게 영성 서적을 읽으라고 건네준 그의 가족과 그 영성 서적들은 이냐시오를 위한 선한 영의 도구 역할을 했다. 폰티치아노와 하느님을 중심에 두는 선택을 한 두 명의 관리에 관한 이야기도 아우구스티노에게는 선한 영의 도구였다. 그러므로 우리를 하느님의 뜻을 향해 움직이도록 하는 사람들과 그들이 미치는 좋은 영향 모두가 "선한 영"이라는 용어에 포함된다고 할 수 있다. 이 모두는 궁극적으로 그들의 기원이자 최종 목적인 하느님을 가리키고 있다. 식별에 관해 논하면서 우리는 "선한 영"이라는 표현을 이렇게 포괄적인 의미로 사용할 것이다.

선한 영의 행동: 하느님에게서 멀어지게 하는 힘 약화

이냐시오는 대죄에 빠진 사람들에게 선한 영이 원수와 대비되는 "**정반대의 방법**"을 쓴다고 적고 있다. 이냐시오는 규칙 맨 처음부터 두 가지 다른 영의 **반대되는 본성**을 강조한다. 우리는 이어 나오는 다른 규칙에서 반복해서 이런 대비가 나타나는 것을 알게 될 텐데, 바로 이 반대되는 본성의 대비가 규칙에 담겨 있는 식별에 대한 모든 가르침의 근본 도구가 될 것이다. 만약 하나의 영이 이런 방식으로 행동을 하면, 우리는 다른 영이 정확하게 그 반대되는 방식으로 행동하리라고 예측할 수 있다. 이 원리를 잘 안다면 우리 생활에 직접 이 규칙을 적용하는 데 커다란 도움이 될 것이다.

하느님에게서 멀어지는 사람에게 선한 영은 "**이성의 분별력**으로써 **양심을 자극**하고 **가책을 일으키는**" 방식으로 일한다. 원수는 그런 사람에게 쾌락의 이미지를 상상하게 하고 쾌락의 삶이 매력적이라고 하면서 그 안에 빠져 살게 한다. 선한 영은 정확하게 반대로 '양심을 자극하고 가책을 일으키면서' 뭔가 잘못됐다고 느끼게 하고 영적으로 새롭게 될 필요가 있으며 하느님이 필요하다고 일깨운다.

선한 영의 이런 행동은 여전히 하느님에게서 멀리 있던 아우구스티노에게서 그 극적인 예를 찾아볼 수 있다.

나는 고통 속에 있었으며 마치 쇠사슬에 칭칭 감겨 몸부림을 치는 것처럼 더 가혹하게 나 자신을 책망했다. …… 그리고 오, 주님은 내 숨겨진 마음을 끊임없이 지켜보고 계셨다. 주님은 두려움과 부끄러움이라는 두 개의 채찍으로 나를 내리치시는 엄한 자비를 베푸셨다. 쇠사슬이 완전히 끊어지지 않고 나를 더 세게 동여매어 나는 또 굴복할 수도 있었다.(175)

아우구스티노는 그의 내적 괴로움이 자기 안에서 하느님께서 하신 행동이라는 것을 분명하게 이해한다. 하느님께서는 아우구스티노 안에서 "엄한 자비"를 보이시며 활동하시고, 오랜 시간 동안 그의 삶에 얼룩졌던 죄에 다시 빠지지 않도록 "두려움과 부끄러움이라는 두 개의 채찍"을 활용하신다. 고통, 몸부림, 가혹한 책망 등이 아우구스티노에게 해방되고 싶다는 비통한 열망을 불러일으키고 하느님을 향해 새롭게 방향을 전환하는 순간을 준비한다. 이 장면에서 선한 영이 아우구스티노에게 강력하게 작용하고 있다.

원수가 대죄에 빠진 사람들의 **상상력**에 작용한다면 선한 영은 그들의 **양심**에 작용한다.[44] 선한 영은 **도덕적 판단을 하는 이성의 능력**을 써서 양심에 작용한다. 뭔가 잘못됐다는 느낌과 함께 그들의 상태가 사실은 불행이라는 참 이해가 일어나게 한다. 이런 작용을 받는 사람의 마음에는 다음과 같은 여러 질문이 생겨난다. 이런 식으로 사는 것이 정말 행복한가? 무척 공허한데 계속 이런 식으로 살 것인가? 삶이란 이런 식보다는 더 나은 것 아닐까? 왜 너는 이런 식으로 살면서 너를 사랑하고 너를 필요로 하는 사람들에게 상처를 주나? 네 마음 깊은 곳에서는 이런 식으로 살아서는 이룰 수 없는 삶에 대한 갈망이 있는데, 왜 너는 그것을 어디에서 찾을 수 있는지 살펴보려 하지

---

44 문자 그대로 번역한다면, "**태어나면서부터 가지고 있는**synderesis 이성을 통해"라고 번역된다. 이냐시오가 엄격히 신학적 용어를 사용한 몇 안 되는 지점 중의 하나이다. Synderesis는 선을 향한, 궁극적으로는 하느님을 향한 감각과 경향을 가리키며, 죄 많은 인간이란 점에서 확인되듯이 이는 모든 인간이 타고났고, 그 누구도 완전히 무시할 수 없는 감각이며 경향이다. 선한 영은 하느님에게서 멀어지는 사람이 마음속으로 이 synderesis를 느끼게 한다고 이냐시오는 말한다. 세르베 팡케르는 synderesis란 직관적 지식이나 "인간에게 적합한 선을 지각하는 원시적인 감각"이라고 적는다. [*The Sources of Christian Ethics* (Washington, D.C.: Catholic University of America Press, 1995), 384].

않는가? 삶을 마쳐야 하는 시점이 왔을 때 이런 식으로 살아온 삶을 되돌아보면 행복할까? 이런 움직임이 선한 영의 행동이다. 죄인에게 "하느님의 뜻에 맞는 슬픔"을 불러일으켜 "회개를 자아내어 구원에 이르게 하므로 후회할 일이 없게"(2코린 7,10) 한다.

우리는 하느님을 평화의 하느님이라 말한다. 하지만 하느님은 무엇보다도 사랑의 하느님이시다. 우리를 너무나 사랑하셔서 우리가 하느님께 등을 돌리고 나쁜 버릇과 고질병에 빠져 살아도 우리를 저버리지 않으신다. 나쁜 버릇과 고질병에 빠져 있을 때 원수는 그것이 편안하다는 느낌을 주어 꾀지만 선한 영은 그런 편안함을 놔두지 않는다. 다시, 규칙에 담긴 이냐시오의 지혜는 분명하다. 한 사람 안에서 활동하고 있는 영이 어떤 영인지 정확하게 식별하기 위해서는 그 사람의 영성 생활이 나아가는 근본 방향을 확인해야 한다.

선한 영의 활동을 묘사하는 가장 풍부한 표현은 아마도 프랜시스 톰프슨의 아름다운 시『하늘의 사냥개』에서 찾을 수 있다. 이 시는 사람의 마음이 진심으로 승복하고 치유될 때까지 줄기차게 양심을 찌르는 선한 영의 활동을 진솔하게 묘사하고 있다. "나의 어둠이 결국 / 어루만지듯이 내민 / 하느님의 손 그림자인가?" 오랫동안 하느님 없이 살아온 사람들이 마침내 그들의 "어둠," 공허함, 무너졌다는 애통함을 자각하는 순간은 하느님께서 그들을 거부하셨다는 뜻이 드러나는 순간이 아니다. 오히려 하느님께서 그들에 대한 사랑을 결코 멈추신 적이 없고, 그래서 그들을 다시 부르고 계신다는 가장 확실한 신호이다. 그러므로 그들은 깊은 위로를 받는 것이다. 그들은 "어둠"이 다름 아닌 바로 "어루만지듯이 내민 하느님의 손 그림자"라는 것을 보기 시작한다. 이 사랑이 자신 안에 살아 있다는 것을 자각하거나 다른 사람의 "어둠" 속에 이 사랑이 드리워져 있음을 깨닫도록 도와주는 것은 변함없이 줄기차게 우리를 사랑하시는 하느님을 찾아뵈는 체험이다.

지금까지 하느님에게서 멀어지는 사람 안에서 두 개의 다른 영이 활동하는 방식을 설명했다. 그런 사람에게 원수는 죄에 빠진 현재 상태를 **유지하기** 위해 더 많은 관능적 희열과 쾌락의 이미지를 불러일으킨다. 정반대로, 선한 영은 그 사람의 현재 상태를 **변화시켜** 새롭게 하느님을 향해 돌아설 수 있도록 그 사람의 양심에 작용하여 괴로운 느낌을 불러일으킨다. 그러면 한 걸음 더 나가 보자. 한때 죄에 빠져 살던 사람이 완전히 하느님을 향해 돌아섰다면 두 가지 영은 어떻게 활동할까? 좀 더 넓혀서, 진심으로 하느님과 하느님의 사랑을 따르는 사람에게 두 가지 영은 어떻게 활동할까? 이냐시오는 이어 나오는 규칙 2에서 이 질문들을 다룬다.

2장

하느님을 향해 갈 때 (규칙 2)

만약 내가 오늘 밤에 죽어서 이 세상에서 나를 가장 감동시킨 것이 무엇인지에 대한 질문을 받는다면 나는 아마도 이렇게 대답할 것입니다. 그것은 하느님께서 우리의 마음을 꿰뚫으시는 방식입니다. 사랑이 모든 것을 삼켜 버립니다.

- 쥘리앵 그린

"선에서 더 나은 선으로 나아가기"

이냐시오의 두 번째 규칙은 첫 번째 규칙에 대응하는 규칙이다.

규칙 2. 자기 죄를 깊이 정화하고, 우리 주 하느님을 섬기는 데 선에서 더욱 큰 선으로 나아가는 사람들에게는 첫째 규칙과는 정반대의 방법을 쓴다. 이 경우에 악한 영은 슬픔에 빠져 애타게 하며 진보하지 못하도록 장애물을 두고 거짓 이유로 마음을 혼란스럽게 한다. 그리고 선한 영은 용기와 힘, 위로와 눈물, 좋은 영감들을 주고 침착하게 하며 선행에 있어서 쉽게 진보하도록 해 주고 장애가 되는 모든 것을 제거한다.

이냐시오는 규칙 1과 마찬가지로 이 두 번째 규칙에서도 그가 고려하고 있는 사람들이 **어떤 사람들인지** 먼저 구체적으로 언급하면서 시작한다. 그는 이들에 해당하는 두 가지 특성을 설명하는데, 한 가지는 "자기 죄를 깊이 정화하는" 것이고, 다른 하나는 "우리 주 하느님을 섬기는 데 선에서 더욱 큰 선으로 나아가는" 것이다. 그래서 그들은 어떤 것(죄)을 제거하고자 하고 동시에 다른 것(주님을 섬기는 것)에서 성장하고 있는 사람들이다. 이제 우리는 영성 생활에서 새로운 근본 방향을 가지게 되며 이는 이전 방향과 반대되는 방향이다. 이런 방향으로 나아가는 이들은 대죄뿐만 아니라 모든 죄에서 멀어져서 하느님께로 나아가려고 노력한다.

이런 사람들은 아직 모든 죄를 극복하지는 않았지만 죄짓지 않으려고 "깊이", 다른 말로 지속성과 넓은 도량을 갖추어 노력하고 있다. 그들은 이미 주님을 섬기는 데 어느 정도 성장해 왔는데도 현재 수준에 만족하지 않고 이제 "선에서 더욱 큰 선으로" 나아가려고 정진한다. 규칙 1에서처럼 이냐시오는 다시 이런 근본 방향에서 나타나는 연속성을 강조한다. 이들이 가지는 영적 움직임은 '지속적으로' 죄에서 멀어져 하느님께 나아가는 방향이다.

규칙 1에서 고려 대상은 "대죄에서 대죄로 나아가는" 사람들이었는데 규칙 2에서 고려 대상은 "우리 주 하느님을 섬기는 데 선에서 더욱 큰 선으로 나아가는" 사람들로 바뀌었다. 규칙 2에서 이냐시오가 영신수련 피정자를 의식하여 말하고 있는 것은 분명하다. 그뿐만 아니라 매일의 삶에서 영의 활동을 식별하고, 그렇게 해서 하느님의 사랑에 더 완전히 응답하며, 그분의 뜻을 더 신실하게 따르려고 노력하는 사람들에게도 말하고 있다. 그렇다면, 앞으로 다룰 규칙 2에 대한 논의가 추상적이어서는 안 된다. 이제부터 이냐시오는 열심한 신앙인들의 일반적 체험에 대해 묘사하고 설명할 것이다.

원수의 행동: 하느님께로 나아가는 움직임을 약화

규칙 2에 해당되는 사람들의 근본 방향은 규칙 1에 해당되는 사람들과 반대이기 때문에 규칙 2에서 살펴보는 두 영의 행동은 규칙 1에서의 행동과 정확히 반대가 될 것이다. "자기 죄를 깊이 정화하고 우리 주 하느님을 섬기는 데 선에서 더욱 큰 선으로 나아가는 사람들에게는 첫째 규칙과는 **정반대의 방법**을 쓴다." 원수는 하느님에게서 **멀어지는** 사람을 격려했고, 선한 영은 괴로움을 안겨 주었다(규칙 1). 악한 영은 이제 하느님을 **향해** 움직이는 사람들에게 괴로움을 안기고, 선한 영은 격려를 할 것이다(규칙 2). 규칙 2에서 이냐시오가 가장 관심을 두는 것은, 하느님을 향해 가는 사람에게 두 가지 영이 각각 어떤 행동을 취하는지 구체적으로 설명하는 것이다.

우선 악한 영의 행동을 보면, "이 경우에 악한 영은 슬픔에 빠져 애타게 하며 진보하지 못하도록 장애물을 두고 거짓 이유로 마음을 혼란스럽게 한다." 다시 한번 이냐시오는 악한 영의 행동에 **상투적 수법**이 있다고 말을 꺼낸다. 그다음에 따라 나오는 것은 사용되는 수법의 내용이다. 이렇게 알아 놓으면 식별을 더 잘할 수 있다. 우리는 점점 더 악한 영의 행동을 의식하고, 파악하며, 배척할 준비를 할 수 있다.

이냐시오는 두 번째 문장에서 악한 영이 하느님을 향해 나아가는 사람을 '낙심시키기' 위하여 어떤 전술들을 쓰는지 나열한다. '슬픔에 빠져 **애타게** 하며, 진보하지 못하도록 **장애물**을 두고 **거짓 이유로 마음을 혼란스럽게** 한다.' 이런 여러 수법은 하나하나 뜯어 살펴볼 가치가 있다. 여러 가지 전술의 목적은 같다. 하느님을 향해 "그 사람이 나아가지 못하게 하는 것"이다.

"애타게" 하여 불안하게 만들기

규칙 1에서 이냐시오는 하느님에게서 멀어지고 있는 사람에게 선한 영은 "자극"을 준다고 말했다. 그런 사람에게 선한 영은 "양심을 자극하고 가책을 일으키는" 활동을 한다.[45] 이 말은 선한 영이 불안과 고통을 일으키는 행동을 한다는 뜻이다. 이제 규칙 2에서는 반대로 악한 영이 하느님을 향해 가는 사람들을 "애태워" 불안에 빠지게 한다.[46] 열심한 신앙인들은 쉽게 죄에 굴복하지도 않을 것이고, 악한 영도 그들이 죄를 향해 나아가도록 다시 돌려세우는 시도는 하지 않을 것이다. 악한 영은 다만 고통을 주고 **물어뜯어 불안을 야기**하고 마음의 평화를 깨는 전술을 취한다. 그래서 하느님께 봉사하는 기쁨의 토대를 약화시킨다. 이 전술은 효과적이다. 만약 우리가 이 "애태우는" 전술을 정신 차려 감지하지 않고, 파악하지 않으며, 배척하지 않는다면, "선에서 더욱 큰 선으로 나아가는" 우리의 에너지는 사실상 약해질 것이다. 만약 우리가 악한 영의 괴롭히는 행동에 계속 굴복한다면 더 많은 문제가 나타날지도 모른다. 하느

---

45 "remordiendoles las consciencias"(314번).

46 이냐시오는 "morder"라는 동사 원형을 쓴다(315번).

님을 성실하게 섬기던 테레사 레하델 수녀에게 이냐시오는 이렇게 조언한다.

> 악한 영은 당신이 잘못에 빠지도록 당신을 이끌어갑니다. …… 그러나
> 아무리 해도 하느님에게서 당신을 떨어뜨려 죄에 빠지게 할 수는 없습
> 니다. 악한 영은 당신을 **심란하게 만들고** 하느님을 섬기는 것을 **방해하
> 여 마음의 평화를 깨려고** 괴롭힐 뿐입니다.[47]

그러므로 마음이 흔들리지 않도록 정신을 차리고, 악한 영의 수법을 배
척하는 방도를 취하는 것이 필수적이다.

슬픔

악한 영은 하느님을 향해 가는 사람들에게 **슬픔**의 감정도 불러일으킨다.
규칙 1에서 하느님에게서 멀어지는 사람들에게 선한 영이 바오로 사도의 말
씀처럼 "하느님의 뜻에 맞는 슬픔"을 불러일으켜 "회개를 자아내어 구원에 이
르게"(2코린 7,10) 하는 것을 보았다. 이냐시오가 규칙 2에서 언급하는 슬픔은
이와 다르다. 여기에서 그가 말하는 슬픔은 자연스럽고 건강한 슬픔이 아니
다. 예를 들면 사랑하는 이를 잃었다거나, 고향을 떠났다거나, 만족스러운 직
업에서 은퇴하거나 할 때 따라 나오는 슬픔을 가리키는 것이 아니다. 그렇다
고 하느님께 가까이 있는 사람이 사랑의 능력을 더 키울 수 있도록 정화시키
고자 주님께서 때때로 주시는 어둠을 말하는 것도 아니다. 규칙 2에서 이냐시

---

47 William Young, *Letters of Saint Ignatius of Loyola* (Chicago: Loyola University Press, 1959), 19.

오가 주목하는 슬픔은 이들과 전혀 다르다. 하느님과의 관계에서 기쁨이 사라지고, 기도하는 기쁨이 사라지고, 하느님 안에서 이웃을 사랑하는 기쁨이 사라지는, 요컨대 하느님의 뜻을 찾는 여정에 포함되는 모든 것과 관련된 슬픔이다. 이런 슬픔은 영적인 에너지를 감소시키고, 하느님께로 더욱 나아가는 진보를 방해한다. 이냐시오가 테레사 레하델 수녀에게 쓴 편지를 좀 더 보자.

> 우리는 이유도 알지 못한 채 슬픔을 맞게 됩니다. 우리는 온 마음을 다
> 해 기도할 수 없고, 묵상할 수도 없으며, 심지어 하느님의 것들에 대해
> 내적으로 맛보거나 즐기면서 이야기할 수도 들을 수도 없습니다.[48]

이 슬픔에는 유익한 것이 아무것도 없다. 이 슬픔은 아주 효과적인 전술이며, 정신 차려 의식하지 않고, 파악하지 않고, 배척하지 않으면 우리의 영적 생명력을 약해지게 할 것이다. 악한 영이 노린 대로, 우리는 낙심하여 점점 하느님을 향해 "진보"하기를 그만두게 될 것이다. 기를 꺾어 버리는 이런 종류의 슬픔은 악한 영이 활개를 치고 있다는 가장 분명한 표시 중 하나이다.

장애물들

이냐시오에 따르면, 악한 영은 더 나아가 하느님을 향해 가는 사람들이 걷는 길 위에 "장애물을 둔다." 신앙이 깊은 한 여성을 예로 들어 보자. 하느님의 사랑을 느끼는 그녀는 이 사랑을 돌려주고자 하는 열망이 자신 안에서

---

48 위의 책, 22.

새롭게 커 가는 것을 본다. 그 풍부한 사랑 안에서 그녀는 하느님을 섬기는 데 성장하기 위한 새로운 계획을 여럿 세우고 실행에 옮기기 시작한다. 그녀는 "선에서 더 나은 선으로" 나아가고 있다. 그러고 나자 또 다른 움직임이 그녀의 마음 안에서 일어난다. 그녀는 여기에 포함된 어려움, 그녀가 계속해서 이런 영적 성장을 추구하고자 한다면 만나게 될 문제들을 보기 시작한다. 자신의 단점이 자꾸 생각난다. 이 장애물들을 넘어서기에는 역량이 부족해서, 새로운 계획이 매력적이긴 하지만 달성할 수는 없겠다는 의심이 점점 더 커진다. 악한 영은 그녀의 길에 **장애물을 두어** 그녀가 더 나은 선으로 진보하지 못하도록 막는다.

이냐시오가 테레사 레하델 수녀에게 쓴 편지를 이어서 보자.

악한 영은 마치 법칙처럼 이 과정을 따릅니다. 그는 주님이신 하느님을 사랑하고 하느님을 섬기기 시작하는 사람들의 길에 장애물들을 설치합니다. 그리고 이것은 악한 영이 그들을 해치기 위해 사용하는 첫 번째 무기입니다. 예를 들면, 악한 영은 이렇게 의심을 부채질합니다. "너는 다른 것들을 다 포기하고 그렇게 고행만 내리 할 수 있어? 친구들, 친척들, 재산 다 없어도 되냐? 그토록 쉴 새 없는 외로움을 어떻게 견디려고? 네 영혼을 구하는 길은 그것 말고도 많아." 악한 영은 그가 놓아 둔 많은 시련이 닥치리라는 이유와 아무도 가지 않은 길은 굳이 갈 필요가 없다는 이유를 대면서 그 일에 목숨 걸지 말고 인생을 길게 보라고 유혹합니다.[49]

---

49 위의 책, 19.

의심이 계속 이어진다. 네가 그걸 어떻게 할 수 있어? 어떻게 할 수 있어? 어떻게 할 수 있어? …… 장애물, 방해거리, 꼬리에 꼬리를 무는 어려움……, 이 모든 것이 "선에서 더욱 큰 선으로 나아가는" 노력을 그만두도록 열심한 신앙인들을 위협한다.

아우구스티노의 이야기를 다시 보면, 영적으로 깨어나 이제 죄를 정화하고 새롭게 하느님께 돌아가려 노력하는 그에게 악한 영은 똑같은 수법을 썼다. "나는 아주 하찮은 것들, 볼품없는 어리석음, 내 낡은 집착 때문에 뒷덜미가 잡혀 더 나아가지 못했다. 여태껏 날 포로로 잡았던 많은 유혹은 내 껍데기 같은 육체를 붙들고 속삭였다. '우리를 버릴 작정이냐?' …… 이 순간부터 너는 다시는, 영원히 이것저것을 즐길 수 없을 거야." 이 내면의 목소리들은 "나를 막아서서 벗어나지 못하게 했고, 털어버리고 자유로워지지 못하게 했으며, 주님께서 부르시는 쪽으로 훌쩍 장벽을 뛰어넘지 못하게 했다."[50]

이런 목소리가 하느님을 향해 나아가는 아우구스티노의 길에 **많은 장애물을 두었다.** 악한 영의 수법은 그를 낙심하게 만들고 하느님을 향해 나아가는 그를 효과적으로 방해한다. 우리가 진정 하느님을 향해 "진보하고자" 한다면, 악한 영의 행동을 감지하고, 파악하여, 배척하는 식별이 아주 중요하고

---

50 R. S. Pine-Coffin, *Confessions*, VIII.11, pp.175-176. 톨스토이의 『부활』 주인공 네홀류도프가 자신의 양심에 귀 기울여 무절제한 삶을 바꾸려 할 때, 그는 자신의 마음속에서 같은 질문을 접한다. "'이미 너는 더 나아지려고 노력해 봤지만 바뀐 건 없잖아?' 유혹의 목소리가 내면에서 속삭였다. '더 노력하는 게 무슨 소용이 있겠어? 너만 그러는 거 아니야. 모든 사람이 다 그래. 삶은 그런 거야.'라는 목소리가 귓가에 속삭였다."[Leo Tolstoy, *Resurrection*, trans. Rosemary Edmonds (London: Penguin, 1966), 141. 레프 톨스토이, 『부활』, 백승무 옮김, (파주: 문학동네, 2013)].

필요하다는 것을 다시금 절감할 것이다.

마음을 혼란스럽게 하는 "거짓 이유들"

마지막으로, 악한 영은 하느님의 사랑 안에서 자라나려고 노력하는 사람들의 마음을 "거짓 이유로 혼란스럽게" 하면서 평화를 약화시킨다. 선한 영은 하느님에게서 멀리 있는 사람들의 양심을 찌르고 그렇게 해서 하느님께로 그들을 인도하고자 "도덕적 판단을 하는 **이성의 분별력**"을 활용한다. 그런데 악한 영도 이성을 활용할 때가 있다. 신앙심 깊은 사람들에게 거짓된 이유들을 보여 줄 때 이성을 악용한다. 하지만 악한 영이 보여 주는 "이유들"이 **거짓**이라는 사실은 그 이유들이 일으키는 정감적 결과로 더 잘 드러난다. 그 이유들은 열심한 신앙인들의 **마음을 혼란스럽게 하고** 하느님 안에서 누리던 평화를 깬다. 여기 좋은 사례가 있다.

루시아는 방금 피정을 마쳤고 이제 집으로 되돌아가고 있다. 피정을 하는 동안 그녀는 사랑의 하느님과 더 가까워지는 것을 느꼈다. 그녀는 집으로 돌아가는 길에 마음속에 일어난 것을 피정 지도자에게 전한다.

한 달 전에 피정을 끝내고 길을 나서면서 겪은 체험은 꽤 인상적이었습니다. 정말로 갑자기 일어난 체험이었습니다. 나는 마음이 혼란스러워서 무슨 일이 일어나고 있는지도 이해하지 못했습니다. 오랫동안 기분이 좋다가 어떻게 그렇게 빨리 나쁜 느낌이 올라올 수 있는지 이해되지 않았습니다. 집으로 돌아오는 길에 나는 피정 전체를 다시 생각해 보았고, 내가 실패했으니 피정은 완전히 시간 낭비였다는 느낌이 들었습니다. 틀림없이 나에게 심각한 문제가 있다고 판단했고 피정 기간에 이 문제를 꺼내지 않았으므로 피정에 정직하게 임하지 않은 것이라고 생각했습니다. 심지어 나는 그 "문제"가 무엇인지도 알지 못했으니 정직하고 솔직하게 얘기할 수 없었고, 그래서 "좋은" 피정을 할 수 없었다는 결론을 내렸습니다. 이런 피정으로 신부님의 시간과 내 시간을 낭비해선 안 된다는 생각이 들었습니다. 신부님께 전화를 걸어 이 심정을 말하려고 생각하니 더 큰 장애물이 나타났습니다. 피정이 끝난 마당에 내가 무슨 권리로 신부님을 괴롭히느냐는 생각이 올라온 것입니다. 피정하는 동안 해결되지 못한 것들이 있었다면, 그것은 전적으로 내 잘못이라는 생각이었습니다.[51]

이야기는 "거짓 이유들"로 가득 차 있다. "나는 피정 전체를 **다시 생각해보았고** …… 틀림없이 나에게 심각한 문제가 있다고 **판단했고**, 피정 기간에 이 문제를 꺼내지 않았으므로 피정에 정직하게 임하지 않은 것이라고 생각했다." 이런 움직임을 가만히 들여다보면, 심각한 문제를 확인하지 못했다는 생각이 그녀를 안심시키기는커녕 자신의 문제 때문에 좋은 피정을 할 수 없었다는 자책의 또 다른 "이유"가 된다. "심지어 나는 그 '문제'가 무엇인지도 알지

---

51 Jules Toner, *Spirit of Light or Darkness? A Casebook for Studying Discernment of Spirits* (St. Louis: Institute of Jesuit Sources, 1995), 38-39에서 인용. 이 이야기에 보이는 부정적 표현을 강조하는 부분은 언급할 가치가 있다. "나는 피정 **전체**를 다시 생각해 보았고 …… **완전히** 시간 낭비였다는 느낌이 들었다." 원수의 행동이 가지는 이런 성질에 대해서는 이후에 다시 살펴볼 것이다. [J.J. 토너, 『하느님 안에서 나를 발견하기』, 정제천 옮김, (서울: 도서출판 이냐시오영성연구소, 2008)].

못했으니 정직하고 솔직하게 얘기할 수 없었고, **그래서** '좋은' 피정을 할 수 없었다는 **결론을 내렸다**." 그리고 또 다른 "이유"가 그녀의 심정을 피정 지도자에게 이야기해서는 안 된다고 가로막는다. 피정이 끝나고 "피정하는 동안 해결되지 못한 것들이 있다면, 그것은 전적으로 내 잘못이다." 이런 모든 "이유들"이 마음의 동요를 일으키고 있음은 명백하다. "오랫동안 기분이 좋다가 어떻게 그렇게 빨리 **나쁜 느낌**이 올라올 수 있는지 이해되지 않았다." 이 신앙심 깊은 사람도 이 모든 "거짓 이유들"을 그럴듯하게 받아들이고 있는 것이 그저 놀라울 따름이다.

때때로 열심한 신앙인들이 주님을 찾을 때 그들의 마음에도 비슷한 과정이 일어난다. 그들은 자신의 영적 상황을 되돌아보고 그들이 왜 부족한지에 대한 이유를 하나둘씩 찾는다. 그러고는 괴로워한다. 이런 경우에 어떤 내적 움직임이 일어나고 있는지 잘 감지하는 것이 필요하다. 다음의 세 가지 요소가 동시에 일어난다면 악한 영이 활동하고 있다고 확신해도 좋다. 첫째, 이 일을 겪는 사람은 하느님을 섬기는 데 있어서 "선에서 더욱 큰 선으로 나아가는" 사람이다. 둘째, 자신의 영적 상황에 대한 이런저런 "이유들"이 그럴듯해 보이고 설득력 있어 보인다. 셋째, 그런데 이 설득력 있는 이유들이 마음에 동요를 일으키고 주님을 따르려는 정감적 힘을 꺾는다. 그런 "거짓 이유들"은 신빙성 있다고 믿을 게 아니라 단호히 배척해야 한다.

지금까지 분석한 애타는 불안, 슬픔, 장애물, 거짓 이유 등이 이냐시오가 규칙 2에서 자세히 언급하는 악한 영의 전술이다. 앞에서 말했듯이 "악한 영"은 여러 가지가 포함된 폭넓은 의미를 띤다. "거짓의 아비"(요한 8,44), 우리 자신의 약점, 외적인 악영향들, 또는 이 다양한 요소의 복합체 등을 말한다. 악한 영이 취하는 이런 행동의 시작점은 우리 가까이에 있다. 속에 이미 품고 있는 걱정이나 슬픔, 일상생활에서 흔한 오해나 소통의 어려움, 직장이나 집에서 맞닥뜨리는 과중한 시달림 등에서 시작된다. 이런 요소가 우리에게 어떤 영적 영향을 미치는지 감지하는 것이 영성 생활에 매우 중요하다.

이냐시오는 규칙 1과 규칙 2에서 원수(악한 영)가 취하는 전술을 간단히 나열해 놓았다. 그는 규칙 제목에 우리가 원수(악한 영)의 전술을 감지하고, 파악해서, **배척해야** 한다고 썼다. 그는 **어떻게** 배척해야 하는지, 배척하는 방법에 관해서는 아직 말하지 않았다. 어떻게 배척해야 하는지는 규칙 5-14에 걸쳐 이야기할 것이다.

선한 영의 행동: 하느님께로 나아가는 움직임을 강화

점점 더 죄를 극복하고 하느님을 섬기는 데 있어서 성장해 가는 사람들에게 선한 영도 활동을 한다. 그런 이들에게는 "용기와 힘, 위로와 눈물, 좋은 영감들을 주고 침착하게 하며 선행에 있어서 쉽게 **진보하도록** 해 주고 장애되는 모든 것을 제거한다." 선한 영의 행동은 정확하게 악한 영이 하는 행동과 반대된다. 즉, 악한 영이 그런 사람들을 낙심시키려고 한다면 선한 영은 그들을 격려하려고 한다. 악한 영이 취하는 행동의 목표가 열심한 신앙인들의 앞길을 방해해 하느님을 향해 나아가지 못하게 하는 것이라면 선한 영의 목표는 이런 사람들이 "선행에 있어 진보하도록" 도와주는 것이다. 이런 격려의 행동이 그들의 마음에서 작용하는 선한 영에 어울리는 "적절한" 행동이다. 악한 영과 마찬가지로 선한 영의 행동도 법칙처럼 정해진 패턴이 있다. 이 패턴을 습득하면서 우리는 점점 더 식별을 잘할 수 있게 된다.

이냐시오는 선한 영의 행동을 간단명료하게 그려 준다. "**용기와 힘, 위로와 눈물, 좋은 영감들을 주고 침착하게 하며** 선행에 있어서 쉽게 진보하도록 해 주고 장애가 되는 모든 것을 제거한다." 원수는 마음을 애타게 하고 슬프게 하며 장애물들을 세워 놓고 거짓된 이유로 마음에 동요를 일으키지만 선한 영은 좋은 것들을 "준다." 이냐시오에게 **주는 행동**은 사랑의 표시이다. "사랑은 두 당사자의 통교, 즉 사랑하는 사람이 **자기가 사랑하는 이에게 자기가 가진 것이나 할 수 있는 것을 주고 나누며**, 또 반대로 사랑받는 이는 자기를 사랑하는 이에게 마찬가지로 하는 데에 있다"(『영신수련』, 231번).[52] 우리에게 부어 주시는 하느님의 사랑은 선한 영이 가지는 첫 번째 특징이다.

이냐시오가 규칙 2에서 기술하는 선한 영의 특징들은 겹치는 부분이 있다. 이들을 간단하게 설명하겠다.

용기와 힘

선한 영은 "용기와 힘"을 준다.[53] 어떤 사람이 매일 성경을 읽으면서 기도

---

52 Gil, *Discernimiento*, 82를 참조하라.

53 『영신수련』, 7번을 참조하라. 이냐시오는 여기에서도 같은 표현을 사용하는데, 다음과 같다. "영신수련지도자는 피정자가 실망이나 유혹에 빠져 있는 것을 보면 …… 그에게 용기와 힘을 주어 앞으로 나아가도록 하여야 한다."

를 시작하자 주님께서 가까이 계신다는 새로운 깨달음이 오면서 아내와 자녀들에 대한 사랑이 깊어진다. 이 새로움 안에서 행복한 그는 좀 더 기도 안에서 성장하고 가족에 대한 사랑 안에서 성장하고자 노력한다. 그런데 어려움은 생기기 마련이어서 이 노력을 지속하는 것이 힘들어지게 된다. 그는 점점 더 낙심하게 된다. 낙심 속에서 그는 기도에 의지하며 시편 23편의 말씀을 떠올린다. "주님은 나의 목자, 나는 아쉬울 것 없어라." 그가 노력하던 일을 계속하는 데 있어 하느님의 사랑과 은총이 항상 충분하리라고 일러 주는 이 말씀에 따라 그는 다시 기운을 차린다. 평화롭게 원기를 회복한 그는 주님 안에서 그의 가족에 대한 사랑을 키워 가는 여정을 성실하게 계속해 나갈 결심을 한다. 성경 말씀을 도구 삼아 선한 영이 그에게 "선행에 있어 진보"할 **용기와 힘**을 주고 있다.

위로와 눈물

선한 영은 **위로**를 준다. 이냐시오가 생각한 위로의 개념은 규칙 3에 제시되어 있다. 주님을 사랑하고 섬기는 일에 새로운 편안함을 주고, 힘을 주고, 의욕을 고양하는 하느님의 사랑을 진심으로 체험하게 될 것이다. 나는 "위로"의 의미를 다음 장에서 충분히 설명하고자 한다. 선한 영이 일으키는 **눈물**은 치유와 힘을 주는 축복의 눈물로서, 하느님께서 주시는 위로가 눈물로 표현된 것이다. 이냐시오는 규칙 3에서 이런 눈물에 대해 말할 것이고 우리는 다음 장에서 이 눈물의 의미를 살펴볼 것이다.

영감

선한 영이 하느님께로 나아가는 사람들에게 주는 **영감**inspirations은 **영적 명확성**이라는 선물로 그들을 돕는다. 기도 속에서 성장하기를 바라는 한 여성이 있다. 그녀는 영적 지도자와 대화를 하는 중에, 성장으로 나아가는 길이 선명하게 보이기 시작한다. 그녀는 답을 찾았고 새로운 영적 활기가 차오른다. 한 독실한 남성은 영성 고전을 읽으면서 하느님께로 더 다가가는 길을 서서히 보게 된다. 그는 이렇게 새롭고 활기찬 이해를 선사해 주신 하느님께 감사의 마음을 조용히 드러낸다. 이때가 열심한 신앙인들이 고양된 마음으로 "이제 저는 무엇을 해야 하는지 압니다. 드디어 길을 찾았습니다"라고 외치는 순간이다. 선한 영이 주는 영감은 "선행에 있어서 진보"하는 **길**을 명확하게 보여 준다.

마음의 "고요함"에서 오는 힘

선한 영은 열심한 신앙인들의 마음에 평화와 힘을 주는 **고요함**을 안겨 준다. 우리는 악한 영이 거짓 이유들을 통해 열심한 신앙인들의 마음을 **불안**하게 만드는 것을 보았다. 선한 영의 행동은 걱정을 진정시키고 주님 안에서 평화를 준다. 한 수녀는 지난 수년 동안 하느님의 사랑을 느끼면서 자신의 수도 성소에 대한 사랑도 자라나고 있음을 알게 되었다. 그녀는 사도직에서 많은 책임을 맡고 있는데 때로는 이런 책임이 그녀를 근심시키는 화근이 되고 있다. 올해도 맡은 책임이 줄지는 않았지만 그녀는 기도 중에 주님께서 그녀가 하는 일에 함께하신다는 확신이 자라나는 체험을 했다. 그녀는 걱정을 덜 하게 되었다. 여전히 무척 바쁘지만 그 와중에 오히려 주님을 찾는 데 도움을 주는 평화가 마음속에서 더 깊어지는 변화를 체험한다. 선한 영의 활동은 그녀에게 주님 안에 머무는 **고요한** 마음을 주며, "선행에 있어 진보하도록" 돕는다.

"장애가 되는 모든 것을 제거"

이냐시오는 선한 영이 이 모든 것 안에서 활동하면서 주님께로 나아가는 사람들의 길에서 "장애가 되는 모든 것을 제거한다"고 말한다. "장애물을 두는" 악한 영의 전술에 선한 영이 대응하는 것이다. 어떤 열심한 여성은 그녀가 바라는 방식대로 주님께 더 가까워질 수 있을지 의문이 들었다. 그녀는 노력했지만 되풀이해서 같은 식으로 실패했다. 그녀가 원하는 성장은 불가능한 것처럼 보였다. 그러던 어느 날 아침, 그녀 아이의 웃음을 계기로 그녀는 하느님의 신실한 사랑을 새롭게 보게 된다. 같은 날 조금 시간이 지난 후 기도 중에 기쁨의 순간이 다가와, 하느님께서 다시 한번 힘차게 그녀를 도와주시리라는 확신이 생긴다. 앞에 놓인 장애물을 넘기 힘들 거라는 생각은 이제 사라지고 "하느님께는 모든 것이 가능"(마태 19,26)함을 느낀다. 그녀는 새로운 희망으로 가득 차 하느님의 은총으로 장애물을 극복하고 "선행에 있어 진보"할 것이다. 그녀는 새롭게 영적 성장을 위한 여정에 착수한다. 이런 것이 선한 영이 하는 행동이다. 즉 **모든 장애물을 넘기 쉽게 만들고 제거한다.** "모든"이라는 단어에는 희망이 가득 차 있다. 우리에게 선한 영이 활동하고 있으면 모든 장애물이 쉬워지고 넘지 못할 장애물도 **없다.** 규칙 곳곳에서 확인되듯이 여기서도 인간의 내면에서 활동하시는 하느님의 은총에 대해 이냐시오가 갖는 한없는 신뢰가 잘 드러난다.

선한 영이 장애물들을 "제거하는" 이와 같은 행동은 우리가 보았던 아우구스티노 이야기에서도 나타난다. 정결의 목소리를 통해 선한 영은 아우구스티노의 마음에서 활동하며 하느님을 향해 돌아가려고 분투하는 그에게 "장애가 되는 모든 것을 제거한다." "장벽 너머 저쪽에 아름다운 정결이 고요히 서 있는 것을 볼 수 있었다. 그녀는 조용히 이리 건너오라고, 더는 망설이지 말라고 손짓하며 나를 불렀다. 그때 나는 전혀 다른 기쁨, 티끌 한 점 없이 깨끗한 기쁨을 맛보았다. 그녀는 팔을 벌려 나를 환영하고 안아 주면서 손님을 맞이하는 주인처럼 성의를 다하였다." 선한 영은 뛰어넘을 수 없는 것처럼 보이던 장애물을 하느님의 힘으로 어떻게 극복하는지 아우구스티노에게 보여 준다. "그녀는 나를 향해 웃으면서 나에게 용기를 주었는데, 마치 이런 말을 하는 것 같았다. '이들이 하는 것을 너는 할 수 없겠니? 이들이 자기 혼자 힘으로 그런 일을 한다고 생각하니? 하느님 안에서 힘을 찾는다고 생각하지 않니? 너는 왜 너 혼자만의 힘으로 버티다 쓰러지고 그러니?'" 그리고 행동으로 초대하는 말씀이 사랑과 희망을 가득 안고서 이어진다. "두려워 말고 주님께 맡겨 드려라. 그분은 너를 피하실 리가 없고 네가 쓰러지게 놔두지 않으신다. 너를 환영하시고 너의 병을 고쳐 주실 것이니 두려워 말고 그분께 의탁하여라."

　우리를 끌어당기는 영적 아름다움, 사랑이 담긴 초대, 용기를 주는 미소, 하느님의 신실하신 사랑에 대한 기억, 두려움을 몰아내는 주님의 확실한 환대, 이런 것들이 선한 영이 하는 작용이다. 그래서 악한 영이 활개 칠 때는 뛰어넘을 수 없을 것처럼 보이던 장애물들을 "제거한다." 악한 영이 반복해서 던지는 질문들은 "네가 그걸 어떻게 할 수 있겠어?"라는 의심을 계속 키운다. 장애물이 너무 많고, 심각하고, 극복하기 어려운 것들이라고 넌지시 알리며 앞으로 나아가려는 희망을 꺾는다. 반대로 선한 영의 질문은 희망을 주고, 모든 장애물을 없애 버리는 하느님 사랑의 힘을 드러낸다. "이들이 하는 것을 너는 할 수 없겠니? 이들이 자기 혼자 힘으로 그런 일을 한다고 생각하니? 하느님 안에서 힘을 찾는다고 생각하지 않니? 너는 왜 너 혼자만의 힘으로 버티다 쓰러지고 그러니? 두려워 말고 주님께 맡겨 드려라. 그분은 너를 피하실 리가 없고 네가 쓰러지게 놔두지 않으신다. 너를 환영하시고 너의 병을 고쳐 주실 것이니 두려워 말고 그분께 의탁하여라." 이런 선한 영의 활동은 아우구스티노를 도와 하느님께로 돌아가는 새롭고 결정적인 행보를 준비하게 한다. 장애물들은 이제 없어져 버렸다.

"용기와 힘, 위로와 눈물, 좋은 영감들을 주고 침착하게 하며 선행에 있어서 쉽게 진보하도록 해 주고 장애가 되는 모든 것을 제거하는 것" 이런 것들이 진심으로 하느님을 찾고 있는 사람에게 선한 영이 하는 일이다. 식별하는 이는 선한 영이 하는 이런 활동을 감지하고, 파악하고, 받아들여서, 흔들림 없이 풍성한 열매를 거두며 "선을 향해 나아갈" 것이다.

첫 두 개의 규칙에서 이냐시오는 한 사람 안에서 작용하는 영의 행동을 식별하는 기초를 쌓았다. 만약 그 사람이 하느님에게서 **멀어지고** 있으면, 악한 영은 격려하고 선한 영은 괴롭게 한다. 만약 그 사람이 하느님을 **향해 가고** 있으면, 악한 영은 괴롭히고 선한 영은 격려한다. 이제부터 살펴볼 규칙 3은 하느님을 향해 가고 있는 사람을 전제로 하여, 악한 영이 그 사람을 어떻게 **괴롭히는지**, 선한 영은 어떻게 **격려하는지** 논의하고자 한다. 열심한 신앙인 모두가 이냐시오의 규칙을 보면서 자신의 체험과 연결지어 생각할 수 있을 것이다.

3장

영적 위로 (규칙 3)

때로는 넘쳐나듯 기쁨으로 가득 찬 나의 마음에 …… 온화와 자유와 위로도
들어 있었다. 때로는 나의 눈에 …… 하느님에 대한 감사의 눈물이 가득했다.

— 순례자의 길

하느님 사랑을 실감하는 체험

철학자 자크 마리탱Jacques Maritain의 아내이자 작가였던 라이사 마리탱
Raïssa Maritain은 하느님에 대한 깊은 사랑을 지니고 살았다. 1916년 6월 27
일 일기를 적으면서 라이사는 서두에 그날 아침 기도 중에 있었던 체험을 기
술한다. 그녀는 미사 참례를 마치고 이제 개인 기도 시간에 들어간다. 오전 9
시부터 12시까지 세 시간을 거의 쉼 없이 "오레종oraison"에 머문다(라이사는
당시에 이런 기도 방식에 자주 몰두했고 이것을 '오레종'이라고 불렀다). 처음에 그녀의
마음은 자유롭게 돌아다닌다. 그러고서 예수 성심 호칭 기도를 바치고자 하
는데, 마음에서 나오는 단순한 호소 첫 세 단어 "주님, 자비를 베푸소서. 키리
에 엘레이손"을 지나 더 읽어 내려갈 수가 없다. 그녀는 이렇게 적는다.

'키리에 엘레이손', 첫 호소에 완전히 몰두해서 나의 마음은 성부께 사로잡혔다. 다른 생각을 할 수가 없었다. 하늘에 계신 아버지의 달콤함, **끌림, 영원한 젊음.** 갑작스럽게 그분의 현존, 그분의 다정함, 우리의 사랑과 우리의 생각을 원하시는 그분의 불가사의한 사랑이 강하게 느껴지자 나는 너무나 크게 감동하여 아주 달콤한 눈물을 흘렸다. …… 다정하게 그분을 아버지라 부를 수 있는 기쁨, 나에게 너무나 친절하시고 너무나 가까이 계시는 그분을 느낄 수 있는 기쁨.[54]

우리는 여기에서 거룩한 땅에 서 있음을 바로 느낀다. 이런 체험은 경외심을 가지고서만 접근할 수 있다. 이런 체험 속에는 인간의 마음 안에서 하느님께서 일하신다는 신비가 역력하다. 이냐시오는 이런 체험을 "영적 위로"라 부르고 규칙 3에서 이에 관해 설명한다. 요지는 하느님의 사랑이 인간의 마음에서 활동하는 모습이다. 앞선 규칙 1과 규칙 2처럼, 솔직하고 꾸미지 않은 간결한 언어는 자신의 영적 체험에서 나와 그 체험의 풍부함을 표현하고 있다.

규칙 1과 2에 이어 규칙 3과 4도 식별을 위한 기초 놓기에 해당한다. 그러므로 규칙 1과 2에서 보았던 **가르치는** 말투는 규칙 3과 4에서도 계속된다. 규칙 1과 2는 영성 생활의 **근본 방향**과 두 가지 영의 작용 방식에 초점을 맞추고 있다. 규칙 3과 4는 식별의 "재료"가 되는 **마음의 영적 움직임**에 초점을 맞추고 있다. 여기서 이냐시오는 이미 규칙 제목에 쓴 식별의 세 가지 요소, 즉 감지하고, 파악하여, 받아들이거나 배척하기에 대해 좀 더 설명한다. "영혼

---

54 Jacques Maritain, ed., *Raïssa's Journal* (Albany, N.Y.: Magi, 1974), 35.

에 일어나는 **서로 다른 움직임**"을 이냐시오는 **영적 위로**(규칙 3)와 **영적 실망**
(규칙 4)이라고 이름 붙인다. 이 장은 둘 중 먼저 영적 위로를 다룬다.

'영적' 위로

규칙 3. 영적 위로spiritual consolation에 대하여. 위로란 내적 움직임이 일어
나서 그것으로 말미암아 영혼이 창조주 주님에 대한 사랑으로 불타올라
세상의 어떤 피조물도 그 자체로서만 사랑할 수가 없고 그 모든 것을 창조
주 안에서 사랑하게 되는 때를 말한다. 또한, 자기 죄에 대한 아픔이나, 우
리 주 그리스도의 수난 때문이든, 혹은 하느님을 위한 봉사와 찬미에서 바
르게 질서 잡혀 있는 어떤 것들 때문이든, 주님에 대한 사랑으로 이끄는
눈물이 쏟아지는 경우이다. 결국, 믿음, 희망, 사랑을 키우는 모든 것과 창
조주 주님 안에서 영혼을 침잠시키고 평온하게 하면서 천상적인 것으로
부르고 영혼의 구원으로 이끄는 모든 내적인 기쁨을 위로라고 한다.

규칙 3과 4는 다른 규칙과 달리 제목이 있다. 이 제목부터 한번 살펴보
자. "영적 위로에 대하여." 단순히 "위로"가 아니라 "**영적** 위로"이다. 굳이 "영
적"이라는 관형어가 붙은 것은 이냐시오가 **영적** 위로와 **비(非)영적** 위로를 구
별했다는 의미이다.[55] 이 구별은 영의 식별에서 중요하다. 정확한 영의 식별은

---

55 Toner, *Commentary*, 115-116를 참조하라. 여기에서 나는 토너가 쓴 "비영적nonspiritual"이라는

이 구별을 잘 이해했을 때만 가능하다. 그래서 우리는 이 구별을 조심스럽게 살펴보아야 한다.

위로라는 단어는 이냐시오도 일반적 의미로 사용한다. 즉 행복을 주고, 희망을 주며, 기쁨이 스며들게 하고, 평화를 준다. '영적'이라는 관형어는 1장에서 **영적** 감지를 설명할 때 나왔고 여기서도 같은 의미로 쓴다. 영적 감지를 논하면서 우리는 마음속에서 일어나는 많은 움직임 중에 어떤 움직임은 우리의 신앙생활과 하느님의 뜻을 따르려는 우리의 노력에 특별히 중요하다는 데 주목했다. 우리 마음에 일어나는 어떤 움직임이 신앙생활과 하느님을 따르려는 노력에 영향을 미칠 때, 이 움직임에 주의를 기울이고 그와 관련된 생각에 주의를 기울이는 것이 영적으로 감지하는 것이다. 이냐시오가 여기서 생각하는 **영적** 위로의 의미도 같은 맥락이다. 행복과 희망을 안겨 주는 마음의 움직임(그래서 "위로")인데, 신앙생활과 하느님의 뜻을 따르려는 노력에 직접적으로 좋은 영향(그래서 "영적")을 미친다. 몇몇 예를 살펴보면 영적 위로와 비영적 위로를 분명하게 구분할 수 있을 것이다.

인간은 살면서 행복을 주고 희망을 주는 많은 체험을 한다. 그런 체험은 사랑하시는 창조주의 선물이며 우리는 그 체험 덕분에 더 부유해진다. 그러나 그런 모든 체험이 방금 설명한 의미의 영적 체험은 아니다. 모든 체험이 우리의 신앙생활과 하느님의 뜻을 추구하려는 것과 **직접 그리고 즉각 관련** 있지는 않다는 말이다. 우리는 자연의 아름다움과 평화를 체험하며 감동하고

용어를 가져왔다. 영의 식별에 관한 그의 글에서 토너는 이 두 가지 형태의 위로(그리고 실망)를 분명히 구분한다.

힘을 다시 얻는다. 아름다운 음악이나 위대한 예술 작품을 보면서도 감동한다. 즐거운 모임이나 가족, 친구들과 따뜻한 대화에서 행복을 느낀다. 건강한 운동도 만족과 활력을 느끼게 해 준다.[56] 이런 모든 체험은 좋은 것이고 창조주께서 우리를 위해 의도하신 것이다. 그러나 이런 체험들은 이냐시오가 여기서 말하는 영적 위로가 아니다. 이것들은 신앙생활과 하느님의 뜻을 추구하는 데 **직접 그리고 즉각 관련** 있는 것이 아니다. 이들은 **비영적** 위로이다. '비영적'이라는 용어가 부정적 의미를 담고 있지 않다는 점을 분명히 하고자 한다. 그저 이냐시오의 식별에 관한 가르침에서 사용하는 영적 위로의 개념에 포함되지 않는다는 단순한 의미이다.[57]

엄밀히 말해서 영적 위로는 아니지만, 이런 비영적 위로가 영적 위로를 위한 **발판**이 되는 경우가 있다. 한 가지 예를 살펴보면 차이점을 더 분명히 알 수 있을 것이고, 이 두 가지 위로 사이의 관계를 더 잘 알 수 있을 것이다.

소화 데레사는 생애 마지막 여름을 보내던 1897년 6월 7일에 언니 폴린과 가르멜 수녀원 정원에 나갔다. 폴린은 그날의 체험을 이야기한다.

정원으로 나 있는 계단을 내려가면서, 데레사는 나무 밑에 있는 작고

---

56 Gil, *Discernimiento*, 116.

57 Gil, *Discernimiento*, 116에서 지적하듯이 우리는 비영적 위로가 뒤따르는 행동(자연의 아름다움이 담긴 장소를 방문하거나, 기분을 띄우는 음악을 듣거나, 우호적인 대화를 시작하는 등의 행동)을 선택할 수도 있고, 그렇게 비영적 위로를 체험하기도 한다. 우리가 그런 행동을 그만둘 때, 비영적 위로도 멈춘다. 영적 위로는 이와 같지 않다. 우리 자신의 행동이 '생산하거나' 조정하는 영적 위로는 없다. 영적 위로는 오직 하느님의 자유로운 선물로 주어진다. 기도를 선택하는 사람은 누구나 이런 사실을 체험하게 된다.

하얀 닭을 보았다. 닭은 날개 밑으로 어린 병아리들을 보호하고 있었다. 몇몇은 날개 밖으로 고개를 내밀고 있었다. 데레사는 멈춰 서서, 깊은 생각에 잠겨 그 모습을 바라보았다. 잠시 후에 나는 안으로 들어가자고 신호를 주었다. 데레사의 눈에 눈물이 가득한 것을 알아채고는, "너 우는구나!"라고 말했다. 그녀는 손으로 눈을 감쌌고 더 심하게 울었다.

"지금은 설명할 수 없지만, 정말 깊이 감동했어요."

그날 저녁 방에서 나에게 다음과 같이 말해 줄 때 그녀는 천상의 표정을 짓고 있었다. "하느님께서 우리를 향한 당신의 다정함을 가르쳐 주시고자 어떻게 이 장면을 사용하셨는지 생각하니까 눈물이 났어요. 나의 삶 전체를 돌아보니까 바로 이것이 주님께서 나를 위해 하신 일들이었어요! 주님께서는 나를 당신의 날개 밑에 완전히 보호해 주셨답니다! 아까 혼자 위층으로 올라오면서 눈물을 흘렸습니다. 더는 주체할 수가 없어서 빨리 방으로 걸음을 재촉했습니다. 나의 마음은 사랑과 감사로 가득 차올랐습니다."[58]

우리는 다시 한번 거룩한 땅에 서 있다……. 소화 데레사는 정원에 서 있고 자연에서 드러나는 매력적인 장면을 보며 묵상에 잠긴다. 어미 닭이 약한 병아리들을 날개 밑에 안전하게 보호하고 있는 장면이었다. 그 모습을 바라

---

58 John Clarke, O.C.D., trans., *St. Thérèse of Lisieux: Her Last Conversations* (Washington, D.C.: ICS Publications, 1977), 60. 원문에서는 폴린의 말과 데레사의 말을 서체를 달리하여 구분했으나 여기서는 구분을 없앴다.

보며 소화 데레사의 생각과 정감이 점점 발전한다. 처음에 그녀는 그냥 이 장면 자체에 기쁨을 느낀다. 그러고는 예수님께서 사람들을 향한 당신의 사랑을 묘사하시고자 바로 이런 이미지를 사용하셨음을 상기한다. "암탉이 제 병아리들을 날개 밑으로 모으듯, 내가 몇 번이나 너의 자녀들을 모으려고 하였던가?"(마태 23,37). 어미 닭이 병아리를 보호하는 모습을 보면서 시편의 말씀도 떠올리게 된다. "정녕 당신께서 제게 도움이 되셨으니 당신 날개 그늘 아래서 제가 환호합니다"(시편 63,8). 눈앞에 보이는 장면에 대한 이해가 성경 말씀에 따라 트이면서, 소화 데레사의 마음은 기쁨 속에 하느님께로 나아가게 되고 그녀는 눈물을 흘리기 시작한다. "하느님께서 우리를 향한 당신의 다정함을 가르쳐 주시고자 어떻게 이 장면을 사용하셨는지 생각하니까 눈물이 났어요."

이 내적 과정은 한 단계 더 발전한다. 소화 데레사는 정원에서 바라본 장면을 계기로 성경의 **일반적** 가르침을 깨닫고 감동하는 단계로 발전한다. 이제 그녀는 성경의 일반적인 가르침에 비추어 **자기 자신**의 삶을 성찰하고 깨달음을 얻는다. "나의 삶 전체를 돌아보니까 바로 이것이 주님께서 **나를 위해** 하신 일들이었어요! 주님께서는 나를 당신의 날개 밑에 완전히 보호해 주셨답니다!" 이 순간에 그녀는 너무나 감동해서 할 말을 잃어버리고 한참 동안 울기만 한다. 이 눈물은 그녀가 기쁨으로 가득 차 하느님께 드리는 감사의 눈물이다.

이런 과정은 자연에서 감동적인 장면을 바라보면서 시작되었다. 소화 데레사는 어미 닭이 병아리들을 보호하는 모습을 보면서 감동한다. 이 시점에 소화 데레사가 자연적 위로, **비영적** 위로를 체험한다고 말할 수 있다. 이 순간 그녀는 자연의 아름다움에 대해 건전한 인간이라면 느낄 만한 반응, 온화하고 희망적인 감성을 느꼈다. 그러나 이 감정은 그녀의 신앙과 하느님의 뜻을 추구하는 삶에 직접, 즉각 관련되어 있지는 않다.

그런데 **비영적** 위로에서 **영적** 위로로 전환이 발생한다. "하느님께서 우리를 향한 당신의 다정함을 가르쳐 주시고자 어떻게 이 장면을 사용하셨는지 생각하니까 눈물이 났어요." 이제 어미 닭이 병아리를 보호하는 자연의 광경을 보면서 느낀 단순한 기쁨보다 더 큰 것이 생겨나고 있다. 자연에서 바라본 장면은 우리를 보호하시는 하느님의 사랑을 표현하는 특정 성경 구절을 떠오르게 하는 발판이 되었다. 하느님께서 당신의 날개 그늘에 당신의 백성을 보호하시는 모습이다. 우리 모두에게 다정함을 보여 주시는 하느님에 대한 성경 메시지는 마치 그날 소화 데레사가 정원에 서 있을 때 그녀의 개인 삶으로 뚫고 들어와, 마치 커다란 물결과도 같은 감동이 된다. 그녀가 눈물을 멈출 수 없을 정도로 흘러넘친 위로에는 분명히 **신앙심**이 직접 그리고 즉각 발동하고 있다. 비영적 위로가 영적 위로의 발판이 되었다.

우리 마음에 일어나는 위로의 움직임 속에서 무엇이 진실로 하느님에 관한 것인지를 정확하게 식별하고자 한다면 이런 두 종류의 위로 사이에 있는 차이점을 구분하는 능력이 아주 중요하다. 그래서 우리는 잠시 영적 위로와 비영적 위로의 차이점에 초점을 맞추어 보았다. 몇몇 예들이 다시금 우리에게 도움이 될 것이다.

한 남자가 일에 몰두해 있다가 멈추자 휴식의 평화로움을 느낀다. 한 여성은 어려운 직장 동료에게 마음속에 오래 담아 두었던 말을 하고서 어떤 만족을 느낀다. 또 다른 사람은 직종을 바꿀 결심을 하고 오랫동안 짓누르던 책임감에서 자유로워지는 느낌을 받는다. 이런 상황에 있는 사람들은 마음에 행복감을 느낀다. 위로를 체험하는 것이다. 이런 위로가 선한 영의 신호이고 그들의 일이 하느님의 뜻을 성실하게 따르고 있다는 것을 확인시켜 주는가? 이 예들에 포함된 위로가 반드시 **영적**이라는 신호, 즉 신앙으로부터 일어나서 그 신앙을 강화하는 것이라는 신호는 어디에도 없다. 세부 사항이 좀 더 추가되어야 이 위로가 영적인지 아닌지 드러날지도 모르겠다. 요점이 무엇이냐 하면, 식별하는 사람은 반드시 영적 위로와 비영적 위로 사이에 있는 차이를 분별할 수 있어야 한다는 점이다. 그래야 한편으로 비영적 움직임을 영적인 것으로 결론짓는 우를 피할 수 있고, 다른 한편으로 순수하게 영적 위로로부터 하느님께서 주시는 힘을 얻을 수 있다. 나는 앞으로 이냐시오의 규칙을 설명해 가면서 이 분별을 계속 상기할 것이다.

영적 위로의 형태

영적 위로가 뜻하는 바를 설명할 때 이냐시오는 정의를 내리는 식으로 진행하지 않고 영적 위로에 관한 일련의 예들을 제시한다. 사실상 이냐시오는 우리에게 "이것은 영적 위로의 체험이고 그것은 영적 위로의 또 다른 다른 체험이며 저것도 또 다른 체험이다"라고 말한다. 이런 식으로 계속하여 각 체험을 이해함에 있어서 모든 예에서 하나의 의미가 드러나 영적 위로에 대한 그의 개념을 파악하게 된다. 그가 쓴 다른 문서나 글에서 영적 위로에 대해 묘사하고 있는 부분을 보면, 비록 모든 사례를 빠짐없이 다루고 있지 않지만 꽤 광범위한 부분을 다루고 있음을 알 수 있다.[59] 이냐시오가 규칙 3에서 묘사하고 있는 영적 위로 체험을 각각 간단히 살펴보자.[60]

"영혼이 창조주 주님에 대한 사랑으로 불타오를 때"

이냐시오는 이렇게 썼다. "위로란 내적 움직임이 일어나서 그것으로 말미암아 영혼이 **창조주 주님에 대한 사랑으로 불타오를 때**를 말한다." 우리는 라이사 마리탱이 그녀의 기도에 대해 묘사한 부분을 언급했다. "갑작스럽게 그분의 현존, 그분의 다정함, 우리의 사랑과 우리의 생각을 원하시는 그분의 불가사의한 사랑이 강하게 느껴지자 나는 너무나 **크게 감동하여** 아주 달콤한 눈물을 흘렸다." 그리고 소화 데레사는 이렇게 말한다. "하느님께서 **우리를 향한 당신의 다정함**을 가르쳐 주시고자 어떻게 이 장면을 사용하셨는지 생각하니까 눈물이 났어요. 나의 삶 전체를 돌아보니까 바로 이것이 **주님께서 나를 위해 하신 일들**이었어요! 주님께서는 나를 당신의 날개 밑에 완전히 보호해 주셨답니다!" 라이사와 소화 데레사는 그 순간에 하느님에 대한 "사랑으로 불타오른다." 체험은 잠깐이지만, 영적 혜택은 체험이 끝나도 여전히 남는다. 이것이 매우 아름다운 영적 위로의 첫 번째 형태이다.

---

59 다음의 문헌이 해당된다. *Autograph Directory*, nos. 11, 18, in Martin Palmer, trans. and ed., *On Giving the Spiritual Exercises: The Early Jesuit Manuscript Directories and the Official Directory of* 1599 (St. Louis: Institute of Jesuit Sources, 1996), 8, 9; Letter to Francis Borgia, September 20, 1548, in Young, *Letters of Saint Ignatius of Loyola*, 181.

60 Gil, *Discernimiento*, 120-131을 참조하라. 내가 여기에서 훑어가는 이런 체험들은 힐의 "위로에 대한 다섯 개의 장"에 잘 추려져 있다.

이런 영적 위로는 하느님을 찾는 이들의 삶에서 찾아볼 수 있다. 영적 위로는 열심한 신앙인들이 하느님의 사랑 안에서 행복감을 느끼는 은총의 시간이다. 몇 가지 사례를 들어 보겠다. 한 여성은 시편을 읽으며 기도하려 하고 분심 중에도 인내를 가지고 기도한다. 그러자 그녀는 자기 마음을 꼭 알아주는 구절을 만나고 하느님께서 그녀가 힘든 일을 겪는 중에도 그녀와 함께하심을 확신하게 된다. 그녀의 마음은 신실하신 하느님에 대한 사랑의 느낌으로 따뜻해진다. 다른 예를 보면, 한 남자는 그날 직장에서 어려운 일을 겪어 걱정이 가득하다. 그는 그 상황을 회피하지 않고 대면했고 문제들이 잘 풀렸다. 이 체험은 하느님께서 그를 알고 사랑하신다는 것을 그에게 새롭게 드러내 준다. 하느님의 도움이 필요한 순간에 가까이 계시는 하느님의 사랑을 느끼면서, 집으로 운전해 오는 동안 그의 마음은 행복으로 가득 찬다. 또 다른 예를 보자. 주일에 부른 성가가 특별히 감명 깊었고, 그 성가는 회중 가운데 한 여성에게 깊은 감동을 주었다. 신앙의 말씀들, 성가의 아름다움, 그리고 주님을 경배하러 모인 회중 속에서 느끼는 일치감 등에 힘입어 그녀는 하느님에 대한 사랑으로 마음이 부풀어 오른다. 마치 하느님께서 당신의 선하심과 인자하심을 그녀에게 다 부어 주시는 것만 같다. 이런 사례에서 보듯이, 사람들의 마음은 "창조주 주님에 대한 사랑으로 불타오른다."

이런 체험은 **지속되는 시간**과 **강도(強度)**가 다 다르다. 라이사는 아침 기도를 하는 시간 내내 하느님의 "사랑으로 불타오른다." 소화 데레사도 역시 정원에 서 있는 동안 풍부하게 주님의 "사랑으로 불타오른다." 이 체험이 가져다주는 따뜻함은 조금 줄어들긴 했어도 그날 저녁 언니를 만날 때 "그녀의 얼굴에 담긴 천상의 표정"과 그녀의 말에서 드러나듯 여전히 강렬하게, 진실로 그 날 온종일 그녀에게 남아 있다. 영적 위로는 아주 짧은 순간 동안만 느낄 수도 있고, 기도 시간 동안만 지속될 수도 있으며, 때로는 전례 시간 동안 지속될 수도 있다. 며칠을 계속해서 지속되기도 하고, 한 번에 몇 주 동안 지속되기도 한다. 영적 위로가 **지속되는 시간**은 이런 위로를 가지게 되는 각각의 상황에 따라 달라진다.

영적 위로는 또한 그 **강도**에 있어서도 다양하다. 어떤 때에는 우리가 언급한 라이사와 소화 데레사의 체험처럼 강렬하게 느낄 수도 있다. 어떤 때에는 좀 더 조용히 따뜻하게 체험하기도 하고 하느님을 향한 사랑 안에서 단지 부드러운 행복감을 느끼는 정도이기도 하다. 이렇게 지속 시간과 강도가 다양한 것은 영적 위로의 모든 형태에서 볼 수 있는 특징이다. 그 다양함은 당신의 "자녀들에게는 좋은 것을 줄 줄 아시는"(루카 11,13) 하느님의 섭리와 지혜가 정할 일이다.

"세상의 어떤 피조물도 그 자체로서만 사랑할 수가 없고 그 모든 것을 창조주 안에서 사랑하게 되는 때"

영적 위로에 대한 두 번째 묘사는 앞의 첫 번째 영적 위로를 전제로 하여 영혼이 창조주 주님에 대한 사랑으로 불타오르고 난 뒤의 결과를 강조한다. "영혼이 창조주 주님에 대한 사랑으로 불타올라, (그 결과로)……." 우리 마음에 하느님에 대한 사랑이 불타오르는 것은 다른 모든 사람과 피조물들을 사랑하는 원인이 된다. 하느님에 대한 사랑을 중심으로 다른 모든 것들과 화합하게 되는 것이다. "(그 결과로)…… 세상의 어떤 피조물도 **그 자체로서만** 사랑할 수가 없고 그 모든 것을 **창조주 안에서** 사랑하게" 된다.

한 젊은이가 사제성소를 분명히 느끼면서 신학교에서 신학 교육을 받고 있다. 하지만 하느님의 성소를 따르기 위해 그가 떠나온 여러 장소와 사람에게 여전히 애착이 있다. 하루는 그가 신학교 경당에서 한 시간 동안 기도하면서 "영혼이 창조주 주님에 대한 사랑으로 불타오르게" 된다. 그는 하느님을 매우 가깝게 느끼고, 아주 분명하게 하느님의 사랑이야말로 그의 마음이 가장 깊이 바라는 것임을 안다. 이 체험에 힘입어 그는 떠나왔던 장소와 사람들에게 더는 연연하지 않는 자유를 느낀다. 이제 그는 하느님의 사랑 안에서 애착했던 것들을 사랑할 수 있게 된다. 그런 모든 "피조물"에 대한 애착은 더는 하느님의 부르심에 대한 응답에 부담으로 남아 있지 않다. 그의 마음은 "창조주 주님에 대한 사랑으로 불타올라", 그 결과 "세상의 어떤 피조물도 그 자체로서만 사랑할 수가 없고 그 모든 것을 창조주 안에서 사랑하게 되는 때"를 보낸다.

종종 어느 정도 열심한 신앙인들도 하느님에 대한 사랑과 봉사를 실천하고자 하면서 비슷한 형태의 내적 혼란을 체험한다. 그들은 하느님에 대한 사랑과 봉사를 실천하려는 열망과 그 봉사에 관련된 장소, 인간관계, 조직 등과 같은 "피조물"에 대한 애착 사이에서 혼란을 체험한다. 이런 피조물에 대한 애착을 따라나선다면 그들이 따르고자 하는 하느님에게서 멀어지게 될지도 모른다. 두 번째 형태의 영적 위로는 그런 혼란을 사라지게 하는 선물을 준다. "피조물"을 덜 사랑하게 되는 것이 아니라, 새로운 자유를 가지고 피조물에 대한 사랑을 하느님에 대한 사랑에 일치시킨다. 방해되는 애착이 주는 무거움이 사라지고 그들의 존재 전체가 하느님의 부르심에 대한 응답으로 통합된다.

"주님에 대한 사랑으로 이끄는 눈물이 쏟아지는 경우"

이냐시오가 다음으로 언급하는 영적 위로의 형태는 영적 위로를 체험하는 사람의 **모든 면**과 관련되어 나타난다. 영적 위로를 체험하는 사람은 육체로 살아가는 인간이다. 때때로 마음에 일어나는 움직임은 흔히 눈물을 흘리는 신체적 표현으로 드러나며, 이렇게 따라 나오는 신체적 표현이 그 체험을 완성한다.

눈물은 많은 것을 표현한다. 이냐시오는 어떤 눈물이 영적 위로를 드러내는지를 적시한다. **주님에 대한 사랑으로 이끄는 눈물이 쏟아지는 경우**이다. 초점은 하느님의 사랑을 의식적으로 느끼는 데 있다. 이런 눈물은 사랑 안에서 하느님을 향해 움직이는 마음을 드러낸다. 라이사의 일기에 잘 나타나 있다. "갑작스럽게 그분의 현존, 그분의 다정함, 우리의 사랑과 우리의 생각을 원하시는 **그분의 불가사의한 사랑**이 강하게 느껴지자 나는 너무나 크게 감동하여 **아주 달콤한 눈물을 흘렸다**." 사랑 안에서 하느님을 향해 움직이는 마음이 원인이 되어서 눈물을 흘리기도 하지만 동시에 이 눈물은 그 마음의 육체적인 표현이다. 소화 데레사의 체험에서도 같은 것을 볼 수 있다. "하느님께서 **우리를 향한 당신의 다정함**을 가르쳐 주시고자 어떻게 이 장면을 사용하셨는지 생각하니까 **눈물이 났어요**." 블레즈 파스칼이 "불"이라고 이름을 붙인 아주 강한 내적 체험에서 하느님을 만날 때, 그는 "기쁨, 기쁨, 기쁨, **기쁨의 눈물**"이라고 쓴다.[61]

이냐시오는 하느님을 중심에 두고 흘리는 세 가지 눈물의 동기를 나열한다. 첫 번째, 두 번째는 구체적이고, 세 번째는 앞의 둘을 다 아우르는 동기이

---

61 *Pensées*, no. 913, p.309.

다. "**자기 죄에 대한 아픔**이나 **우리 주 그리스도의 수난** 때문이든, 혹은 **하느님을 위한 봉사와 찬미에서 바르게 질서 잡혀 있는 어떤 것들** 때문에" 눈물이 쏟아진다. "'자기 죄'에 대한 아픔에서 나오는" 눈물은 자신을 비난하는 쓰라리고 파괴적인 눈물이 아니다. 이 눈물은 그리스도의 발밑에서 여인이 흘리는 치유의 눈물이며(루카 7,36-50), 무한한 사랑과 우리를 받아 주시는 하느님 사랑의 현존 속에서 마음의 짐을 덜어 내는 것을 표현하는 눈물이다. 그런 눈물은 인간의 마음에 자유와 평화를 준다.[62] 두 번째, 우리 주 그리스도가 겪은 수난의 아픔 때문에 흘리는 눈물은 구세주를 향한 사랑의 마음과 구세주의 고통에 동참하는 마음을 표현하는 눈물이다. 이런 눈물은 수난 속에서 자신의 사랑을 보여 주면서 자신을 바치고 십자가형을 받으신 구원자에 대해 점점 자라나는 사랑을 신체적으로 드러낸다.

마지막으로, 이런 눈물은 일반적으로 말해서 모두 "하느님을 위한 봉사와 찬미에서 바르게 질서 잡혀 있는" 눈물이다. 구체적으로 제시되지 않은 "다른 것들"로부터 생겨날 수도 있다. "다른 것들"에는 그리스도를 따르는 사람들이 겪는 고통, 주님께서 사랑하시는 교회(에페 5,25)가 받는 상처들, 이 세상에서 이루어지는 죄악의 진행, 그리고 비슷한 걱정 등이 포함된다.[63]

---

62 아우구스티노는 "내가 죄를 지으며 운 것보다 나의 죄를 뉘우치며 울었다는 데에서 더 큰 기쁨을 찾는다"라고 적는다. Toner, *Commentary*, 102에 인용되어 있다. 하느님께로 마음이 들어 높여짐과 죄를 뉘우치며 흘리는 눈물이 연결된다는 점이 이런 눈물이 영적 위로의 눈물임을 알려 주는 표시이다.

63 리지외의 성녀 데레사의 동료가 이렇게 적었다. "어느 날 내가 그녀의 방에 있었을 때, 그녀는 나에게 내가 따라 할 수 없는 톤의 목소리로 말했다. '하느님께서는 충분히 사랑받지 못하고 계세요! 하지만 하느님은 너무나 선하고 친절하신 분이에요! …… 나는 죽어도 여한이 없어요!' 그러고는 그녀는 흐느끼기 시작했다. 하느님을 그렇게 열정적으로 사랑하는 것이 어떤 것인지 이

이런 눈물은 다른 것들과 마찬가지로 하느님을 위한 사랑 안에 그 사람이 머물고 있다는 것을 확인해 주는 사랑의 눈물을 뜻한다.

그러므로 영적 위로 중에 흐르는 눈물은 축복이다. 열심한 신앙인들은 감사하는 마음으로 그들의 삶 안에서 이런 체험들, 즉 하느님께서 가까이 계시고 사랑하신다는 것을 느끼면서 눈물이 차오르는 시간을 기억한다. 그들은 이런 눈물과 다른 눈물의 차이점을 안다. 이런 눈물은 하느님께서 중심에 계시고, 치유하며, 힘을 북돋우는 눈물이다. 다시 우리는 거룩한 땅에 서 있다.

"믿음, 희망, 사랑을 키우는 모든 것을 위로라고 한다"

이냐시오는 세 가지 향주덕의 **증가**를 영적 위로의 특징으로 여긴다. 믿음, 희망, 사랑은 세례 때 받은 유산으로서 열심한 신앙인 안에 몸에 밴 습관처럼 존재한다. 하지만 이 세 가지 덕은 사람이 인식할 수 있는 방식으로 상황에 따라 '증가'하기도 한다.

한 신자가 기도하고 있다. 그는 하느님을 향해 마음을 모으려고 노력하지만 분심과 싸우느라 하느님께서 그와 함께하심을 거의 의식하지 못한다. 그러고는 예수님께서 하신 약속을 기억해 낸다. "보라, 내가 세상 끝 날까지 언제나 너희와 함께 있겠다." 이 말씀을 묵상하는데, 하느님께서 개인적으로

해하지 못한 채, 나는 놀라움에 그저 계속 바라보기만 했다……." [Christopher O'Mahoney, O.C.D., ed. and trans., *St. Thérèse of Lisieux by Those Who Knew Her: Testimonies from the Process of Beatification* (Huntington, Ind.: Our Sunday Visitor, 1975), 261. 크리스토퍼 오마호니 편, 『아기 예수의 성녀 데레사: 데레사를 알고 있던 사람들의 증언』, 충주 가르멜 여자 수도원 옮김, (서울: 가톨릭출판사, 2014)].

그에게 가까이 계시다는 생생한 느낌을 받으면서 그의 마음은 부풀어 오른다. 이 순간, 이 체험 안에서 일어나는 중요한 변화가 있다. 하느님께서 함께하신다는 믿음에 기반을 둔 확신이 계속해서 그의 마음에 일어나고, 심지어 분심이 주의를 산만하게 하는 기도 중에도 그를 지탱해 준다. 이제 **눈에 보일 정도로 이 믿음이 커 간다.** 하느님께서 개인적으로 그와 함께하신다는 믿음은 점점 더 생생해지고 더 깊이 느껴진다. 이 체험은 그의 신앙에 새로운 힘을 증가시키고, 하느님을 섬기는 일에 새로운 활력을 불어넣는다.

그가 체험한 기도의 흐름을 살펴보면 이렇게 믿음이 "커 가기" 시작한 순간을 확인할 수 있다.[64] "보라, 내가 세상 끝 날까지 언제나 너희와 함께 있겠다"라는 예수님의 말씀을 가지고 기도하기 **전**과 이 말씀을 가지고 기도한 **후**의 체험은 다르다. 이 말씀을 가지고 기도하기 전에는 그에게 믿음이 있지만 잘 실감하지 못한다. 이 말씀을 가지고 기도한 후에는 하느님의 현존 안에서 그가 알아볼 수 있을 정도로 생생한 믿음을 실감하게 된다. 즉 그는 믿음이 **증가한 것을 느낀다.** 그 순간 이후에도 믿음의 증가가 **지속됨**을 발견한다. 기도 중에 짧은 순간이든, 나머지 기도 시간 동안이든, 그날 나머지 시간 동안이든 증가한 믿음은 지속된다. 언젠가는 이 생생한 느낌이 지나갈 것이다. 하지만 이런 체험을 통해서 받은 영적으로 강화된 힘은 그의 마음에 여전히 남았다. 그리고 그는 믿음의 증가가 **강렬함**도 지각할 수 있다. 하느님의 현존 안에서 생기는 믿음의 증가는 부드럽게 일어날 수도 있고, 더 강하게 일어날 수

---

64 라이사는 이렇게 적는다. "**갑작스럽게** 그분의 현존, 그분의 다정함……" 그녀는 하느님의 현존을 더 크게 감지하기 시작한 순간을 분명히 알아채고 있다.

도 있고, 압도될 정도로 강하게 일어날 수도 있다. 이렇게 눈에 보일 정도로 커 가는 믿음을 체험하는 것도 영적 위로라고 이냐시오는 말한다.

비슷한 일이 **희망**과 관련해서도 일어날 수 있다. 한 여성이 가정생활에서 어려움에 처해 있다. 그녀는 도움을 청하는 기도를 해 왔고 가족들 간에 관계를 개선하려고 그녀가 할 수 있는 모든 것을 해 왔다. 어려움은 여전히 남아 있지만 희망적인 진전이 있었다. 그런데 어느 날 많은 일이 수포가 되는 것처럼 보이면서 진정한 변화에 대한 희망이 점점 줄어드는 것을 느낀다. 방과 후 아이들을 데리러 학교에 갔다가, 그녀처럼 아내이자 엄마인 친구를 만난다. 그 친구와 이야기를 나누면서 그녀는 이 친구가 자신의 삶에 함께하시는 하느님의 섭리에 대해 확신하고 있음을 느낀다. 집으로 돌아오면서 새로운 희망과 기운이 솟아오른다. 하느님의 섭리가 그녀와 가족의 삶도 인도하리라는 새로운 믿음을 가지고 하느님을 향해 나아간다. 그녀는 하느님께서 노력하고 있는 그녀와 함께 계시리라는 **희망의 증가**를 체험하고 가족을 사랑하고자 하는 그녀의 결심도 더 굳건해진다.

비슷한 일이 **사랑**과 관련해서도 일어날 수 있다. 그런 영적 체험 속에서 우리는 우리와 함께하시는 하느님의 사랑을 더 생생하게 느끼고 우리 주위에 있는 사람들을 사랑하려는 힘이 증가하는 것을 알게 된다. 믿음 희망 사랑의 향주덕과 관련된 지금까지 영적 위로의 사례를 보면서, 영적인 사람들은 하느님을 향한 진보에 힘을 더하고 이를 뒷받침하는 열망이 더 **커짐**을 느낄 것이다.

"천상의 것으로 부르고 이끄는 모든 내적 기쁨"

마지막 형태의 영적 위로는 기쁨으로 이루어진다. 하느님 앞에서 "천상의 것들과 영혼의 구원으로 부르고 이끄는" 기쁨으로 우리 마음이 행복해지는 체험들이다. 이 기쁨은 "창조주 주님 안에서 영혼을 침잠시키고 평온하게 하면서," 영적으로 마음을 새롭게 하는 것이라고 이냐시오는 말한다. 규칙 2에서처럼 다시 한번 이냐시오는 "침착하게 하며" 평화를 심는 선한 영의 행동에 관해 이야기한다.

한 사제가 기도를 하면서 부지런히 주일 강론을 준비했다. 그가 강론을 하는데, 마음에서 우러나오는 메시지를 듣고 회중이 감동한다. 나중에 신자들이 떠나면서, 많은 이가 그의 강론이 얼마나 큰 도움을 주었는지에 대해 말한다. 모든 이가 떠나고 다시 업무로 돌아온 그는 자신의 마음에 든 조용한 기쁨과 함께 하느님을 향해 나아간다. 그는 자신의 성소에 더 감사하게 되고, 이 성소를 튼튼하게 하는 수단인 기도, 연구, 사목에 더욱 애착이 간다. 그는 흔들림 없이 자신의 사목에 헌신하고 영적 성장에 더욱 전념한다. 그는 "천상의 것으로" 자신을 **부르시고 이끄시는** 하느님 안에서 기쁨을 체험한다.

이런 영적 기쁨은 '위로' 향하는 방향성이 있다. 우리가 느끼는 기쁨 속에서, 우리는 "천상의" 것들에 이끌리게 된다. 하느님께서 우리 각자를 부르신 성소, 성경, 기도, 전례, 봉사, 그리고 기타 우리의 삶에서 하느님과 하느님의 구원사업에 관련된 모든 것이 "천상의" 것들이다. 이런 것들이 우리를 "부르고" 이런 것들에 우리는 매력을 느낀다. 월터 힐튼Walter Hilton은 기도 중인 독실한 사람을 이렇게 묘사한다.

그의 영혼의 모든 힘이 하나로 합쳐져서, 그의 마음에 있는 사랑이 일시적인 것들을 넘어 위로 올라가며 …… 강렬한 열망과 **영적 기쁨**으로 인해 하느님을 갈망하고 하느님을 향해 **위로 움직인다.** 이 시간 동안, 그가 기도 속에서 찾은 평안에 대해 생각하고 기도하는 것보다 더 **기쁨**을 가져다주는 것은 아무것도 없어 보인다.[65]

이 기도가 가져다주는 "영적 기쁨" 속에서 그 사람은 하느님을 향해 "위로" 움직이는 체험을 한다. 기도와 기도가 가져다주는 평안에 머무는 것보다 "더 기쁨을 가져다주는 것은 없어 보인다." 이 기쁨 속에서 그 사람은 천상의 것들에게로 초대받고 이끌린다.

소화 데레사의 가르멜 수녀원에 있는 한 젊은 수녀가 기도 체험을 자세히 이야기한다. 그때 그녀는 크게 좌절해서 퇴회를 심각하게 고려하고 있었다.

"나는 가르멜 수녀가 될 힘을 갖지 못할 거야. 나에게는 너무 힘든 삶이야." 나는 자신에게 이렇게 말했다. 이렇게 불안하고 슬픈 생각을 가진 상태로 몇 분 동안 무릎을 꿇고 있었는데, 기도도 하지 않고 평화를 바라지도 않았지만, 갑자기 나의 영혼에 놀라운 변화를 느꼈다. 나 자신을 못 알아볼 정도였다. 나의 성소가 아름답고 사랑스러워 보였다. 나는 고통의 가치를 보게 되었다. 수도 생활의 모든 궁핍과 피곤함이 나에게는 세상이 주는 만족감보다 무한히 더 좋은 것처럼 보였다. 기도를 마쳤을

---

65 Halcyon Backhouse, ed., *The Scale of Perfection* (London: Hodder & Stoughton, 1992), 21.

때 나는 완전히 변화되었다.[66]

이런 기도 체험 속에서 슬픔은 사라지고 평화로운 기쁨이 되돌아온다. 그리고 이 수녀는 마음이 고양되어 그녀의 삶에서 "천상의 것"을 향해 초대받고 이끌리고 있음을 느꼈다. 가르멜 수도 생활에 대한 그녀의 성소는 이제 "아름답고 사랑스러워" 보인다. 그녀는 고통이 가져다주는 영적 가치에 대해 이미 배운 교훈을 다시 한번 기억한다. 수도 생활에서 겪는 더 어려운 부분조차 오히려 하느님에 대한 신실한 사랑의 응답이라는 좋은 것으로 보인다. 선한 영이 그녀의 마음을 "창조주 주님 안에서 영혼을 침잠시키고 평온하게" 만든다. 그녀는 아주 축복된 방식으로 영적 위로를 체험하게 된 것이다.

열심한 신앙인들은 이런 영적 기쁨과 이 기쁨이 하느님께 속한 것들에게로 자신들을 이끌고 있음을 안다. 그들은 그들의 삶에서 때로는 어느 일정 기간에, 때로는 매일 계속해서 이런 기쁨을 느끼는 사람들이다. 이렇게 기쁨 가득한 영적 위로가 가져다주는 풍부한 열매는 분명하며 이 위로는 이 영적 여정을 계속하라는 하느님의 커다란 선물이다.

지금까지가 이냐시오가 규칙 3에서 나열한 영적 위로의 다양한 형태이다. 이냐시오가 이야기하고 있는 것은 진심으로 하느님을 찾는 사람들이 **평소에 가지는 영적 체험**임을 주목해야 한다. 오직 몇몇 사람만이 이해할 수 있

---

66 Pierre Descouvement, *St. Thérèse of Lisieux and Marie of the Trinity: The Transformative Relationship of St. Thérèse of Lisieux and Her Novice, Sister Marie of the Trinity* (New York: Alba House, 1997), 88. 그다음 줄에 새로이 찾은 기쁨을 분명하게 언급한다. "저녁 식사 후 나는 설거지를 하자고 기꺼이 마음먹었다……."

는 신비로운 현상을 말하지 않는다. 주님을 따르는 열심한 신앙인들은 여기서 언급된 형태의 영적 위로를 개인 체험 속에서 여러 가지, 어쩌면 모두를 체험하게 될 것이다. 이나시오는 그것이 주님께서 당신 자녀들의 마음속에 **일상적으로** 작용하시는 방식이라고 이해한다.[67]

우리가 하느님께서 부어 주신 영적 위로에서 우리와 함께하시는 하느님의 "일상적인" 현존을 감지하게 된다면 우리의 영성 생활에 무슨 일이 일어날까? 우리가 이런 영적 위로를 하느님께서 매일매일 우리에게 주시는 위로라고 감지하고 확인할 정도로 충분히 "안에" 머문다면 무슨 일이 일어날까? 그러면 우리도 이나시오처럼 하루의 시간을 보내며 점점 더 "하느님을 발견하게" 될 것이다.[68] 아름답지만 이해하기 어려웠던 가르침, 즉 하느님께서 항상 우리와 함께하신다는 신앙의 가르침도 더는 추상적이지 않게 되고, 각자의 삶에서 그 가르침이 진리라는 것을 경이로움과 함께 구체적으로 알아보게 될 것이다. 우리 마음에서 일어나는 영적 위로를 감지하게 되면, 광야를 행진하는 이스라엘 백성에게 "낮에는 구름 기둥 속에서" 그리고 "밤에는 불기둥 속에서"(탈출 13,21-22) 하느님께서 함께하신 것처럼 우리의 하느님도 우리를 위해 항상 곁에서 함께 걸으시며, 우리를 손수 인도하시는 하느님이심을 알게 될 것이다.

---

67 "말년의 이나시오에 관한 리바데네이라의 보고에 따르면, 이나시오는 위로 없이, 즉 자신에게서 나오지도 않고 나올 수도 없으며 오직 순전히 하느님에게서 오는 것을 자신 안에서 찾지 못하고서는 살아갈 수 없을 거라 믿었다고 말했었다." [John W. O'Malley, *The First Jesuits* (Cambridge, Mass.: Harvard University Press, 1993), 19-20. 존 오말리, 『초창기 예수회원들』, 윤성희 옮김, (서울: 도서출판 이나시오영성연구소, 2014)].

68 『자서전』, 99번.

4장

영적 실망 (규칙 4)

아! 바른 마음이 있었습니다!

하나의 눈이 있었습니다!

형체를 알 수 없는 충격의 밤을 읽고 나서

누구이신지 왜 그러시는지를 알았습니다.

- 제라드 맨리 홉킨스

시련의 시간

이냐시오는 앞선 규칙에서 설명한 영적 위로에 반대되는 영적 실망을 규칙 4에서 논한다. 하느님을 향해 위로 나아가는 내적 움직임이 영적 위로의 본성이기에 이를 살펴보는 작업은 환영할 만하며 힘을 북돋아 준다. 이에 반해 영적 실망을 묵상한다는 것은 적어도 처음에는 매우 힘든 작업이다. 하지만 모든 영의 식별에서 이냐시오가 영적 실망과 관련해서 제시하는 것보다 더 가치가 있고 궁극적으로 더 힘을 불어넣는 것은 거의 없다. 처음엔 혹 힘들다 해도 충분히 그리고도 남을 가치가 있다. 규칙 4에서 이냐시오가 안내하고 있는 영적 실망을 분명히 파악하는 것만으로도 이미 우리를 낙심하게 만드는 실망의 힘은 약해지기 시작한다. 나는 두 가지 예를 들어 이 규칙을 소개하겠다.

앨리스는 열심한 신앙인이며, 수년 동안 본당에서 활동을 열심히 해 왔다. 본당 생활에 참여하는 것이 그녀에게 영적 힘의 원천이며, 주님 안에서 기쁨을 누리게 하는 길이다. 최근에 그녀는 새로운 마을로 이사했고 그곳 성당에 나가기 시작했다. 앨리스는 거기에서도 본당 공동체 안에서 활동하고자 했지만 새로운 환경 속에서의 활동은 쉽지 않았다. 힘든 상황이 일 년이나 계속되자 그녀는 자신이 기울인 노력의 가치에 대해 의문을 품기 시작한다. 낙심하는 순간이 다가온 것이다.

앨리스는 자신이 아주 실패한 사람이라 생각하면서 완전히 좌절한다. …… 최근에는 개인 기도에서도 공허한 느낌과 하느님께 버림받았다는 느낌을 체험했었다. 그녀는 하느님께서 더는 가까이 계시지 않다고 느끼면서 당혹감에 빠지게 된다. 그녀는 사랑하시는 하느님의 보살핌에 대한 믿음도 모두 잃어버리지 않을까 걱정한다. 계속해서 공동체 전례와 개인 기도 시간에 충실하려 하지만 모든 것이 절망적이고 의미 없는 듯하다.[69]

앨리스는 실망 상태를 체험하고 있으며 하느님께서 그녀에게서 멀리 계시다는 느낌도 받는다. 공동체 전례와 개인 기도 시간에 충실하려고 계속 노력해

---

69 Toner, *Spirit of Light or Darkness*, 63에 인용되어 있음.

도 기쁨은 이미 사라져 버리고 없다. "모든 것이 절망적이고 의미 없는 듯하다."

제인은 30대 후반의 신심 깊은 수녀이다. 그녀는 영적 지도자의 도움을 받아서 피정을 하려고 피정 센터에 왔다. 피정을 갓 시작했을 때는 커다란 평화와 하느님께서 그녀 가까이 계시다는 행복한 느낌을 체험했다. 피정 3일째 되는 날, 사랑하시는 하느님의 현존 안에서 수녀는 자신이 느낀 기쁨에 감사하며, 기도 시간을 더 늘리겠다고 결심한다. 아래의 글은 그 결심 이후에 일어난 일에 관한 이야기이다.

피정 4일: 제인 수녀는 심한 두통과 함께 일어나서, 지치고 긴장한 상태에 빠진다. 기도를 잘할 수도 없다. 모든 기쁨은 사라져 버렸다. 피곤하고 슬프며 침울하다. 마침내 저녁에 그녀는 영적 지도자에게 전날의 행동과 그 결과에 관해 이야기한다. 영적 지도자는 기도 시간을 줄이고 좀 더 쉬라고 조언한다.

피정 5일: 조언을 따라서 기도 시간을 줄이지만 여전히 열정도 사라진 상태이고 우울함만이 가득하다.

피정 6일: 아침 기도를 하면서 매우 불안해지고 우울해진다. 피정을 시작하면서 느꼈던 하느님의 현존도 의심하기 시작한다. 지금까지 지나친 상상에 빠져 있었다는 생각이 든다. 내가 도대체 뭔데 하느님께서 달콤한 맛을 주시겠는가? 기도가 깊어지는 생활은 그녀에게 어울리는 삶이 아니라는 생각에 점점 실망이 커진다. 하느님을 향한 그녀의 열망은 그냥 환상일 뿐이다. 그날 남은 시간은 동요, 혼란, 좌절감으로 가득 찬

시간이 된다.[70]

제인 수녀는 상황이 다를지라도 앨리스와 비슷한 상태에 도달했다. 그녀의 평화와 그녀가 감지한 하느님의 사랑은 사라져 버린다. 하느님께서 가까이 계시다고 느꼈던 피정 초기에 대해서조차 정말 하느님께서 가까이 계셨는지 의심한다. 그녀는 좌절하고 하느님을 향한 그녀의 열망 자체에 대해서도 혼란스러워진다.

모든 영적 여정에 있어서 시련의 시간은 찾아오기 마련이다. 그리고 각자의 개인 환경에 맞추어 다양한 형태로 찾아온다. 이것을 파악하지 못하고 저항하지 못하면 하느님을 찾는 사람에게 영적인 해를 끼치는 그런 좌절이 올 수 있다는 것은 분명하다. 이냐시오는 이런 체험을 **영적 실망**이라 이름 짓고 규칙 4 전체에 걸쳐 우리에게 가르쳐 준다. 영적으로 성장하길 바라는 모든 사람은 이렇게 의욕을 꺾는 영적 움직임을 감지하고, 파악하며, 적절하게 대응해야 할 필요성이 크다는 점을 기꺼이 이해할 것이다.

'영적' 실망

이냐시오는 첫 번째로 영적 위로를 탐구했다. 이제 그는 두 번째로 첫 번째와 정반대되는 **영적 실망**을 탐구한다. 규칙 4는 다음과 같다.

---

70 위의 책, 66.

규칙 4. 영적 실망에 대하여. 실망은 규칙 3과 정반대되는 것으로서, 영혼이 어둡고 혼란스럽고 현세적이고 비속한 것으로 기울어지고, 또한 여러 가지 심적인 동요와 유혹에서 오는 불안감 등으로 불신으로 기울고 희망도 사랑도 사라지며, 게으르고 냉담하고 슬픔에 빠져서 마치 스스로가 창조주 주님으로부터 멀리 떨어져 있는 것처럼 생각되는 상태이다. 위로가 실망에 반대되는 것과 같이 위로에서 나오는 생각들도 실망에서 나오는 생각들과 반대가 된다.

이냐시오는 영적 실망의 개념을 정의 내리지 않고 다만 영적 실망에 대한 일련의 예를 제시한다. 그리고 여기에서 다시 한번 **반대**의 원칙이 크게 작용한다. 영적 실망은 규칙 3과 **정반대**되는 것이다. 그것은 우리가 앞 장에서 보았던 영적 위로의 모든 것에 정반대일 것이다. 이런 원칙에 따라 단순히 규칙 3에서 말한 바와 반대되게 규칙 4에 적어 놓아도 되겠다. 영적 위로의 시기에 마음의 침착이 있다면 영적 실망의 시기에는 마음의 동요가 있다. 만약 영적 위로가 기쁨이라면 영적 실망은 슬픔이 될 것이다. 이렇게 규칙 3과 4는 나란히 배열된 평행선이지만 안에 있는 내용은 서로 반대되는 평행선이다. 두 문장을 비교해 보면 이냐시오가 이런 대조법을 살려 썼음을 확인할 수 있다.[71]

---

[71] 이냐시오는 *Autograph Directory*, 12에서 한 문단에 분명하게 이런 대조를 그려 내고 있다. 위로의 예를 든 후에 그는 이렇게 말한다. "실망은 그 반대로 악한 영에게서 오며, 두 영이 선사하는 것들도 같은 방식으로 반대가 된다. 예를 들어 전쟁 대 평화, 슬픔 대 영적 기쁨, 낮은 것들 안에서 찾는 희망 대 고귀한 것들 안에서 찾는 희망, 낮은 사랑 대 고귀한 사랑, 메마름 대 눈물, 낮은 것들을 찾아 헤매는 정신 대 고양된 정신 등이다." Palmer, *On Giving the Spiritual Exercises*, 8.

규칙 3과 똑같이 규칙 4도 **"영적 실망**에 대하여"라는 제목으로 시작하여, 이어서 일련의 예시가 나열된다. 위로에 대한 규칙 때와 마찬가지로 실망과 관련해서도 이냐시오는 영적 실망과 비영적 실망을 구별한다.

'실망'이란 용어는 많이 쓰는 평범한 의미를 따랐다. 실망이란 슬픔에 젖어 들게 하고 살아가는 힘을 쏙 빼 버려 정감적으로 힘겨운 상태이다. 관형어인 **'영적'**이란 단어는 규칙 전반에 걸쳐 사용되는 의미, 즉 하느님의 뜻을 따르는 것에 직접, 즉각 관련이 있다는 점을 표시한다. 두 단어를 합친 **'영적 실망'**이란 용어는 신앙과 하느님의 뜻을 따르는 데에(그래서 "영적") 직접적인 타격을 주는 정감적 힘겨움(그래서 "실망")을 가리킨다. 앨리스는 "완전히 좌절"(정감적 힘겨움)했을 뿐 아니라, 그 좌절감 속에서 "하느님께 버림받았다"고 느낀다(직접적인 신앙 언급). 제인 수녀는 "혼돈"과 "좌절감"(정감적 힘겨움)을 체험할 뿐만 아니라, 이 좌절감 속에서 **"하느님**의 현존도 의심"하기 시작하고, **"기도가 깊어지는 생활**은 그녀에게 어울리는 삶이 아니라는" 생각도 하게 된다. 그리고 **"하느님을 향한** 그녀의 열망은 그냥 환상일 뿐"(직접적인 신앙 언급)이라는 생각도 갖기 시작한다. 이런 것들이 구체적으로 **영적 실망**에 대한 체험이다.

우리가 위로를 **비영적** 수준과 **영적** 수준에서 모두 체험한 것처럼 실망도 둘 중 하나의 수준에서 체험하기도 한다. 만약 우리가 과도하게 일하면서 적당한 영양분과 운동과 휴식을 취하지 않으면 체력이 약해질 것이다. 이런 과정이 어느 정도 계속되면 우리는 살아가기가 점점 더 힘겨워질 것이다. 즉, 우리는 **육체**에 바탕을 둔 **비영적 실망**을 체험할 것이다. 우리의 정서적 에너지도 마찬가지다. 우리가 용기를 잃고 어느 정도 우울해진다면 이런 우울한 상태가 계속되는 동안 심리적으로 힘들어지면서 우리 삶에서 만나는 모든 것이 힘들어질 것이다. 우리는 **심리**에 바탕을 둔 **비영적 실망**을 체험할 것이다. 이런 실망의 단계는 신앙에 직접, 즉각 관련되어 있지 않다. 이런 의미에서 이둘은 영적이지 않다. 분명히 말하지만, "비영적"이라고 해서 중요하지 않은 것은 아니다.

영적 위로 때와 마찬가지로 **비영적 실망**도 종종 **영적 실망**의 **발판**이 된다. 한 남자가 수개월 동안 적절한 휴식이나 운동 없이 한계치까지 자신을 몰아붙인다. 그는 점점 지치면서 직장이나 집에서의 관계 유지도 점점 힘들어짐을 느낀다(비영적 실망). 곧 기도도 점점 힘들어지고 하느님께서 이전보다 더멀리 계신 듯한 시기가 온다(영적 실망). 한 여성이 인간관계에 불화를 겪으면서 불안하고 우울해진다. 그녀는 우울함이 계속되는 상태에 더 건강한 방식으로 대처하고자 하나 한 걸음도 내딛지 못한다(비영적 실망). 그녀가 습관처럼 자연스럽게 하던 신심행위도 시들해지는 날이 오자 그녀는 하느님 사랑안에서 성장하려던 희망도 잃어버리게 된다(영적 실망).

그러므로 영성 생활의 관점에서 보면, 비영적 실망을 인간적으로 힘들기에 치유가 필요한 움직임이라고 단순히 치부하기보다는 그 이상이라고 봐야한다. 비영적 실망도 영적 실망이 자라나는 온상이며 영적 여정에 잠재적인위협이 된다. 우리가 **육체**와 관련된 비영적 실망(피곤함)이나 **심리**와 관련된 비영적 실망(우울함)을 극복하는 데 게을리할수록 영적 실망에 빠질 가능성은더욱 커진다. 우리가 피곤하고 우울하다면 하느님의 부르심을 따라 사는 삶속에서 낙담하거나, 기도가 성의 없어지거나, 봉사 열망이 식는 것은 금방이다. 일반적인 영성 생활뿐만 아니라 구체적으로 영적 실망에 빠지지 않기 위해, 하느님께서 우리에게 주신 인간성의 모든 면모를 두루두루 현명하게 관리하는 것이 우리가 할 일임이 분명해진다.

영적 실망의 형태

네 번째 규칙은 두 부분으로 구성되어 있다. 첫 번째 부분에서는 다양한 **영적 실망의 형태들**을 나열한다. 두 번째 부분에서는 영적 위로와 영적 실망에서 생겨나는 **생각**을 보다 간단하게 언급한다. 우리는 우선 다양한 형태의 영적 실망을 살펴보고 이어서 이 장의 후반부에서는 영적 위로와 영적 실망에 관련된 생각에 대해 이냐시오가 어떤 가르침을 주고 있는지 살펴볼 것이다.

이 규칙의 주요 부분에서 이냐시오는 간단하게 다양한 형태의 영적 실망을 하나씩 이름 지어 부른다. 우리는 그가 나열한 순서대로 여기에서 그 다양한 형태를 살펴보고자 한다.[72]

"영혼의 어둠"

선한 영이 하느님께로 나아가는 길에 빛을 밝혀 주고 선명한 "영감"(규칙 2)을 준다면, 악한 영은 정반대의 영향을 끼치는 **어둠**을 영혼에 새겨 넣는다. 이때 영혼의 어둠을 겪는 사람은 어쩔 수 없는 혼란의 덫에 걸려 영적으로 무

---

72 Gil, *Discernimiento*, 142-146을 참조하라.

슨 일이 일어나는지 이해할 수 없다고 느낀다. 정감적 힘겨움까지 가중되어 앞으로 점점 더 나빠지리라는 비관에 빠진다. 악한 영이 어둠을 이렇게 새겨 넣는 행동을 제인 수녀의 예에서 봤다. "지나친 상상"에 대한 걱정, 하느님을 바라는 그녀의 열망은 그냥 "환상"일 뿐이라는 두려움, 심적 혼돈과 좌절감이 더해져 느끼는 "혼란" 등이 그 증상이다. 그녀는 괴로운 마음이 섞인 혼란, 즉 **어둠 속**에 있다. 만약 우리가 신앙생활과 관련해서 걱정이 가득한 어둠에 사로잡혀 있다면, 우리는 영적 실망의 첫 번째 형태를 체험하고 있는 것이다.

"불안"

제인 수녀는 아침 기도 중에 "매우 불안해진다." 그리고 그날 온종일 "동요" 속에서 하루를 보낸다. 이냐시오가 테레사 레하델 수녀에게 쓴 편지에서 이미 봤던 대로 원수는 "심란하게 만들고" "마음의 평화를 깨려고" 한다. 이런 마음의 **불안**은 괴롭게 하고, 속 타게 하고, 잠시도 가만있지 못하게 하는 영적 실망의 특성을 잘 드러내 보여 준다. 앨리스와 제인 수녀처럼 주님을 찾을 때 지녔던 이전의 평화를 잃어버리고 심란하고 **불안**하다면 우리도 영적 실망 속에 있는 것이다.

"현세적이고 비속한 것으로 기울어지고"

영적 위로의 기쁨 중에는 "위로" 향하는 부르심과 "천상의 것으로"(규칙 3) 향하는 이끌림이 있다. 무거운 영적 실망 중에는 정확히 반대되는 움직임이 있다. 여기에는 "아래로" 향하면서 "현세적이고 비속한 것으로" 향하는 이끌림이 있다. 영적 위로 안에 있는 사람들은 하느님과 하느님께 속한 것으로 이끌린다. 즉 기도, 성경, 전례, 하느님의 부르심에 대한 응답으로서 다른 이들에게 하는 봉사, 교회 활동에 참여, 하느님을 중심에 둔 일 등에 이끌린다. 영적 실망 중에 있는 사람들은 이와 반대로 기도와 하느님에 대한 봉사에 전혀 매력을 못 **느끼고** "더 아래로", 그리고 "현세적인" 것으로 이끌린다. 즉, 물질적 안락, 각종 육체적 쾌락 탐닉, 과거에 경험했던 물질적 육체적 쾌락에 대한 기억들, 사소한 것들에 대한 허무한 집착, 대중문화에 한눈팔기, 인터넷, 분주함, 피상적 대화, 그리고 이와 비슷하게 우리 마음을 빼앗는 것에 이끌린다.

확실히 많은 "현세적인" 것들이 우리를 인간적으로나 주님에 대한 봉사에 있어서나 강건해지도록 건전한 휴식을 제공하기도 한다. 그러나 이는 이냐시오가 "현세적이고 비속한 것으로 기운다"라고 표현할 때 뜻하는 바가 아니다. 그는 영적 실망의 중압감에서 생겨난, 하느님께로 나아가는 것을 약화시키는 "비속한" 것들에게로 향하도록, "아래로" 끌어당기는 힘에 관해 말하고 있다. 한 가지 예를 보면 잘 알 수 있다.

존은 30대 초반에 회심한 후 수년 동안 자신의 삶을 주님께 바쳐 왔다. 그의 일에 의미를 부여하는 믿음, 매일의 기도, 하느님의 사랑에 대한 응답으로서 성당 일에 참여하고 가족생활에 참여하는 것이 자신의 삶에서 가장 중요하다. 하느님을 향해 느낀 사랑 안에서 그의 마음은 계속해서 이 모든 일로 이끌린다. 이전에 가졌던 자기중심적이며 방탕한 삶의 방식은 오래전에 그 매력을 잃었다. 하지만 이제 메마른 기도가 수 주 동안 이어지고 존은 무언가 잘못되었다는 생각에 두려워한다. 하느님은 멀리 계신 듯 보이고 왠지 하느님께 실망감을 안겨 드렸을까 봐 걱정한다. 그는 자신의 신앙생활 전체의 진정성을 의심하기 시작하고, 기도하고 봉사하는 노력을 인내하며 계속하지만, 마음은 점점 더 무거워지고 힘들어진다. 요즘 존은 외로움을 느끼고 그가 평소 하던 기도도 내키지 않는다. 기도를 미루거나 안 하고 만다. 대신 TV 채널이 그를 꾀고 인터넷과 채팅방이 그를 꾄다. 마음이 무거운 이 시기를 보내면서 신앙생활에 대한 의욕은 약해지고, 혐오했던 예전의 방탕한 것들이 다시 그에게 매력적으로 보이기 시작한다. 존은 영적 실망에 빠져 **현세적이고 비속한** 것들에게로 끌려가고 있다.

"여러 가지 심적인 동요와 유혹에서 오는 불안감"

다시 한번 우리는 규칙 2에서 이미 언급했던 악한 영의 행동 특성인 "마음을 혼란스럽게" 하는 특징을 만난다. 여기에서 이냐시오는 영적 실망의 특성을 좀 더 세밀하게 지적한다. 영적 실망에 짓눌린 사람은 여러 가지 **심적인 동요와 유혹에서 오는 불안감**을 경험한다.

헬렌은 슬픈 느낌과 하느님께서 멀리 계시다는 느낌이 들고 기도에 집중할 수 없고 영적인 문제들에 더는 흥미도 **느끼지** 못하면서 하루의 일을 계속한다. 하루가 저물면서 마음은 더 무거워진다. 활동을 계속하지만 마음이 심란하고 불안이 요동친다. 기도를 피하고 싶은 유혹을 받고, 어려움에 부닥친 가족 구성원을 사랑하려는 꾸준한 노력을 포기하고 싶은 유혹도 받으며, 다른 사람에게 날카롭게 쏘아붙이고 싶은 유혹도 받는다. 오랜 경험을 통해 힘든 느낌을 더 가중시킬 뿐이라는 결과를 알고 있는데도 육체적 만족감을 찾고 싶은 유혹도 느낀다. 이렇게 휘몰아치는 **심적인 동요**와 **유혹들**은 **불안감**을 동반한다. 마음이 이런 움직임으로 들끓고 있다는 사실이 헬렌을 괴롭혀서 그녀는 평화로울 수가 없다. 이런 심적인 동요와 유혹과 불안을 체험하는 사람들은 영적 실망 중에 있는 것이다.

"불신으로 기울고 희망도 사랑도 사라지며"

여기에서도 역시 영적 실망의 증상은 영적 위로에 정반대로 나타난다. 영적 위로 안에 있는 사람은 "믿음, 희망, 사랑이 커지는" 체험을 한다. 영적 실망 중에는 **믿음, 희망, 사랑이 부족**해지는 상반된 움직임이 있다. 물론 영적 실망 속에서 체험하는 부족함이 세례받은 이들의 마음속에 자리 잡고 있는 덕인 믿음, 희망, 사랑을 잃어버렸음을 뜻하지는 않는다. 이 세 가지 향주덕을 의식하고 **느끼는** 체험이 줄어들었음을 뜻한다.

제인 수녀는 "피정을 시작하면서 느꼈던 하느님의 현존도 **의심**하기 시작한다." 그녀는 이제 "하느님을 향한 그녀의 열망은 그냥 **환상**"에 지나지 않을까 봐 염려한다. 앨리스는 "사랑하시는 하느님의 보살핌에 대한 **믿음도 모두 잃어버리지** 않을까 걱정한다." 존은 "자신의 신앙생활 전체의 진정성을 의심하기 시작한다." 이런 것들이 영적 실망의 시간을 보내며 **확신이 부족**해지는 방향으로 나아가는 움직임에 대한 체험이다. 영적 실망의 어둠에 빠진 사람은 다음과 같이 의심과 의문을 갖게 된다. 너는 하느님의 사랑 안에서 성장해 왔다고 생각하겠지. 지금 자신을 바라봐. 기도할 수도 없으면서 그런 생각을 하고 있네. 너는 단지 자신을 속이고 있을 뿐이야……. 너를 향한 하느님의 사랑을 확신하고 있었지. 그런데 지금 하느님과 친밀감은 어디로 갔나? 너처럼 반복해서 실망을 주는 사람을 하느님께서 어떻게 사랑하시겠니? 너는 네 성소에 대해 그렇게 확신했지. 이제는 성소를 더 키울 힘도 없이 무력감을 느끼잖아. 이 성소를 선택했을 때 하느님의 뜻을 드러내는 표시들을 잘 읽었다고 어떻게 그렇게 확신할 수가 있지? 너는 여러 해가 지나도록 영적으로 성장하지 못했잖아. 그 주제에 지금 기도 중에 하느님께서 너에게 새로운 발걸음을 옮기라고 초대하신다고? 영적 실망 중에 우리 마음은 의심이 자꾸 부풀어 올라 **확신의 부족**으로 악화하는 것을 절감한다.

영적 실망 중에 있는 사람들은 또한 **"희망이 없다"**고 느낀다. 제인 수녀는 "기도가 깊어지는 생활은 그녀에게 **어울리는 삶이 아니**라는 생각에" 낙심한다. 그녀는 자신이 **"도대체 뭔데** 하느님께서 달콤한 맛을 주시겠는가?"라고 의심한다. 앨리스는 "자신이 **완전히 실패한 사람**이라 생각하고" "계속해서 공동체 전례와 개인기도 시간에 충실하려 하지만, 모든 것이 **절망적**이고 의미없는 듯하다." 영적 실망은 사람의 마음을 짓눌러 하느님께로 나아가는 진정한 성장에 대한 **희망을 잃게** 한다. 이런 희망의 상실 뒤에는 영적 성장으로 나아가려는 노력을 그만두게 하려는 유혹이 가까이 자리 잡고 있다.

월터는 일하러 가기 전에 30분 동안 기도하는 습관이 있다. 오늘 아침 일어나자 어제의 영적 실망이 여전히 그의 마음을 무겁게 누른다. 그는 평소처럼 기도를 시작하지만 그의 노력이 헛되리라는 느낌에 부담스럽다. 집중하지 못하고 메마른 기도를 시작하자 기도 시간 전체가 결실을 보지 못하리라는 느낌이 점점 자란다. 월터는 이제 기도를 포기하기 직전이다. 이냐시오의 가르침에서 볼 때, 그는 영적 실망에 빠져 **희망을 잃어버린** 상태이다. 본당에서, 가족 간에, 영성 생활 전반에서 이와 비슷한 희망의 상실 징후는 쉽게 그 예를 찾아볼 수 있다. 분명히 말하지만 하느님을 찾는 사람들을 이렇게 은연중에 약하게 만드는 영적 실망에 대해 규칙 제목처럼 감지하고 파악하여 배척하는 것이 중요하다.[73]

마지막으로, 영적 실망 중에 있는 사람들은 자신에게 **사랑이 없는** 것처럼 느끼게 된다. 영적 위로 중에 마음이 하느님의 사랑을 "따뜻하게" 느끼는 체험을 한다. 영적 실망 중에는 반대로 마음이 "차가워지고" 사랑하시는 하느님의 현존을 느낄 수가 없게 된다. 마치 마음에 사랑이 없는 것처럼 **느낀다.** 이런 느낌은 그렇게 열심한 신앙인에게 하느님의 사랑이 없다는 문제를 의미하는 것이 아니다. 이런 느낌은 단지 영적 실망의 전형적인 증상일 뿐이다. 하지만 영적 실망에 빠진 시기 동안은 이런 느낌이 정말 사실인 것처럼 보인다. 이런 가짜 체험들을 영적 실망이라 적시하여 부르는 것은 이 체험들이 부리는 속임수로부터 해방되는 방향으로 나아가는 매우 중요한 발걸음이다.

---

73 테레사 레하델에게 보내는 편지에서 이냐시오는, 반드시 겪어야 할 시련이 우리 앞에 닥쳤을 때 개입하는 원수의 행동에 관하여 다음과 같이 적고 있다. "원수는 우리에게 커다란 평안과 위로를 상기시키지 않습니다. 이 평안과 위로는 우리 주님께서 주님의 봉사에 새롭게 참여한 영혼에게 늘 주시는 것이며, 이런 영혼은 모든 장애물을 뛰어넘고, 창조주이시며 주님이신 분과 함께 고통당하기를 선택합니다." (Young, *Letters of Saint Ignatius of Loyola*, 19).

"게으르고 열의가 없고 슬픔에 빠져"

영적 실망 안에 있는 사람들은 완전히 **게을러지고, 열의가 부족해지며, 슬픔에 빠진다.** 이 세 가지 증상은 가장 두드러지는 특징이 되고 그들의 마음 상태를 **완전하게** 묘사하는 것으로 보인다.

루스는 지난주부터 영적 실망을 겪고 있다. 지난 며칠 동안은 그녀의 실망이 더 깊어지는 것을 알게 되었다. 수년 동안 그녀는 성경 공부에 참여해 왔고 이 모임에서 개인 기도를 잘할 수 있는 풍부한 영양분과 하느님을 향한 그녀의 사랑을 같이 공유하는 다른 사람들과 일치되는 느낌을 강하게 받아 왔다. 루스는 계속해서 이 모임을 기대하고 있고 기꺼이 참여하고자 한다. 그런데 지난주에 그녀는 성경 공부에 대해 그 어떤 에너지도 느끼지 못하고 다른 이들과 생각을 나누고자 하는 의욕도 느끼지 못한다. 이 영적 실망의 시기에 그녀는 성경 공부에 억지로 참여했다. 이냐시오식으로 말하자면 루스는 자신을 하느님께 더 가까이 데려다주는 활동에 대하여 완전히 **게을러졌다.** 그 모임에 참석할 **영적 에너지가 전혀 없음을** 느끼고 있다.

루스는 마음의 이끌림이 부족한데도 성경 공부에 출석은 한다. 하지만 이 모임은 그녀에게 아무런 맛도 주지 않는 밋밋한 모임이 된다. 지난 시간과는 달리 성경은 그녀에게 아무런 감흥도 주지 않는다. 그녀는 공동 기도에 참여하고 이야기를 나누지만 정감적으로 전혀 동참하지 않는다. 그녀는 그 모임이 "기대하는 바를 완수하려고" 최선을 다하지만 마음이 이미 떠나 있고 적극적이지 않다. 다시 이냐시오의 가르침에 비추어 볼 때 루스는 그녀가 영성 생활에서 습관처럼 자연스럽게 하던 일에 완전히 **열의를 잃었다.** 그녀는 성경 공부에 꼬박꼬박 출석은 하지만 그 **어떠한 열정도** 느끼지 못한다.

힘든 실망의 나날이 계속되면서, 루스는 점점 더 슬픔을 느낀다. 이제 그녀의 신앙생활에는 "천상의 것으로 부르고 영혼의 구원으로 이끄는 모든 내적인 기쁨"이 거의 없다. 종종 하느님은 멀리 계신 듯 보이고, 이전에는 루스에게 행복을 안겨 주는 가장 큰 이유였던 영성 생활이 이제는 무거움을 안겨 주는 이유가 되었다. 그녀는 영적으로 퇴보하고 있고 앞으로 더 나빠질지도 모른다는 생각에 두려워한다. 영적 실망의 시간을 보내면서 루스는 신앙생활 중에 **슬픔**을 느끼게 되었다. 이런 슬픔이 영적 실망의 체험 중 하나라고 이냐시오는 우리에게 말하고 있다.

하느님을 찾는 사람들은 영적 여정 속에서 이런 체험이나 이와 비슷한 체험을 정신 차려 알아보기도 한다. **게으름, 열의 없음, 슬픔,** 이 세 가지 증상 그 어느 것도 하느님에 대한 루스의 사랑이 약해졌음을 나타내지 않는다는 점을 아는 것이 중요하다. 이런 증상이 나타난다고 해서 루스가 열심한 신앙인이길 그만두었다는 의미가 전혀 아니다. 다만 이 세 가지 증상은 영적 실망 상태에서 일어나는 시련의 체험일 뿐이다. 만약 루스가 이것을 감지하고 파악한다면 그녀는 게으름 냉담 슬픔의 느낌이 지나가고 평화가 돌아올 때까지 이런 증상을 배척하는 것이 훨씬 더 쉬워질 거란 점을 알게 될 것이다. 만약 그녀가 이것을 영적으로 감지하고 파악하지 않으면 이 세 가지 증상이 가져다주는 해로움은 너무나 자명하다.

"마치 스스로가 창조주 주님으로부터 멀리 떨어져 있는 것처럼 생각"

슬픔과 연결된 느낌은 하느님에게서 멀리 있다는 느낌이다. 제인 수녀의 마음속에 의심이 생겨날 때 이 의심은 정확하게 이 느낌을 중심으로 돌아간다. 즉 "그녀는 피정을 시작하면서 느꼈던 **하느님의 현존**에 대해서도 의심하기 시작한다." 이런 의심이 지금 현재뿐만 아니라 과거의 체험에도 영향을 끼치다니 놀라운 일이다. 제인 수녀가 그렇게 기쁘게 그분의 현존을 확실하게 느꼈던 처음 며칠 기도 체험에서조차도 하느님께서 사실은 현존하지 않으셨다는 생각에 그녀는 두려워한다. 같은 방식으로, 앨리스는 영적 실망 중에 **"하느님께 버림받았다"**고 느끼고 **"하느님께서 더는 가까이 계시지 않다**고 느낀다." 이처럼 영적 실망 안에 있는 사람들은 그들의 창조주이시며 주님이신 분에게서 **떨어져 있다**고 느끼는 경향이 있다. 하느님께서 가까이 계심을 행복하게 의식했지만 이런 의식도 이제 사라져 버렸고 하느님은 멀리 계신 듯 보인다. 이제 그들은 그들 가까이 계시는 주님의 현존도 느낄 수 없다.

이냐시오는 떨어져 있다는 이 느낌을 "마치 ~처럼"이라는 구문으로 특징지어 말한다. 영적 실망 중에 있는 사람들이 하느님에게서 떨어져 있다고 **느낀다**. 그러나 **실제로는** "임마누엘," "우리와 함께하시는 하느님"이신 분으로부터 이들이 한순간도 떨어진 적이 없다. 이냐시오의 문장은 영적 실망의 근본적인 특징을 강조하고 있다. 영적 실망이 계속되는 동안에는 누구나 사랑하시는 하느님의 현존에 대한 느낌과 그 현존을 의식하는 것이 약해지거나 없어지게 되며 **마치** 그들이 하느님에게서 떨어져 나간 것**처럼** 느낀다.

이냐시오가 사용하는 "마치 ~처럼" 구문은 일반적으로 영적 실망에 관한 아주 중요한 정보를 상기시킨다. 그런 실망이 **무거운 실망의 느낌**과 그 사람의 **실제 영적 상태가 동일하다**는 암시를 준다는 것이다. 그래서 영적 실망 중에는 다음과 같은 의심이 뭉게뭉게 생겨날 것이다. 너는 지금 "현세적이고 비속한 것"으로, 여러 가지 형태의 방탕한 삶으로 나아가는 움직임을 느끼고 있다. **너라는 사람은 바로 그런 사람이야.** 너무 약해서 하느님에게서 너를 멀리 떼어 놓는 것들을 극복하지 못하는 사람이야. 너는 지금 여러 가지 불안과 유혹 때문에 괴로워하고 있지. **이게 너야.** 영적 평화도 없고 유혹을 넘어설 수도 없는 사람이야. 너는 오늘 너의 기도가 많은 열매를 맺으리라는 희망을 전혀 느끼지 못하고 있잖아. **영적으로 네가 그런 사람이야.** 기도를 좋아하지 않는 사람 말이야. 너는 슬픔을 느끼고 마치 주님에게서 떨어져 있는 것처럼 느끼지. 이것 역시 **실제의 너야.** 하느님에게서 멀리 떨어져 있는 사람이지.

영적 실망의 거짓말에는 사람이 영적 실망 상태에서 **느끼는** 것과 그 사람이 영적으로 **존재하는** 상태가 같다는 거짓 동일시가 들어 있다. 우리가 이런 속임수를 받아들이면 머지않아 하느님을 향해 나아가는 길 위에서 좌절하고 퇴보하게 된다. 그러나 이런 느낌들이 다만 영적 실망 중에 겪는 한 시련일 뿐이며 하느님의 부르심은 언제나 변함없으시고 이 시련을 통해 우리가 **성장**한다고 이해한다면, 우리 마음은 활기가 살아나서 이런 시련에서 해방된다. 거짓말의 굴레는 깨어지고 우리는 해방되어 용기를 가지고 주님을 따르게 된다.

이런 것들이 이냐시오가 규칙 4에서 설명하는 영적 실망의 체험들이다. 이런 형태의 영적 실망을 하나 체험할 수도 있고 여러 개 복합적으로 체험할 수도 있다. 지금까지 설명한 모든 형태의 영적 실망은 공통적으로 우리의 **신**

앙생활과 관련해서 **무거운 정감**heavy affectivity을 특징으로 갖는다. 영적 위로와 마찬가지로 영적 실망도 **지속되는 시간**과 **강도**가 다양하다. 마음에 일어나는 동요는 한 사람의 기도를 아주 잠깐 건드리기도 하고, 기도하는 모든 시간이나, 아침, 하루, 어떨 때는 여러 날 영향을 끼치기도 한다. 실망은 조용히 낙심하게 만들기도 하고, 강하긴 해도 참을 수 있을 정도만큼만 낙심하게 만들기도 하며, 어떨 때는 참을 수 없을 정도로 눈앞이 깜깜해지기도 한다. 영적 실망 중에 있는 사람이 하느님의 은총에 의지하여 감지하고 이해해서 이 실망을 배척하려고 얼마나 노력하는지가 중요하다. 다시 말하면, **식별**하는 사람인지 아닌지가 중요하다.

이미 앞에서 봤던 테레사 레하넬 수녀에게 보낸 편지에서 이냐시오는 먼저 영적 위로를 이야기하고 이어서 영적 실망을 논한다. 그는 아래와 같이 이야기를 시작한다.

나는 당신이 주님께서 우리에게 주시는 가르침과 단순히 허락하시는 가르침 두 가지가 있다는 것에 잠시 주목하기를 바랍니다. 그들 중 하나는 주님께서 주시는 것이고, 다른 하나는 주님께서 허락하시는 것입니다.[74]

여기서 두 가지를 주목할 필요가 있다. 이냐시오는 첫 번째 가르침, 즉

---

74 위의 책, 21-22. 다음과 같이 계속된다. "첫 번째는 모든 불편함을 떨쳐 버리는 내적 위로입니다. …… 그러나 이 위로가 없을 때 또 다른 가르침이 드러납니다. 우리의 오랜 원수는 모든 가능한 장애물을 놓아두고 …… 이 첫 번째 가르침에서 모든 것이 뒤바뀝니다."

영적 위로는 **하느님께서 주시는 것**이라고 확언한다. 두 번째 가르침, 즉 영적 실망은 하느님께서 **주시지는 않지만**, 또 다른 행위자인 악한 영이 주게끔 단순히 **허락하시는 것**이다. 하느님께서는 영적 위로를 주시지만 **절대** 영적 실망을 주시지는 않는다. 하지만 하느님께서 때로는 당신의 섭리를 풀어 가시기 위해 악한 영이 우리에게 영적 실망을 주게끔 놔두기도 하신다.

놀랍게도 이냐시오는 **가르침**이라는 단어를 영적 위로와 영적 실망 둘 다에 동일하게 사용한다. 영적 위로가 하느님에게서 온 "가르침"이란 점은 하느님께로 나아가는 길을 비추어 주는 것으로 볼 때 분명하다. 그런데 이냐시오는 영적 **실망**도 또한 "가르침"이라고, 다시 말해 영적으로 가치 있는 통찰력을 줄 수 있는 비결이라고 기술한다. 이것은 하느님께서 악한 영이 우리를 찾아와 이런 시련을 주도록 허락하시는 이유를 넌지시 알려 준다. 우리가 충실하게 영적 실망에 저항할 때 영적 여정에 아주 유용한 영적 교훈들을 우리가 "배우게" 된다고 이냐시오는 이해한다. 나중에 이어지는 다른 규칙에서, 특히 규칙 9에서, 이냐시오는 하느님이 영적 실망을 허락하시는 사랑의 이유들이 무엇인지에 대해 좀 더 우리에게 가르쳐 줄 것이다.

위로와 실망에서 "나오는 생각"

규칙 4의 첫 번째 부분에서 여러 가지 형태의 영적 실망을 나열했다면, 이제 이냐시오는 결론을 맺는 문장에서 새로우면서도 연관된 주제를 살펴본다. 바로 영적 위로와 영적 실망 둘 다에서 나오는 **생각들**이다. 스테판 비신스키 추기경의 영적 여정에서 가진 체험 이야기가 규칙 4의 마지막 부분에 포함된 가르침을 이해하는 데 도움이 될 것이다.

문제의 사건을 간단히 말하자면 1953년 비신스키 추기경이 이끌던 가톨릭 교회와 폴란드 정부 사이에 긴장감이 높았던 시기에 일어난 일이다. 밤에 정부 관계자들이 비신스키 추기경을 사제관에서 끌고 나와 버려진 프란치스코 수도원으로 데려가서 방에 홀로 남겨 두었다. 당연히 그의 마음은 걱정스러운 의문으로 가득 찼다. '무슨 일이 일어날까?' '사랑하는 교회에는 무슨 일이 일어날까?' 그는 아래와 같이 묘사한다.

> 나는 방 주위를 둘러보았고, 그 방에는 카푸친 작은형제회 신부님 한 분이 최근에 살았던 흔적이 보였다. 나는 혼자였다. 침대 위 벽에는 그림이 걸려 있었는데 이런 글이 적혀 있었다. "리발트의 모후여, 괴로워하는 이들을 위로하소서." 이것은 이 방에서 처음으로 본 우호적 표시였고 나에게 커다란 기쁨을 안겨 주었다. 드디어, 나를 종종 위협하던 일이 일어났다. 나에게도 "그 이름으로 말미암아 모욕을 당할 수 있는"(사도 5,41) 일이 생겨난 것이다. 이전에 나는 신학교 동료들이 모두 받았던 이 영예에 동참하지 못할까 봐 두려웠다.[75]

---

75 Barbara Krzywicki-Herburt and Walter Ziemba, trans., *A Freedom Within: The Prison Notes of Stefan Cardinal Wyszynski* (New York: Harcourt Brace Jovanovich, 1983), 8. 원문에서는 라틴어 성경 구절이 인용되었다.

수도원 방에서의 이 순간이 오기 전에 비신스키 추기경은 개인적으로나 교회 공동체로나 힘든 시기에 교회 지도자로서의 책임을 짊어지고 있어서 무거운 마음이었다. 그런데 그가 끌려와 그 방에 들어가자 그는 혼자 남겨졌음을 의식했다. 그러자 세 가지 요소에 따라 분명하게 표현된 은총의 순간이 짧은 간격을 두고 연속으로 이어졌다. 우리는 이 세 가지 요소 각각을 이냐시오의 규칙 4 마지막 문장에 비추어 간단하게 살펴볼 것이다.

첫 번째 요소는 외적(外的) 요소이다. 즉, 성경에 나오는 인물을 떠올리게 한 그림과 거기에 적혀 있는 기도문이다. 두 번째 요소는 내적(內的) 요소이다. 비신스키 추기경이 그림을 보고 기도를 바치자 정감적 변화가 추기경의 마음에 생겨났다. 외로움의 느낌은 점점 약해졌고 무언가 "우호적 표시"가 그의 마음을 따뜻하게 해 주었다. 그의 걱정도 역시 사라졌고 그는 "커다란 기쁨"을 체험했다. 분명히 이것은 하느님의 현존에 대한 감지였고 신앙에 바탕을 둔 커다란 기쁨이었으며 신앙의 표현이었다. 즉, **영적 위로**였다. 마지막으로 세 번째 요소로서, 영적 위로의 기쁨으로부터 새로운 일련의 **생각들**이 생겨났다. 자신이 당한 사건이 이제 성경에 비추어 이해가 되었다. 다시 말해 그는 예수님의 이름으로 말미암아 당하는 모욕을 기꺼이 받은 첫 번째 사도들의 체험에 동참했다. 이전에는 걱정의 원천이었던 것이, 믿음이 강해진 이 순간에는 신학교 동료들의 영예에 동참하지 못할까 봐 염려했던 그 "영예"로까지 보였다. 하느님 현존의 느낌, 큰 기쁨, 자신의 상황에 대해 성경에 기반을 둔 이해, 그의 동료들과 운명을 나누면서 본 영예로운 느낌, 이 모든 것이 그의 마음을 완전히 변화시켰고 이 어려운 순간에도 용기와 믿음을 가지고 살아갈 힘을 주었다.

세 가지 요소가 이제 드러난다. **선한 영의 도구**로 작용하는 외적 현실, **영적 위로**와 그에 따른 행복한 정감, **영적 위로로부터 생겨나서** 힘을 주는 일련의 **생각들**이다. 규칙 4 마지막 문장에서 이냐시오는 이 요소 중 세 번째, 우리 마음의 영적 움직임으로부터 **생겨나는 생각들**을 강조한다. "위로가 실망에 반대되는 것과 같이 위로에서 나오는 **생각들**도 실망에서 나오는 **생각들**과 반대가 된다"라고 이냐시오는 적는다. 여기서도 우리는 영의 식별에 대해 이냐시오가 주는 가르침에서 아주 중요한 요소를 만나게 된다.

그가 선택한 단어 "위로"와 "실망", 그리고 이에 관해 이냐시오가 규칙 3과 4에서 제시하고 있는 예들에서 명백하게 알 수 있듯이 영적 위로와 영적 실망 둘 다 각각 희망을 주거나 낙담을 시키는 **정감적**affective 체험들이다. 이제까지 이 둘에 관해 이냐시오가 논할 적에는 마음에 관한 언어가 우위를 차지했다.

그러나 이제부터 이냐시오는 영적 위로와 영적 실망의 정감적 체험이 이 두 가지 영적 움직임에서 "나오는 생각들"이라는 개념적 내용conceptual content과 연결되어 있다고 설명한다. 영적 위로와 영적 실망에는 정감뿐만 아니라 더 많은 것이 관여한다. 정감적 움직임은 **생각들**을 일으킨다. 이 생각들은 정감적 움직임에 부수적으로 따르는 것일 뿐 아니라 정감적 움직임 그 자체**에서 나오는** 생각들이다.[76] 정감적 움직임과 그 결과로 나오는 생각 사이의 연결을 확인할 수 있다. 즉 생각은 정감적 움직임**에서 나온다**. 그렇기에 비신

---

76 Gil, *Discernimiento*, 151-152.

스키 추기경이 홀로 방에 서 있을 때, 기쁨 가득한 영적 위로의 체험으로부터 새롭고 믿음에 바탕을 둔 많은 생각이 그의 마음 안에서 생겨났다.

열심한 신앙인들은 매일의 영성 생활에서 정감으로부터 생각이 생겨나는 이와 같은 방식을 체험할 것이다. 한 여성이 일을 끝내고 집으로 운전해 오면서 깊은 영적 위로를 느낀다. 그리고 그녀를 위한 하느님의 크신 사랑을 마음 가득히 감지하게 된다. 이 위로의 기쁨 속에서 그녀는 매일 가족과의 관계에서 하느님의 사랑에 응답하는 새로운 길을 생각하게 된다. 영적 위로를 받는 **정감적** 체험으로부터 새롭고 은혜로운 **생각들**이 생겨난다. 분명히 이런 생각은 단지 영적 위로와 동시에 생기는 것이 아니라 영적 위로**에서 나오며** 위로의 체험 그 자체로부터 직접 생겨난다.

한 남자가 기도하려고 애썼으나 낙심하고 하느님에게서 멀리 있다는 느낌이 든다. 낙심해서 그는 매일 하는 기도를 미루거나 포기하고 싶은 생각을 갖게 된다. 영적 실망의 **정감적** 체험으로부터 새롭고 해로운 **생각들**이 생겨난다. 다시 말해 이런 생각은 단순히 영적 실망과 동시에 일어나는 것이 아니라 오히려 이런 생각의 직접적인 원천인 영적 실망**에서 나온다.** 아주 많고 다양한 생각이 매일 우리의 의식을 스쳐 지나간다. 영의 식별은 이런 생각 중에 구체적으로 영적 위로와 영적 실망**에서 나오는** 생각을 대상으로 삼는다.[77]

생각에 대해서도 이냐시오는 반대의 원리가 유효하다고 단언한다. 만약

---

77 규칙 6은 영적 실망에 저항하는 수단으로 삼고자 이 영적 실망을 자세히 **성찰**하라고 우리를 초대하면서 영의 식별이 영적 실망**에서 나오는** 생각뿐만 아니라 영적 실망의 **원인**이 되는 생각과도 관련이 있다는 점을 지적한다. 이런 생각들의 차이를 확인하고 나서야 우리는 이것들을 더 잘 배척할 수 있게 된다.

영적 위로와 영적 실망이라는 정감적 체험이 정반대라면 이로부터 나오는 생각도 똑같이 반대라는 것은 당연하다. "위로가 실망에 반대되는 것과 **같은 방식으로** 위로에서 나오는 생각들도 실망에서 나오는 생각들과 **반대가 된다.**"

앞에 든 사례에 적용해 보면 이 점이 분명해질 것이다. 그 여성은 영적 위로가 안겨 주는 따뜻함 속에서 집으로 운전해 오며 가족에게 사랑을 보여 줄 새로운 방법들을 **생각한다.** 하지만 며칠 뒤 그녀는 낙심하고 하느님에게서 멀리 떨어져 있다는 느낌이 든다. 이제 영적 실망 속에서, 그녀는 진실로 가족 관계에서 사랑 안에 성장할 수 있다고 믿기가 힘들어지고 새롭게 시도한 사랑의 방식을 그냥 포기할까 생각하기 시작한다. 영적 실망으로부터 나오는 생각은 먼저 체험한 영적 위로에서 나온 생각과 **정반대**이다.

낙심한 그 남자는 매일 실천하던 기도를 미루거나 포기하려 한다. 나중에 그의 기도가 변화되어 그를 위한 하느님의 크신 사랑의 깊은 깨달음으로 기도가 채워진다. 이 영적 위로의 시간을 보내면서 그는 이 축복받은 기도 시간을 매일 충실히 지켜 나가는 방법을 생각한다. 영적 위로로부터 오는 생각은 이전에 가졌던 영적 실망으로부터 오는 생각과 **정반대**이다.

규칙 4에서 함축적으로만 담긴 내용이 규칙 5에서 좀 더 분명해진다. 즉, 영적 위로로부터 일어나는 생각은 받아들여야 하고 영적 실망으로부터 나오는 생각은 배척해야 한다. 이냐시오는 앞으로 이어질 규칙에서 이 목표를 이루는 데 도움이 되는 효과적인 수단을 우리에게 제공해 줄 것이다.

규칙 4에서 이냐시오는 그가 영적 실망이라고 부르는 일련의 힘든 체험을 보여 준다. 물론 이 체험 자체는 무겁고 슬픈 체험이다. 하지만 이 체험을 분명하게 나열함으로써 이냐시오는 매우 가치 있는 도움을 주었다. 언급한 것처럼, 영적 실망이 가진 본성을 감지하지 않고 파악하지 않을 때 우리는 영적 실망이 가져오는 해로운 속임수에 가장 취약해진다. 일단 우리가 실용적이고 유용한 용어들로 영적 실망의 본질을 명확하게 파악하기만 하면 우리는 그것의 압제로부터 자유로워지는 길로 들어선 것이다. 이것이 이냐시오가 규칙 4를 통해 우리에게 주는 도움이다. 이냐시오가 알려 주는 영의 식별은 희망으로 향하는 문을 열어 준다. 이 영의 식별은 잡혀간 이들에게 해방을 선포한다(루카 4,18).

5장

영적 실망: 충실해야 하는 시간 (규칙 5)

싱그러운 아침이 지친 한낮에 자리를 내어 주고,

다리 근육이 지쳐 떨리며 오르막길이 끝없이 펼쳐진 것 같이 보이고,

고요해지길 바라는 그대의 바람과 달리 갑자기 모든 것이 어지러워질 때,

그때가 바로 주저해서는 안 되는 시간이다.

- 다그 함마르셸드

행동을 위한 지침들

규칙들의 제목과 처음에 나오는 네 개의 규칙은 본질적으로 **교육적**이다. 지금까지 이냐시오의 목적은 영의 식별을 해야 하는 상황에 우리가 익숙해지도록 하는 것이었다. 제목에서 알 수 있듯이 이냐시오는 그런 식별을 하게 해 주는 기본 틀을 제시한다. 즉, 감지하고 파악해서 행동하는 것이다. 첫 두 개의 규칙은 하느님에게서 멀어지거나(규칙 1) 하느님께로 다가가는(규칙 2) 영성 생활의 기본 방향과 관련하여 두 영이 어떻게 작용하는지를 보여 준다. 세 번째와 네 번째 규칙에서 이냐시오는 우리가 식별해야 할 두 가지 내적 움직임을 기술한다. 영적 위로(규칙 3)와 영적 실망(규칙 4)이다. 우리는 이제 우리가

의식한 움직임들을 "감지"하고 "파악"할 수 있는 기본 준비를 갖췄다. 우리는 "안에" 머묾과 영적 감지의 의미를 안다. 그리고 우리는 어떤 내적 움직임들이 영적 위로이고 또 어떤 것이 영적 실망인지를 파악하기 위한 시작 정도는 할 수 있다.

이냐시오는 아직 식별과 관련해서 우리에게 가르쳐 주는 일을 마무리하지 않았다. 그런 가르침들은 뒤따라 나오는 규칙들에 더 있다. 그러나 규칙 5부터 방식이 바뀌어 이후 규칙들에서 **규범적** 성격이 강해지고 행동을 취하기 위한 지침들을 준다.[78] 우리가 영적 위로와 영적 실망을 알아채고 파악하는 능력이 점점 더 향상될수록 식별의 세 번째 단계가 더욱 끈질기게 나타난다. 더 깊이 감지하고 파악하게 되면 자연히 그다음 방향인 영적 **행동**을 효과적으로 취하기 위한 조언을 받고 싶어 하는 것이다. 그 결과로 우리는 영적 위로 중에 선한 영의 활동을 받아들이는 법과 영적 실망 중에 악한 영의 활동을 효과적으로 배척하는 법에 대한 이냐시오의 가르침을 더욱 기대하게 된다.

이냐시오는 이 마지막 부분에 특히 집중하여 남아 있는 나머지 규칙을 쓰는데 이는 영적 실망의 시기에 마음을 어지럽히는 원수의 행동을 어떻게 효과적으로 배척하는가에 몰두한다는 것이다. 우리가 선한 영의 행동과 악한 영의 행동을 비교하면 선한 영이 가장 중요한 영적 현실임을 분명히 알 수 있다. 개인의 구원 역사와 공동체의 구원 역사에서 보면 하느님께서 은총을 베푸시는 행위가 우리에게는 본질적인 현실이다. 그러므로 영의 식별에서 가

---

78 여기에서 그리고 이 책 전반에 걸쳐, 나는 "교육적instructive"이란 단어와 "규범적normative"이라는 단어를 적용할 때 Gil, *Discernimiento*, 19를 따른다.

장 기본적인 문제는 영적 위로의 시기에 하느님께서 하시는 일을 받아들이는 것이고, 하느님께서 바라시는 대로 하느님께서 하시는 일에 힘입어 더 굳건해지는 것이며, 이런 하느님의 사랑에 더욱더 온전히 응답하는 것이다. 이냐시오는 이 목표를 이루는 길을 안내할 것이다.

그렇더라도 이냐시오는 대단히 실용적인 목적을 염두에 두고 이런 규칙을 적었기 때문에 규칙 대부분이 우리가 영적 실망의 유혹을 피하는 데 도움을 주고 있다. 영적 실망의 기를 꺾는 술책을 극복하기 위한 도움이, 영적 위로 중에 하느님께서 하시는 일을 받아들이는 데 필요한 도움보다 더 크다는 것이 이 규칙이 예상하는 영적 상황이다. 영적 위로 중의 도움은 언제나 환영받을 일이며 용기를 북돋아 주기에 우리는 기쁜 마음으로 이를 받아들인다. 사실 영적 위로와 관련하여 몇몇 유의점이 있지만 영적 실망과 관련된 걱정거리가 훨씬 더 크다.[79] 우리가 영적 실망 상태를 감지하지 못하고 파악하지 못하고 구체적으로 배척하는 법을 알지 못한다면, 영적 실망이 파 놓은 함정과 우리를 약화시키는 그 힘 안에서 더 큰 어려움에 놓이게 될 것이다.

앞에 언급했던 앨리스, 제인 수녀, 존의 사례에서 보듯이 영적 실망 중에 영혼이 다칠 잠재적 위험은 분명하다. 이것은 영적으로 진보해 나가는 열심한 신앙인들에게 가장 큰 장애물이다. 다시 말해 영적 실망이 교묘하게 불어넣는 낙담과 좌절로 점점 약해지는 것이다. 이 방해물에서 벗어나 더 큰

---

79 우리는 여기에서 이 책의 주제인 14개의 규칙(『영신수련』, 313-327번)에 대해 말하고 있다. 영의 식별 규칙의 둘째 세트(영신수련 328-336번)는 영적 위로 그리고 이와 연관된 함정이 주된 관심사이다.

자유에 도달하는 데 도움을 제공하는 것이 영성 전통이 우리에게 주는 가장 큰 선물 중 하나이다. 그리고 이런 자유가 성장할 때 우리는 영적 실망의 방해를 덜 받게 된다. 그뿐만 아니라 영적 실망은 이를 극복하는 체험을 통하여 하느님께로 나아가는 우리의 발걸음을 더욱 굳건하게 할 수 있는 "교훈 lesson"으로 점차 변화되어 간다. 영성 생활을 인간이 주도한다는 관점에서 볼 때 생기는 중요한 사안은, 영적 실망이 올 때 어떻게 우리가 대처해야 할 것인가이다. 그러므로 실용적인 목적에 맞춰진 규칙 세트에서는 이 목적에 유용한 지침들이 두드러질 것이다.

식별의 기본 틀에 대입하면 이제부터 세 번째 단계의 뒷부분에 초점이 놓인다는 뜻이다. 즉, 영적 실망의 시기에 원수가 하는 작업을 **어떻게 배척하는지가** 중요하다. 식별의 기본 틀을 환기하고 이 단계에서 이냐시오가 규칙 가운데 강조하는 요점에 주목함으로써 초점의 변화를 확인할 수 있겠다.

감지하라

파악하라

행동하라(받아들이기 또는 **배척하기**)

이제부터 이냐시오는 영적 실망의 때에 어떻게 원수의 속임수를 극복할 수 있는지에 관한 풍부한 실용적 조언을 우리에게 제시할 것이다.

다음 네 개의 규칙(규칙 5-8)은 **이미 영적 실망의 시기 중에 있을 때** 그런 실망을 몰아내는 방법을 논한다. 규칙들은 영적 실망의 시기에 **하지 말아야**

할 것(규칙 5)과, **반드시 해야** 하는 것(규칙 6, 7, 8)을 제시한다. 이번 장에서 우리는 이 규칙들 중 첫 번째(규칙 5)를 고찰할 것이다.

영적 실망의 시기에는 변경하지 마라

규칙 5. 실망에 빠졌을 때에는 결코 변경을 해서는 안 되며 그런 실망에 빠지기 전에 의도하였던 것들proposals이나 결정한 것, 또는 전에 위로 중에 있을 때 결정한 것에 변함없이 항구하여야 한다. 왜냐하면 위로 중에 주로 선한 영이 우리를 인도하고 권고하는 것과 같이 실망 중에는 악한 영이 똑같이 하는데, 악한 영의 권고를 따라서는 우리가 올바른 길을 택할 수 없기 때문이다.

이 규칙은 두 부분으로 구성되어 있다. 첫 번째는 지침을 제공하고 두 번째는 이 지침의 이유를 설명한다. 우리는 먼저 지침을 살펴보고 다음에 그 이유를 살펴볼 것이다.

이냐시오는 규칙이 적용되는 상황을 특정하면서 시작한다. 이 규칙은 "영적 실망의 시기에 있는" 사람들에게 주는 지침이다. 앞에서 언급했듯이 영적 실망의 체험은 지속 시간이 다양하다. 짧은 순간일 수도 있고, 한 시간일 수도 있고, 하루나 때에 따라서는 몇 주가 걸릴 수도 있다. 이 규칙은 바로 **지금** 그런 **영적 실망의 시기**에 있는 사람들에게 해당된다. 그렇기에 이 규칙은 피정을 시작한 여섯째 날에 영적 실망에 사로잡힌 제인 수녀나, 새로운 본당에서 성과 없는 활동을 일 년 동안 한 뒤 몇 주 전부터 영적 실망 중에 있는 앨리스에게 해당된다. 또한 스스로 "나는 지금 영적 실망에 빠져 있다"고 생각되는 사람이라면 누구나 해당되며, 규칙 4에 기술된 실망 중 어떤 형태라도 그런 영적 실망에 포함될 것이다.

이냐시오가 제시하는 지침은 단순하면서도 확고하다. 영적 실망의 시기에는 **결코 변경을 해서는 안 된다**는 것이다. 우리는 살아가면서 우리의 삶의 시기나 행동의 다양한 지점에서 많은 변화를 만든다. 그렇다면 여기서 이냐시오가 이야기하는 "변경"은 정확히 무엇인가? 영의 식별에서 늘 그렇듯이 이냐시오는 영성 생활을 그리고 그것과 관련된 바를 염두하고 있다. 따라서 우리가 신앙생활을 영위하고 하느님의 뜻을 추구하는 데 직접 관련이 있는 변경을 의미한다.

"영적 실망의 시기"가 있다면 또한 영적 실망 **이전** 시기가 있게 마련이다. 예를 들어 피정 넷째 날 전까지의 제인 수녀나 일 년 전의 앨리스는 아직 영적으로 실망한 시기에 들지 않았다. 지금 "영적 실망의 시기"에 있는 사람들도 그 시기가 시작되기 전에는 그들의 신앙생활에 관해 다양한 결정들을 해왔다고 이냐시오는 추정한다. 그런 것들은, 그가 말하듯이 "그런 실망 이전에 있었던 **계획proposal**과 **결정determination**"이거나 "**이전 위로 때 있었던 결정**이다." 사람들이 아직 영적으로 실망하는 시기에 접어들지 않았을 때 그리고 영적 위로의 시기에 선한 영의 영감을 받고 있을 때 영성 생활에서 어떤 실천을 하겠다고 결정했다. 영적 실망의 무거운 시기 이전에 있었던 평화와 빛의 시기에 이들은 규칙적 기도 안에서 성장하는 방법들을 계획했고, 피정을 하거나 성경 공부에 참여하고자 결심했으며, 하느님께서 주신 소명에 맞게 살아가는 새로운 방법을 찾았거나 이와 비슷한 영적 실천을 해 왔다. 이런 것들이 바로 영적 실망의 시기에 결코 변경해서는 안 되는 **계획과 결정**이다.

잠시 옆길로 들어와서 중요한 점을 하나 언급해야겠다. 규칙 5를 올바로 이해하고, 결코 변경해서는 안 된다는 이냐시오의 가르침을 잘못 적용하는 위험을 방지하려면, 여기에서 이냐시오가 **비영적** 실망의 시기가 아니라 **영적** 실망의 시기에 관해 이야기하고 있고 계획을 변경하지 말라는 것은 우리의 **영성** 생활에 국한된다는 점을 명심해야 한다. 어떤 남자가 지금껏 달려온 삶의 속도에 지쳤거나 어떤 여자가 해로운 관계에 얽혀서 우울하다면(비영적 실망의 예) 건강한 변화가 필요할지 모른다. 그것도 되도록 빨리 말이다. 그러나 이냐시오의 규칙 5가 이 사람들에게 그런 비영적으로 해로운 상황들을 그저 잘 견디어 내라고 조언하는 데 쓰여서는 안 된다. 그런 오용은 명백하게 해로운 결과들로 이어질 것이다. 이 의견은 올바른 영의 식별을 위해서 영적인 것과 비영적인 것의 분명한 차이를 늘 명심해야 한다는 사실을 한 번 더 가리켜 보여 준다.[80]

---

80 비영적 실망과 영적 실망 사이의 구분은 Katherine Dyckman, Mary Garvin, Elizabeth Liebert 가 *The Spiritual Exercises Reclaimed: Uncovering Liberating Possibilities for Women* (New York: Paulist Press, 2001), 260에서 규칙 5를 해석하는 데 제기한 어려움을 분명하게 한다. 나아가, 이냐시오의 규칙 5는 비영적 실망을 극복하는 데 필요한 건강한 변화를 금하려는 목적으로 언급되어서는 안 되지만 만약 비영적 실망(해로운 인간관계 때문에 느끼는 우울)이 **영적** 실망을 일으키는 발판도 된다면(그 사람이 하느님의 사랑으로부터 멀어져 있다고 느낀다) 그 해당자는 영적 실망에서부터 일어나는 생각(기도를 포기하거나, 계획했던 바와 달리 영적 지도자에게 이야기하지 않는다거나 등)이 제시하는 **영적** 변화를 만들어서는 안 된다.

이냐시오가 체험으로 아는 것인데, 이전 영적 평정과 위로의 시기에 한 결심, 즉 하느님께 나아가는 움직임을 강화하는 "계획과 결정"을 원수가 영적 실망의 시기에 약화시키려고 한다. 예를 들어 어떤 사람이 영적 위로의 시기에 매일 성경을 읽고 기도하는 시간을 가지겠다고 결심했다면, "실망에 빠졌을 때"에는 악한 영이 이 결심을 "변경하는" 방향으로 끌고 가려 한다. 즉, 매일 성경을 읽고 기도하겠다는 결심을 포기하게 만들려고 한다. 영적 실망의 시기에 악한 영이 선택하는 전술은 앞선 위로의 시기에 했던 결심을 뒤엎으라는 것이다. 이냐시오가 말하듯, 우리는 이런 함정에 절대 빠져서는 안 된다. 오히려 우리는 영적 실망의 시기를 빠져나갈 때까지 **확고하고 변함없이** 이런 계획과 결심을 고수해야 한다. 영적 실망이야말로 우리에게 **불변con-stancy**과 **충실fidelity**을 요구하는 시기이다.

아래 이야기는 이냐시오 영신수련을 한 사람이 쓴 글이다. 지금까지 논의한 규칙, 특히 지금 살펴보고 있는 규칙 5에 비추어 주의 깊게 살펴보자.[81] 이 이야기는 그 사람이 한 작은 결심들과 이 결심을 하는 데 식별이 어떻게 사용되고 있는지뿐만 아니라 기도 안에서 가지는 정감과 생각을 다루고 있다. 이 이야기는 우리가 내적 움직임을 파악하는 데 필요한 묵상 방식에 한 걸음 더 가까이 다가가게 해 줄 것이다. 이야기의 주인공인 여성은 먼저 이렇게 쓴다.

---

81 Toner, *Spirit of Light or Darkness*, 43-44에 인용되어 있다. 토너는 성별gender에 대한 언급은 하지 않고 있으며 이 이야기는 1인칭으로 적혀 있다. 우리 논의에서는 비인격적 특성을 피하고자 여성으로 선택했다.

기도의 첫 번째 부분을 하는 동안 나는 기도에 **전념할 수가 없었다.**

지금까지 배운 것을 실습하는 셈 치고, 이런 질문이 머리에 떠오를 수도 있다. 이것이 **영적** 움직임인가? 아니면 **비영적** 움직임인가? 영의 식별과 관련된 문제인가? 아닌가? 영적이든 비영적이든, 이것이 위로가 아닌 것은 분명하다. 그러면 영적 실망인가? 마음이 혼란스러운 것은 분명하고, 그것이 기도하는 동안 생기고 있다. 하지만 우리는 이것이 비영적인지, 육체적 심리적으로 혼란스러운 감정인지, 이 여성의 신앙생활을 약하게 하는 영적 실망인지 딱 부러지게 말하기에는 아는 바가 너무 적다. 이 시점에서 우리는 단지 기도 중에 어떤 혼란스러움이 일어나고 있다는 점에 유의하면서, 이것이 영적인지 아니면 비영적인지를 이해하는 데 도움을 주는 더 많은 정보를 찾도록 계속해서 주의 깊게 살펴야 한다.

그녀는 계속해서 적어 나간다.

나는 방에 앉아 있었지만 머릿속에서는 내가 성당에 있었어야 했지 않나 하는 **생각**이 계속 들었다. 이처럼 내가 어디에서 하느님의 현존을 가장 잘 찾을 수 있을지를 **머릿속에서** 논쟁하는 동안에 나는 **불안을 느꼈다.**

여기서 정감과 생각이 둘 다 분명히 드러난다. 이 여성은 "불안"을 **느낀다.** 기도 장소 변경을 제안하는 **생각**이 그녀의 불안감과 섞여서 반복적으로 올라온다. 분명히 그녀는 기도 시작 전에 방에서 기도를 하기로 결정했었다.

지금은 자신이 기도가 더 잘될 가능성이 큰 성당으로 장소 변경을 생각 중이라는 것을 알게 된다. 이 문제에 관한 논쟁이 그녀의 마음을 장악한다.

이 시점에서 그녀에게 어떤 제안을 할 수 있을까? 장소 문제에 생각이 팔려 있느라 그녀의 기도는 어느덧 사라진다. 그녀는 기도 장소를 바꾸는 데 대한 고민을 잘 해결할 수 있을까? 이런 분심을 끝내고 지금 있는 장소에서 기도를 계속하라는 조언을 받는 것이 더 좋을까? 아직 우리는 확실히 아는 것이 없다. 만약 그녀의 어지러운 감정이 영적 실망이라고 확인할 수 있다면 규칙 5가 분명한 답이 될 것이다. 즉, 그녀는 영적 실망 중에 있는 지금, 변화를 만들어서는 안 되고 이 영적 실망이 시작되기 **이전에** 했던 결심에 확고하고 변함없이 머물러야 한다. 되돌아가서 그녀의 체험을 좀 더 살펴볼 필요가 있다.

그녀는 이렇게 적고 있다.

나는 마침내 방에 머물기로 결정했다. 하지만 나는 여전히 **불안하다**. 그 다음에 나는 **어떻게** 기도해야 할지 고민하기 시작했다. 영신수련 중이었지만 아직 이냐시오식 묵상에 맞추어 기도하지 않았다. 다른 방식의 묵상 기도가 더 나을 거라는 **확신을 느꼈다**. 그러면서도 이냐시오의 방식을 배우고 싶었다. 그렇게 내 **생각들**이 계속되었다. 이런 내적 논쟁은 내 **불안감**을 바로 **악화시켰다**. 시종 나는 주님께 **어디에서 어떻게** 기도하기를 원하시는지 물었다. 하지만 내 **불안**과 **내적 논쟁**은 나를 **혼란**으로 이끌었다.

사실 이 여성은 그녀가 먼저 했던 결심, 방에 머물기로 선택하면서 첫 번째 분심을 해결한다. 첫 번째 분심을 해결했음에도 불구하고 불안감은 여전히 남아 있다. 즉시 두 번째 논쟁이 시작된다. 묵상에 관한 이냐시오의 가르침에 따라 기도를 해야 하는가? 아니면 다른 방식의 묵상을 취해야 하는가? 불안감이 계속되면서 그녀는 **어떻게** 기도할지에 대해 이전에 했던 결심을 바꾸고자 한다. 이번에는 이런 변화를 만들면 기도가 더 잘 될 거라는 "확실한" 느낌마저 든다.

이 여성에게 지금 우리는 어떤 조언을 할 수 있을까? 그녀가 계획했던 대로 이냐시오의 묵상 방식을 고수하라고 조언할 것인가? "확실한" 느낌마저 드는 방식으로 바꾸라고 조언할 것인가? 대답은 다시 한번 규칙 5에 따른 대답이어야 한다. 그녀가 영적 실망 중에 있다면 변화를 만들지 말아야 하고, 이전에 계획했던 대로 이냐시오의 묵상 방식을 고수하여 계속 기도해야 한다. 그녀가 체험하고 있는 움직임의 정체가 무엇인지 규명하기 위하여 계속 주의 깊게 살펴보자. 하긴, 지금까지 살펴보면서 뭔가 불안이 계속되고 변덕이 계속된다는 점이 미심쩍기는 하다.

기도 **장소**를 바꾸지 않겠다는 결심을 했지만 불안이 점점 커지면서 첫 번째 논쟁에 다시 불이 붙고 더불어 두 번째 논쟁이 추가된다. "시종 나는 주님께 **어디에서 어떻게** 기도하기를 원하시는지 물었다." 그리고 이 모든 것이 일어나는 동안 동요되는 느낌이 더욱 커진다. "이런 내적 논쟁은 내 **불안감을** 바로 **악화시켰다.** …… 내 **불안**과 **내적 논쟁**은 나를 **혼란**으로 이끌었다." 불안, 기도 장소와 기도 방법 변경에 관한 내적 논쟁, 커지는 불안감, 정했다가

철회한 결정, 이 모든 것이 그녀를 "혼란"으로 이끈다. 이 시점에서 그녀에게 어떤 제안을 할 수 있을까? 그녀는 이전 계획과 결정을 변경해야 할까? 아니면 고수해야 할까?

이제 통찰의 순간이 다가온다.

(식별에 관한 수업 덕분에) 갑자기 나는 무슨 일에 휘말리고 있는지 **알아차렸다**. 그다음, **그것에 대항해서 기도했다**. 갑자기 **내적 논쟁이 멈췄고** 나는 특정 성경 구절에 **강하게 이끌림을 느꼈다**. 기도 시간은 잘 지나갔다. 나는 **평화로웠으며** 주님께서 그 성경 구절의 의미를 드러내시고 그 의미가 내 삶에 적용되도록 허용할 수 있었다. 내 죄에 대해서 그 성경 구절이 주는 도전이 있었는데 주님의 **사랑 가득한 포용**과 **변화시키는 힘**에 대한 **강한 느낌** 덕분에 오히려 **평화로웠다**.

"갑자기 나는 무슨 일에 휘말리고 있는지 알아차렸다." 그녀는 식별의 첫째 단계에서 둘째 단계로 넘어갈 때 막 은총에 감화된 순간에 도달한다. 그녀는 내면의 움직임들을 아주 상세하게 기술할 정도로 매우 명확하게 **감지한다**. 그래서 "갑자기 **알아차렸다**." 이제 그녀는 이 내적 움직임의 소용돌이와 떠올랐던 생각들의 영적 의미를 **파악한다**. 정확하게 기술하고 있지는 않지만, 분명히 그녀는 멈추지 않는 내적 논쟁과 그 결과로 맞이한 혼란이 악한 영으로부터 오는 것임을 알아차리고 배척해야 할 유혹임을 깨닫는다. 그녀는 기도를 통하여 "그것에 대항하도록" **행동을 취한다**. 기도 안에서 하느님께 되돌아오는 그녀의 작업은 효과적이다. 이제 내적 논쟁은 멈추었고, 포근하고 힘을 북돋아 주는 영적 위로의 시간이 뒤따라온다. 이 여성의 기도를 변화시킨 것은 마음의 번잡함과 내적 논쟁이 증가할 때 제안을 따르는 변경이 아니라 영의 식별에 관하여 결실을 맺게 하는, 감지하기, 파악하기, 행동하기에 따른 훈련들이었다.[82]

"절대 하지 마라": 단호한 규범

"실망에 빠졌을 때는 **결코** 변경을 해서는 안 되며" 이 말은 단호한 말이고 예외 없이 따라야 할 규범이다. 영적 실망의 시기에는 이 시기 이전에 했던 영적 계획을 어떻게도 변경하지 말아야 한다. 때때로, 열심한 신앙인들도 기도, 하느님에 대한 봉사, 사도적 실천, 기타 영성 생활에 대해 이전에 했던 결심들을 바꿔야 할지 말아야 할지 혼란스러울 수 있다. 만약 그들이 지금 영적 실망의 시기에 있다는 점을 인지한다면 그들은 더는 고려할 것도 혼란스러울 것도 없다. 이런 시기에는 이전에 한 계획들을 **결코** 바꾸어서는 안 된다. 그들이 영적 실망 중에 있다는 것을 깨닫는 것만으로도 이미 충분하며

---

82 Toner, *Spirit of Light or Darkness*, 77에서 토너는 "이 체험은 영적 실망으로 보이지 않는다"라고 판단한다. 그 사람 스스로가 그렇게 보는지 아닌지는 이야기 속에서는 분명하지 않다. 다만 그녀가 쉴 수 없다는 느낌을 이해한 점은 분명하고 능동적으로 배척해야 할 움직임이라고 생각한다는 것도 분명하며 이 움직임을 배척하면서 영적 위로가 그녀의 기도 안으로 들어오는 것을 알게 된다.

영적 변화를 만들어야 하느냐에 대한 모든 의심도 다 해결된다. 그런 변화들을 결코 만들어서는 안 된다.

데이비드는 활기 넘치는 본당의 주임신부이다. 성당 사목위원들이 주말 피정을 이끌어 달라고 그에게 부탁한다. 데이비드 신부는 수 주 동안 이 요청을 어떻게 할지 생각하고 기도한다. 피정을 요청한 사람들에게 좋은 도움이 되리라는 점도 생각하면서 피정을 지도하기로 결심한다. 데이비드 신부는 이 결심을 통해 사목 활동에 대한 에너지를 얻고, 사람들에게 봉사하는 자신의 능력이 점점 자라나는 것 또한 조용한 기쁨 속에서 느낀다. 기도 속에서 자신의 피정 준비와 피정을 받고자 하는 이들과 같이 피정을 계획하는 과정이 영적으로 자신을 풍부하게 해 주는 것도 알게 된다. 그들과 함께 그는 점점 다가오는 단체 피정을 기대하고 있다.

주말 피정을 시작하기 사흘 전 데이비드 신부는 성당에서 어려운 문제를 해결해야 하는 상황을 맞는다. 피정을 하고자 하는 이들 중에 몇 명이 이 상황을 대하는 데이비드 신부의 방식에 불만을 품고 공개적으로 이야기를 한다. 낙심한 데이비드 신부는 사제로서 이런 문제들을 다루는 자신의 능력을 의심하게 된다.

그날 밤 마음이 무거운 상태에서 데이비드 신부는 하던 대로 개인 기도 시간을 가진다. 낙심하고 심란해져서 기도 속에 함께하시는 하느님을 느낄 수가 없게 된다. 사목자로서 강한 지도력을 발휘할 수 있을지에 대한 회의가 마음에 퍼져서 그를 괴롭힌다. 곧 다가올 피정에 생각이 미치자 데이비드 신부는 이 피정을 잘 이끌 수 있을지 의심하기 시작한다. 성당에서 흔히 일어나는 사목 문제를 다루는 데에도 부족함을 느끼는 때에 사목위원들을 대상으로 영적 지도자로서 역할을 수행하는 것이 과연 현명한 일인지 자신이 없다. 그는 피정이 실패로 돌아가고 사목위원들이 피정뿐만 아니라 자신에게도 실망하리라는 생각에 두려워지기 시작한다. 위험을 감수하지 않는 편이 좋겠다는 생각이 앞선다. 피정 온 사목위원들에게 실망을 줘서 현재 평신도 활동력을 약화할 위험을 감수하지 않는 편이 더 나을 수도 있다. 데이비드 신부는 계속 묵상하면서 피정을 적어도 몇 주 뒤로 연기하는 적당한 방법을 찾는 것이 가장 현명한 길이라는 생각이 점점 더 분명해진다. 지금 현재의 상태에서는 피정을 잘 지도할 수가 없고 많은 열매를 맺지 못하는 것이 확실한데 굳이 지금 피정을 할 이유가 없어 보인다.

데이비드 신부가 내린 결론에 대하여 어떤 말을 할 수 있을까? 그는 계획대로 피정을 지도해야 할까? 지금 자신에게 더 현명한 판단으로 보이는 피정 연기가 더 바람직할까? 우리는 그에게 어떤 조언을 할 수 있을까?

규칙 5는 이런 불확실한 상황들에 대한 길잡이이다. 두 개의 질문을 해야 하는데 첫 번째 질문은 데이비드 신부가 저녁에 기도할 때 영적 실망 안에 있는가 하는 질문이다. 그렇다는 것이 분명한 답이다. 기도 중에 그는 힘겨운 정감을 체험하면서 마음이 무겁고 낙심하고 "마치 스스로가 창조주 주님으로부터 멀리 떨어져 있는 것처럼" 느낀다. 그는 하느님의 부르심을 따라 사제로 살아가는 자신의 능력에 대해 "불신으로 기운다."

두 번째 질문은 영적 실망의 시기를 보내는 데이비드 신부가 이 시기에 앞서 세운 영적 계획에 변화를 주는 것을 고려하는지의 여부이다. 이 답 역시 분명하게 그렇다고 나온다. 피정을 지도하겠다는 결정은 여러 달 동안 확고히 키워 나간 것이었고 평화로운 기도 속에서 발의했으며 준비 기간 내내 계속해서 에너지와 영적 위로의 원천이 되어 왔다.

"실망에 빠졌을 때에는 **결코** 변경을 해서는 안 된다"라는 규칙 5는 정확히 이런 상황에서 분명한 답을 제시한다. 데이비드 신부는 피정을 연기하겠다는 생각을 완전히 버려야 하고 계획된 대로 피정을 지도해야 한다. 실망의 시기에 변화에 관한 생각이 아무리 강렬하다 하더라도, "결코 안 된다"는 단호한 말은 그에게 명확한 길을 제시한다. 우리가 말했던 것처럼 영적인 실망은 거짓의 시간이며, 거짓된 '지혜'를 결코 따라서는 안 된다. 오히려 반대로 그는 이런 실망의 시간이 시작되기 전에 취했던 결정에 굳건하고 항구하게 머물러야 한다.

종종 열심한 신앙인들이 자신의 신앙의 삶과 하느님의 뜻을 추구하는 삶과 관련하여 변화를 고려하곤 한다. 그들이 "내면으로" 눈을 돌려 영적 실망 중에 있는 자신을 깨닫는다면 그들은 의심이 커지는 상황에서 변화를 만들지 말아야 하고 오히려 영적 실망이 지속하는 한 이전에 했던 결정에 굳건하고 항구히 머물러야 한다는 것을 알게 된다. 이런 변화에 대한 가부 결정 문제는 앞에서 기도 장소에 대해 갈등했던 여성의 사례와 같이 일상적 문제에서부터 크게는 인생을 바꾸는 성소의 선택 문제까지 그 범위가 넓다. 영적 실망의 시기에 이런 문제들에 대해 변경해 버리면 피해를 볼 위험이 크다. 이냐시오가 그다음에 오는 규칙 6에서 언급하듯 영적 실망의 시기에는 이전의 영적 결정을 절대로 바꾸지 말아야 하고 대신에 **영적 실망 자체**를 바꾸려고 노력해야 한다. 평화와 영적 위로가 되돌아오면 그때는 변화에 대한 질문들이 다른 방식으로, 유익한 방식으로 표현될 것이다. 변화에 대한 질문 방식에 대해서는 이 장 후반부와 다음 장에서 살펴볼 것이다.

이냐시오가 겪은 영적 실망

이냐시오는 그의 『영적 일기』에서 영적 실망의 시기에 이미 했던 결정을 바꾸려고 한 체험을 이야기한다. 그가 쓴 것을 살펴보면 규칙 5를 더 확실히 이해할 것이다. 또한 이냐시오 성인도 평범한 우리와 같은 영적 투쟁을 체험했다는 사실을 엿볼 수 있다. 그는 우리와 같은 체험담을 공유한 우리 영적 여정의 동반자였다.

1544년 초, 이냐시오는 예수회가 받아들여야 할 복음적 가난의 방식을 결정하려고 진지하게 식별하고 있었다. 그는 40일이라는 시간을 따로 떼어 가난과 관련된 한 가지 화두를 쥐고 계속 하느님의 명확한 응답을 찾았다. 그 화두란, 본당 운영을 위해 당시 관행대로 예수회가 고정 수입을 받아야 할 것인지, 그러면 이 관행이 하느님께서 바라시는 완벽한 복음적 가난으로부터 예수회를 멀어지게 만들지는 않을지 등에 관해 식별하는 것이었다.[83] 그는 주님께서 빛을 비춰 주시길 바라면서 이 40일 동안 매일 미사를 드리기로 결심했다.

이 40일 기간 동안 이냐시오는 주님께서 예수회의 완전한 복음적 가난에

---

83 Simon Decloux, *The Spiritual Diary of St. Ignatius Loyola: Text and Commentary* (Rome: Centrum Ignatianum Spiritualitatis, 1990), 83-104를 참조하라.

예외를 두고 싶어 하지 않으신다는 점을 분명히 이해했다. 그는 자신이 찾았던 답을 얻었다. 40일의 마지막 날인 3월 12일에 그는 마지막 미사를 준비한다. 그가 도달한 결론을 확인시켜 주는 영적인 위로를 바라면서 이렇게 쓴다.

> 하루 일과 기도 중에 나는 **커다란 신심devotion을 느꼈다.**[84] 그리고 기도 중반부터는 그것이 내 안에 가득 차오르는 게 너무나 **분명**하고 **명확**했는데 말하자면 **따뜻했다.** 한번은 경당에서 계단을 큰 걸음으로 바쁘게 내려가는 몇 사람을 봤을 때 나는 미사할 준비가 안 되었다고 느껴져서 스스로를 준비시키기 위해 방으로 돌아왔다. **눈물을 흘려** 자신을 가다듬고 나서야 나는 다시 성당으로 되돌아갔다.[85]

이냐시오는 신심의 따뜻한 감각으로 가득 찬 개인 기도를 하며 미사를 준비한다. 하지만 집 안의 계단이 경당 가까이 있고 계단을 오르내리는 사람들이 내는 소리에 이냐시오는 분심이 들어 미사를 좀 더 잘 봉헌하려고 마음을 가다듬기 위해 자신의 방으로 돌아온다. 이 기도의 시간 역시 따뜻함과 눈물로 축복을 받은 은총의 시간이다. 이냐시오는 이제 미사를 거행할 준비가 됐다고

---

84 이냐시오가 말한 신심devoción은 '쉽사리 하느님을 발견할 수 있는 덕성'을 의미한다. 『자서전』 99번; 브라이언 오리어리, 『주님의 포도밭에 파견된 이들』, 윤성희 옮김 (서울: 도서출판 이냐시오 영성연구소, 2021), 28쪽 참조(편집자 주).

85 이냐시오의 스페인어 원문은 여러 부분에서 명확하지 않기 때문에, Santiago Thió de Pol, *La Intimidad del Peregrino: Diario Espiritual de San Ignacio de Loyola* (Bilbao: Mensajero-Sal Terrae, 1990), 169-171의 스페인 번역본에서 옮겼다. 번역할 때, 나는 앞선 각주에서 인용한 드 클루 영어 번역본(pp. 50-51)을 활용했다.

느끼고서 다시 경당으로 간다. 그는 계속해서 자신의 이야기를 이어 간다.

> 미사 중에 어떤 부분에서 나는 종종 **눈물을 일으키는 움직임들**과 함께
> 마음에 **커다란 신심을 느꼈다.** 미사의 다른 부분에서는 (40일간 하느님
> 의 뜻을 찾기 위한 여정을) 끝내기 위해 내가 무엇을 해야 할지를 여러 번
> **고심했다.** 왜냐하면 나는 내가 찾고자 하는 것을 찾지 못하고 있었기
> 때문이다…….

미사 중에 상황이 바뀌기 시작한다. 그를 움직여 눈물 나게 만드는 따뜻한
기도가 계속된다. 그럼에도 이냐시오는 이 마지막 미사에서 그가 바랐던 (식별
을) 확인시켜 주는 영적 위로를 경험하지 못했다. 그래서 그는 다시 고심하기 시
작한다. 그가 희망했던 위로의 부족으로 이냐시오는 청빈에 관한 하느님의 뜻을
찾기 위한 40일을 어떻게 끝내야 할지 모르게 되었다. 그는 계속 써 내려간다.

> 미사가 끝났을 때, 그리고 그 후에 내 방에 있을 때, 나는 **온전히 혼자**
> 이고 어떤 종류의 **도움도 없고** 내 중개자들[86] 중 어느 누구, 또는 삼위
> 하느님 중 어느 위격의 하느님과도 **즐거워할 힘이 없음**을 깨달았다. 그
> 분들과 대단히 **멀리,** 너무 **떨어져** 있었다. 마치 내가 그분들에 대해 아
> 무것도 전혀 느껴 본 적이 없는 것처럼, 또는 그분들에 대해 아무것도

---

86 영적 일기 앞부분에서 이냐시오는 이렇게 적는다. "나는 우리의 어머니께, 그리고 나서 아들 예
수님과 아버지께 그들의 성령을 보내 달라고 기도했다"(2월 11일). "나는 성모님과 아드님을 나의
중개자로 모셨다"(2월 13일). Decloux, *Spiritual Diary*, 22, 24; 『영신수련』, 63, 147, 232번 참조.

절대로 다시 느낄 수 없을 것처럼 말이다.

여기서 의심할 여지가 없는 영적 실망의 조짐이 많이 보인다. 자신의 방에 혼자 있으면서 이냐시오는 하느님에게서 멀리 떨어져 있다는 느낌을 받는다. 홀로 고립되었다고 느끼고, 그 어떤 영적 도움도 받지 못한다고 느낀다. 그 이전에 마음을 다한 열렬한 기도와 눈물은 완전히 사라져 버렸다. 이제 여기에 우리가 주의해야 할 영적 실망의 추가적 특징 두 개가 나타난다. **현재의** 영적 실망이 **영적인 과거와 미래**를 규정하려 한다는 점과 자신에게 향하는 **전반적 부정들**universal negatives이 영적 실망 안에 있다는 점이다.

놀랍게도 이냐시오가 현재 맞이한 영적 실망이 과거와 미래 둘 다에 어둠의 그림자를 드리운다. "마치 내가 그분들에 대해 아무것도 **전혀 느껴 본 적이 없는** 것처럼 또는 그분들에 대해 아무것도 **절대로 다시 느낄 수 없을 것처럼** 말이다." 현재 무겁게 내려앉은 영적 실망 속에서, 하느님의 사랑을 그렇게나 깊게 자주 체험해 왔던 이냐시오가 이제는 자기 과거를 다르게, 그것도 왜곡된 방식으로 본다. 지금은 지난 시간 동안 하느님에 대한 그 어떠한 것도 **느끼지 못했던** 것처럼 보이고 앞으로는 두 번 다시 하느님의 친밀한 현존을 느끼지 못할 것처럼 보인다. 영적 실망은 과거와 미래에 영향력을 발휘한다. 하느님이 없는 과거를 보여 주고 지속되는 실망에 끝없이 매여 있는 미래를 보여 준다. 영적 실망의 속임수가 갖는 이런 추가적 특징이 여기에서 분명하게 드러난다.

영적인 실망이 가지고 있는 전반적인 부정들도 언급할 가치가 있다. "나는 **아무것도 전혀** 느껴 본 적이 없고⋯ **아무것도 절대로 다시** 느낄 수 없을 것이다'라는 부분이다. 그 부정(否定)들이 시간과 영적 체험 양쪽에 적용된다. 그래서 이냐시오는 하느님께서 가까이 계신다는 감각을 **아주 조금이라도** 전에도 느낀 적 없고 앞으로도 절대 느끼지 못하리라고 생각한다. 테레사 레하델 수녀에게 보낸 편지에서 이냐시오는 영적 실망의 시기에 원수의 행동이 보여 주는 이 특징을 다음과 같이 설명한다.

> 만약 우리가 이런 해로운 생각에 무너져서 약해진 모습을 보이면 악한 영은 더 나아가 하느님께서 우리를 **완전히 잊어버리셨다**는 생각을 갖게끔 합니다. 그리고 우리가 현재 하느님에게서 **떨어져 있다**는 생각뿐만 아니라 우리가 과거에 해 왔던 **모든** 것과 미래에 행하길 바라는 **모든** 것을 **완전히** 가치 없는 것으로 생각하게끔 합니다.[87]

하느님을 사랑하고 섬기는 우리의 노력들에 관하여 과거와 미래를 끌어들이는 힘이 다시 한번 보인다. "우리가 **해 왔던 모든 것**과 우리가 **행하길** 바라는 **모든 것을 완전히 가치 없는 것으로**" 만든다. 그리고 전반적인 부정이 보이는데, "모든all", "완전히entirely"와 같이 **전체를 아우르는** 단어가 "가치 없는worthless"이라는 **부정적인** 단어와 결합되어 있다는 것을 알 수 있다. 이럴 때 영적 과거와 미래에 대한 영적 실망의 거짓 영향력, 그리고 어떤 형태이든지 간에 자기를 향하는 전반적인 부정을 경계하는 눈을 가져야 한다. 그런 눈은 실망이 제시하는 그 왜곡들을 인식하고 극복하는 데 우리를 크게 도울 것이다.

---

87 Young, *Letters of Saint Ignatius of Loyola*, 22.

이냐시오는 이어서 혼자 자기 방 안에 있으면서 심각한 영적 실망의 시기를 맞이한다. 이제 이 실망에서 다양한 생각들이 생겨나는데, 그는 다음과 같이 이야기한다.

> 오히려 어느 순간에는 **예수님을 거스르는 생각들**이 생겨났고 어떤 때는 **삼위일체의 다른 위격을 거스르는** 생각이 생겨났다. 이 집의 소음을 피하려고 다른 곳에 방을 빌려야 하는지, 단식해야 하는지, 미사를 처음부터 다시 바치기 시작해야 하는지, 제대를 좀 더 높은 층에 두어야 하는지 등 별의별 **생각들** 때문에 **혼란스러웠다.** 내 영혼이 위로와 평화 안에 있을 때 마치겠다는 욕망이 생겨난 이후부터 **그 어디에서도 평화를 찾을 수 없었다.**

이런 생각 중 일부는 이냐시오가 가장 사랑하는 삼위일체이신 하느님을 거스르는 방향으로 향하고, 이 경향이 이냐시오에게 얼마나 큰 괴로움을 안겨 주는지는 쉽게 상상할 수 있다. 다른 한편으로, 이 힘든 지경을 해결하려면 변화를 일으켜야 한다는 여러 생각도 무성했다. 영락없이 규칙 5의 대상이 되는 상황이다.

이냐시오는 "이 집의 소음을 피하려고 다른 곳에 방을 빌려야 하는지"에 대한 생각을 하게 된다. 이 "생각"은 공동체의 지도자가 자신의 내적 문제를 해결하기 위해 공동체를 버리라는 압력이다. 두 번째 생각은 "단식해야 하는지"인데, 이것도 또 다른 "변화"를 만드는 것이다.[88] 놀랍게도 "미사"에 대한 생각의 변화도 나타난다. 40일째 되는 날까지 이냐시오는 하느님의 뜻을 찾으면서 미사를 계속 바쳐 왔고 하느님의 뜻과 자신의 응답을 분명히 확인했었다. 그런데 지금은 이냐시오가 영적 실망에 빠지면서, 결론을 내고 과정을 마치려는 마당에 모든 과정이 실패로 돌아갔다고 생각하고 처음부터 다시 해야겠다는 생각이 드는 것이다. 미사와 제대 변경은 첫 번째 든 생각이 순화되어 나온 생각이다. 즉, 집의 소음을 피하려 다른 곳에 방을 빌려야 할지도 모른다는 생각이 순화되어 제대를 좀 더 높은 층에 두는 게 좋겠다는 생각이 나타난다. 이런 다양한 생각이 들끓으면서 이냐시오는 자신의 마음의 상태를 이렇게 요약하여 말한다. "그 어디에서도 평화를 찾을 수 없었다."

규칙 5에 비춰 볼 때 이냐시오는 무성한 생각이 재촉하는 대로 변화를 일으켜야 하는가? 무엇보다도, 그가 하느님의 뜻과 관련해서 이전에 가졌던 분명한 확신을 버리고 처음부터 다시 40번의 미사를 드려야 하는가? 규칙 5에 나오는 답은 분명하다. "실망에 빠졌을 때에는 **결코** 변경을 해서는 안 되며 그런 실망에 빠지기 전에 의도하였던 것들이나 결정한 것, 또는 전에 위로 중에 있을 때 결정한 것에 변함없이 항구하여야 한다."

사실 이냐시오는 그에게 닥친 영적 실망의 화근이 마지막 미사 동안 영적 위로를 확인하고 싶어 한 그의 큰 욕망이었음을 얼른 알아차렸다. 하느님

---

88 2월 18일에 적은 일기 앞부분에서 이냐시오는 이렇게 적는다. "후에, 식사를 연기할 생각을 가지고 일어나서 내가 찾고 있는 것이 무엇인지 알아낼 때까지 내가 부끄럽지 않을 대책을 마련하고자 했을 때 나는 눈물을 흘리며 포근함과 헌신의 마음을 새롭게 느꼈고 3일간 단식하고자 하는 생각으로 옷을 입었다."(Decloux, *Spiritual Diary*, 29).

께서 하시는 일을 자신의 조급한 욕망에 맞추어 "조종"하려던 마음을 버리면서 내면의 어둠이 점점 사라지고 위로가 다시 그의 마음을 채우는 것을 알게 된다. 그는 이전에 했던 결심들을 굳건히 지키면서 40일간의 여정을 평화 속에서 마무리한다.[89]

규범의 이유

규칙 5를 결론지으면서 이냐시오는 영적 실망의 시기에 변화와 관련해서 "결코 변경해서는 안 된다"고 단호히 말하는 이유를 설명한다.

왜냐하면 **위로** 중에 주로 **선한 영**이 우리를 인도하고 **권고**하는 것과 같이 **실망** 중에는 **악한 영**이 똑같이 하는데, 악한 영의 권고를 따라서는 우리가 올바른 길을 택할 수 없기 때문이다.

규칙 4에서 이냐시오는 영적 위로와 영적 실망의 정감적 체험에 따라오는 생각에 유의할 것을 강조했다. "위로가 실망에 반대되는 것과 같이 위로**에서 나오는 생각들**도 실망**에서 나오는 생각들**과 반대가 된다." 이 두 가지 영적 움

---

89 위의 책, 51. 이냐시오가 높은 수준에서 영적으로 감지하게 되었고, 그의 마음속에 커졌다가 작아졌다 하는 영적 위로와 영적 실망에 주의를 기울이며 그의 머릿속에서 하나씩 생겨나는 생각에도 주의를 기울이는 것으로 증명되는 이 높은 수준에 그가 도달했다는 점도 언급하고자 한다.

직임에서 다른 생각이 떠오르고, 이 두 움직임처럼 생각은 서로에게 반대되는 방향으로 나아간다. 규칙 5에서는 "**위로** 중에 주로 **선한 영**이 우리를 **인도하고 권고**하는 것과 같이 **실망** 중에는 **악한 영**이 똑같이 하는데, 악한 영의 **권고**를 따라서는 우리가 올바른 길을 택할 수 없기 때문이다"라고 덧붙여 설명한다.[90]

영적 위로의 시기에는 선한 영이 우리를 인도하고 권고한다. 그래서 이 시기는 하느님께서 하시는 일을 "받아들이는" 시기이며, 마음의 문을 열고 귀 기울이며 위로 그 자체에서 떠오르는 생각과 영감을 받아들이는 시기이다.[91] 이렇게 영적으로 새로운 걸음을 내딛는 시기에 이전에 세웠던 계획과 결심들을 다시 살펴보고 적당한 변화를 도모해야 한다.

그러나 영적 실망의 시기에는 악한 영이 활동하고 그 영의 **권고**를 따라서는 "우리가 올바른 길을 택할 수 없다." 물론 영적 실망의 시기에도 우리에게 속삭이는 목소리가 있다. 제인 수녀는 기도가 깊어지는 생활은 그녀에게 어울리는 것이 아니라고 생각하기 시작한다. 데이비드 신부는 피정을 연기하는 게 낫다고 결심한다. 이냐시오는 이미 이루어 냈던 하느님의 뜻을 찾는 여

---

90 이냐시오가 "주로more"라는 단어에서 (무엇보다 더 많은지에 대한) 비교 대상이 되는 부분을 구체화하지 않기 때문에 이 단어를 해석하기가 힘들다. 그리고 사실 다양하게 해석되기도 한다. Gil, *Discernimiento*, 171-173; Fiorito, *Discernimiento y Lucha*, 151-153을 보라. 몇몇 번역본에서는 비교 대상을 그냥 생략하기도 한다. (원문 그대로인 *Versio Prima*; Louis Puhl, trans., *The Spiritual Exercises of St. Ignatius*, 143; Toner, *Commentary*. 토너는 p. 25에서 규칙을 번역할 때 이 부분을 포함하지만, pp. 152-154에서 규칙 5를 논의할 때에는 생략한다) Gil, *Discernimiento*, 172에서 힐은 세 가지 가능성 있는 해석을 제안한다. "다른 때보다 더, 반대되는 영보다 더, 우리 자신의 '영'보다 더"이다.

91 제2주간을 위한 규칙(『영신수련』, 328-336번)에서 고려되는 영적 상황은 더 깊은 식별이 필요하다. 지금 우리가 다루는 첫째 세트의 규칙들과 이 규칙들이 서술하는 영적 상황을 볼 때 식별의 기준은 분명하다. 즉, 영적 위로 중에는 선한 영이 우리에게 조언하고, 영적 실망 중에는 악한 영이 우리에게 조언한다.

정을 다시 시작해야 하는지 고민하고 비슷한 해로운 제안들에 대해서도 고민한다. 영적 실망 속에서 일어나는 생각과 악한 영이 주는 "인도guidance"와 "권고counsel"를 받아들이고 따른다면, 우리는 영적으로 쇠약해질 것이다. 악한 영의 권고를 받아들이면 우리는 "올바른 길을 **택할 수 없다.**" 데이비드 신부와 다른 사례처럼 영적 실망의 시기에는 일그러진 거울을 바라보는 것과 같다. 그 거울에 비친 모든 모습은 왜곡되어 보이기 마련이다.

영적 실망의 시기에는 악한 영이 주는 권고들이 놀랍게도 확실한 조언처럼 보이기도 한다. 실망의 시기에 있는 데이비드 신부를 예로 들면, 피정을 연기해야 한다는 결심이 아주 "확실"하게 다가온다. 우리도 전에 계획한 기도를 계속해 봐야 어리석은 일이라거나, 이미 결심한 영적 활동을 변경하거나 아예 안 하는 편이 낫다고 "파악"할 때가 있다. 영적 실망의 시기에 이런 생각들이 올라온다면, 그것이 악한 영의 속임수임을 간파하고, 단호히 배척해야 할 것들임을 알아야 한다. 이 실망이 시작되기 전에 했던 결심에 "변함없이 항구"함이 이 시기 우리의 소명이다.

이냐시오가 이 하나의 규칙을 만든 이래로 수 세기에 걸쳐 수많은 열심한 신앙인들의 삶에 일으킨 좋은 결과는 아무리 높이 평가해도 과장이라고 할 수 없다. 바로 이 규칙이 혼란스러운 어둠 속에서 빛나는 단 하나의 빛이 되기도 할 것이며 영적 실망의 시기에 변함없는 믿음을 붙들어 주는 하느님의 목소리를 분명하게 드러내기도 할 것이다. 이 지침을 알고 또 실제로 적용하는 것은 영적 여정 중인 우리를 반복해서 복된 길로 이끌 것이다.

6장

영적 실망: 능동적으로 행동할 시간 (규칙 6)

소란스럽게 싸우는 것도 매우 용감한 일이지만,

내가 아는 더 용감한 싸움은

마음속에 있는 비통의 기병대에 맞서는 것이다.

- 에밀리 디킨슨

변경이 필요한 때

규칙 6은 간단히 규칙 5의 가르침을 반복하고 나서 그에 대응하는 새로운 지침을 덧붙인다.

규칙 6. 실망 중에는 처음에 세운 목적들을 바꾸지 말아야 하지만 실망에 거슬러서 힘껏 대응하는 것은 크게 도움이 되므로, 기도와 묵상에 더욱 노력하고 더 많이 성찰하고 적당한 형태의 고행을 더 늘리도록 한다.

규칙 5는 영적 실망의 시기에 변화를 **취하면 안 된다**고 했지만 규칙 6은 이 시기에 우리가 **취해야 할** 변화에 대해 알려 준다. 이 규칙은 영적 실망의 시기에는 처음에 세운 목적들, 즉 영적 실망이 시작되기 전에 했던 영적인 선택을 바꾸지 말아야 한다는 규칙을 다시 이야기한다. 그러나 이냐시오는 여기에서 더 나아가, 영적 실망의 시기는 과거에 했던 영적 결정에 충실해야 하는 시기일 뿐만 아니라 지금 현재 영적 주도성을 열정적으로 발휘해야 하는 시기라고 가르친다. 즉, 영적 실망의 시기는 "마음속에 있는 비통의 기병대에 맞서는" 시간이다.

영적 실망의 시기에 우리가 세운 영적인 계획들을 변경하지 말아야 한다는 앞선 규칙의 가르침은 우리가 그 실망이 끝나기를 반드시 수동적으로 기다려야 한다는 것을 의미하지는 않는다. 즉, 하는 수 없이 실망 그 자체를 견디는 동안에 우리가 할 수 있는 최선은 해로운 변화에 저항하는 것뿐만이 아니라는 뜻이다. 실망에 빠진 시기에는 취해야 할 변화가 분명 있다. 이 변화는 영적으로 "크게 도움이 될" 될 것이다. 그러나 이는 우리 계획들을 바꾸는 게 아니다. 바로 **우리 자신을** 바꾸는 것이고 그것도 **철저하게** 자신을 바꾸는 것이며 바로 **실망 자체에 거슬러** 우리 자신을 바꾸는 것이다. "실망 중에는 처음에 세운 목적들을 바꾸지 말아야 하지만 **실망에 거슬러서 힘껏 대응**하는 것은 크게 도움이 된다." 이냐시오는 규칙 6에서 영적 실망 자체에 힘껏 대항하는 **행동**을 취하라고 초대한다. 이전에 결정한 영적 계획을 바꾸라는 악한 영의 유혹을 피할 뿐 아니라 그 이상의 행동을 바라는 것이다.

우리는 이 부분을 좀 더 살펴보아야 한다. 영적 실망의 시기에 열심한 신앙인들은 하느님이 멀리 떨어져 계신 것처럼 보이고 그들의 마음이 주님을 섬기기에 무겁게 느껴질 때에도, 하느님께서 이 달갑잖은 몫을 견디라는 뜻으로 그들을 선택하셨고 이 짐을 단순하게 받아들이길 바라신다고 신실하게 믿는다. 저마다 의식하는 정도는 다르겠지만 그들의 기본 이해는 다음과 같다. 나는 내 삶을 주님께 봉헌하기를 바라기에, 이 마음을 충실하게 지키며 살고자 노력 중이다. 그런데 몇 날을(몇 주를, 몇 달을, 몇 해를……) 짐 진 듯 괴로워하고 영적으로 슬퍼해 왔다. 하느님께서는 멀리 계신 듯하고 풍부한 은총을 온 마음으로 체험하지 못하고 있다. 하느님은 이 모든 일을 허락하시면서 내가 이 무거운 짐을 지고 하루하루 내 삶을 살아가도록 나를 부르시는 게 분명하다. 내가 할 일은 할 수 있는 만큼 최선을 다해 이 짐을 지고 가는 것이다.” 이 뜻은 갸륵하고 매우 훌륭함에도 불구하고, 체념하고 모든 것을 감수하는 태도를 지니며 견딜 때 영적 실망은 끈질기게 계속될 것이고 종종 더 무거워질지도 모른다. 악한 영에 사로잡힌 사람들은 자유롭게 풀려나지 못하고 만다…….

하느님이 긴 시간을 견디라고 우리를 부르시는 고통스러운 상황도 물론 있다. 최선의 노력을 기울였음에도, 우리는 건강을 해치는 상황과 무거운 책임, 힘든 관계 속에서 느끼는 시련과 거의 변화시킬 수 없고 하느님께서 만드신 게 틀림없다고 여겨지는 어려움을 대면할지도 모른다. 바로 이런 것들은 예수님께서 말씀하셨듯이 제자로 살아가는 한 부분이자(루카 9,23) 예수님처럼 우리를 부활과 새로운 영적 삶으로 나아가게 하는 **십자가**이다. 하지만 이냐시오가 여기서 다루는 상황은 그런 상황이 아니다. 규칙 6에서 그는 **영적 실망**에 관해 구체적으로 이야기하는데, 그의 가르침은 분명하다. 즉, 우리가 영적 실망이 사라질 때까지 수동적으로 참으라고 부름받은 것이 **결코** 아니라는 것이다.[92] 영적 실망의 시기에 하느님께서는 **언제나** 영적 실망 자체에 저항하고 그것을 배척하는 능동적 조치들을 취하라고 우리를 부르신다. 이것이 "실망에 거슬러서 힘껏 대응하는 것은 크게 도움이 되므로"라는 가르침에 담긴 이냐시오의 의도이다.

앞서 언급했던 사례들로 돌아가 보자. 앨리스는 수 주가 지나는 동안 영적 슬픔의 무게가 어떤 식으로든 가벼워지리라는 희망 속에 속절없이 그냥 그 슬픔의 무게를 지고 가서는 안 된다. 제인 수녀도 그녀의 피정을 어둡게 만드는 영적 실망을 체념하면서 그냥 받아서는 안 된다. 규칙 6에 따르면 이 두 사람은 자신을 짓누르는 **실망에 거슬러서 철저히 자신을 변화시켜야 한다.** 그렇게 하는 것이 그들의 영혼에 큰 도움이 된다고 이냐시오는 말한다. 식별에 관한 이냐시오의 모든 가르침이 가진 특징인데, 이번에도 다시 한번 동일한 방식으로 기운을 북돋아주는 희망의 음성을 들려주고 있다. 바로 이것이 잡혀간 이들에게 해방을 선포하는 접근법이다.

---

92 지적한 대로, 여기에서 나는 이냐시오가 세 개의 규칙에서 이해한 바대로 영적 실망에 대해 말하고 있다. 즉, 영적 여정을 시작하면서 전형적으로 체험하는 영적 쓰라림이다(『영신수련』, 9번). 그리고 일반적으로 열심한 신앙인들이 이 여정을 계속해 오면서 가지게 되는 일상의 한 부분이기도 하다. 십자가의 성 요한이 묘사했던 "어둔 밤"을 여기에서 논하는 것은 아니다. 이 "어둔 밤"은 깊은 관상 기도와 연관되어 있고, 나는 토너가 *Commentary*, 271-282에서 말한 것처럼 영적 실망과 구분된다고 본다. 토너가 장담하는 바로는 "이 어둔 밤은 이냐시오가 묘사하는 실망보다 더 깊은 의미에서의 영적 체험이며 나쁜 영의 작용에 의존하지 않는다. 영적 성장의 단계 중 더 깊은 단계에서 나오며 이냐시오 규칙이 묘사하는 영적 실망처럼 흔히 하는 체험은 아니다"(271). Green, *Weeds among the Wheat*, 126, n. 1을 참조하라. 그린은 이 문제에 다른 뉘앙스를 더한다.

영적 투쟁을 위한 영적 수단

우리가 영적 실망 중에 있을 때 그 실망에 대항하여 우리 자신을 바꾸는 데 도움을 주는 여러 가지 **영적 수단**을 이냐시오는 제시한다. **기도, 묵상(관상), 깊은 성찰, 적절한 고행**이다. 그는 이 네 가지 수단을 알려 주며, 실망의 시기일수록 이 네 가지 수단에 "더욱 매진하여" 영적 실망에 저항하기를 촉구한다.[93] 그러므로 영적 실망의 시기는, 우리가 실망과 마주칠 때 우리에게 도움이 될 영적 실천들 중 일부를 **강화**하기 위한 시간이라고 이냐시오는 보는 것이다.

사실, 이 수단들은 영성 생활 어느 시기에서든 중요한 가치를 지닌다. 여기에서 이냐시오는 특히 영적 실망 중에 있는 사람에게 초점을 맞추어, 어떻게 해야 이 수단들이 이롭게 적용되는지에 관심을 가진다. 반대의 원리가 여기에서 한 번 더 적용된다. 각 영적 수단은 우리에게 용기를 북돋아 주어 영적 실망이 제시하는 해로운 유혹들을 거슬러 반대 방향으로 움직이게 한다.

기도

이냐시오가 제시한 영적 수단 중 첫 번째는 **기도**이다. 여기에서 기도란 **청원** 기도를 의미한다.[94] 앞에서 언급한 앨리스와 제인 수녀는 영적 실망을

---

93 이냐시오의 함축적 문체 때문에, "기도, 묵상"이라는 말은 영적 실망에 저항하는 하나의 수단이거나 (서로 연관되지만) 다른 두 개의 수단으로 해석될 수 있다. Toner, *Commentary*, 165-167과 Maureen Conroy, *The Discerning Heart: Discovering a Personal God* (Chicago: Loyola University Press, 1993), 28에 나오는 것처럼, 나는 이것을 두 개의 다른 수단으로 간주한다. 힐은 이렇게 구분하지는 않는다.

94 이것은 토너가 취한 입장이다(*Commentary*, 165). "실망을 극복하고자 하는 희망으로 우리 자신

체험하고 있다. 어떤 여성은 어느 날 오후에 하느님께서 멀리 계시다는 느낌을 가지면서 마음이 억눌린다. 한 신부는 어느 날 본당 사목의 업무를 시작하면서 "게으르고 열의가 없고 슬픔에 빠진"(규칙 4) 자신을 보게 되고, 그가 해야 하는 신자들에 대한 봉사 중 일부를 얼마나 쉽게 건너뛸 수 있는지를 깨닫게 된다. 제각기 다른 경우더라도, 이냐시오의 첫 번째 조언은 **기도하라**는 단순한 조언이다. 즉, "청하여라, 너희에게 주실 것이다"(마태 7,7)라고 말씀하시는 하느님께 되돌아가는 것이고, 이 실망에 저항하여 극복하는 데 도움을 주시기를 청하는 것이다.

종종 영적 실망 속에 있을 때 그리고 그 실망이 더 크게 다가올 때, 우리는 무력감을 체험한다. 원수는 그것이 불가피한 패배라고 넌지시 말한다. 그래서 앨리스는 무력감에 사로잡혀 있고, 제인 수녀는 어둠과 혼란에 빠져 있다. 그 여성은 하느님을 잃어버렸다는 두려움에 싸이고, 본당 신부는 비슷한 상황에서 체험했던 과거의 실패들을 떠올리면서 오늘도 실패하게 되리라는 걸 "안다." 이럴 때 할 수 있는 첫 번째 영적 수단은 기도하는 것이다. 이 시련의 시기에 필요한 도움을 주님께 청하고 성인들의 전구를 구한다(『영신수련』, 232번).

글로 써 놓으면 단순하고 쉽게 보이지만 영적 실망에 빠져 있는 실제 현실에서는 절대 쉽지 않다. 영적 실망의 고통과 낙심 중에 있을 때 그리고 영적인 것들에 끌리는 감각이 없어질 때, 기도는 우리 마음에서 멀어질지 모른

을 변화시킬 때 하는 첫 번째이자 가장 중요한 절차는 기도이며, 여기서는 문맥상 **청원** 기도이다." 굵은 글씨는 토너의 강조. 앞의 각주에서 보듯이, 다른 이들은 영적 실망의 시간 중에 하는 그런 기도에 대하여 다른 견해를 밝힌다.

다. "마치 스스로가 창조주 주님으로부터 멀리 떨어져 있는 것처럼" 느끼기 때문에 의식적 노력이 있어야 하느님께로 다시 돌아가는 마음의 전향이 가능할 것이다. 그런 기도를 통해 하느님을 **향해 되돌아가기**는 영적 실망에 의해 유발되는 **하느님으로부터 멀리 떨어짐**이라는 감각에 정면으로 맞선다.

영적 실망의 시기에서 그런 청원 기도가 엄청난 효험을 가졌음을 경험으로 알 수 있다. 이 기도를 통해서 이미 하느님께서 멀리 계시다는 느낌이 덜어지고 우리가 혼자라는 느낌이 덜어진다. 청원 기도를 통해, 하느님으로부터 멀어진다는 느낌이 역전되기 시작하여 영적 실패에 대한 예상은 하느님 안에서 우리가 승리하리라는 새롭게 솟아난 믿음으로 바뀐다. 가련한 이의 부르짖음을 들어주시는 하느님은(시편 34,6) 우리가 하느님을 부를 때 외면하지 않으시고 우리를 더 강하게 해 주는 은총으로 우리를 돌보신다.

묵상

이 조언 역시 보통의 영적 수행에 도움이 되는 묵상 그 이상을 말한다. 영적 실망에 고통받는 사람들에 맞추어 도움이 되려면 그 이상이어야 하기 때문이다. 이냐시오가 규칙 6에서 말하는 묵상은 영적 실망 때 특히 상처받기 쉬운 상황에서 영적 에너지를 다시 충전하는 데 초점을 맞춘 묵상이다.

이런 묵상은 괴로운 시간 속에서 하느님의 신실한 사랑이 희망의 원천이 된다는 신앙의 진리를 유지하는 데 초점을 맞춘다. 영적 실망은 혼란과 어둠의 시기이기 때문에 이런 묵상은 신앙의 빛을 타오르게 하여 어둠을 밝힌다. 영적 실망은 마음의 평온을 잃게 하기 때문에 이 묵상은 마음의 문을 열어 주님께서 주시는 평화의 선물을 받게 한다(요한 14,27). 영적 실망은 믿음 희망 사랑을 약하게 하지만, 이 묵상은 우리의 믿음을 키우고 희망을 불러일으키고 하느님 사랑을 확인시킨다.

앨리스는 새로 옮긴 성당에서 불만스러운 한 해를 보낸 후에, 희망이 없고 하느님으로부터 멀리 떨어져 있다는 실망감에 빠져 있다. 어느 날 오후 그녀는 집에 30분 정도 혼자 있게 된다. 창가에 앉아 손에 성경을 들고 시편 23편을 펼쳐서 천천히 읽는다. "주님은 나의 목자, 나는 아쉬울 것 없어라. …… 바른길로 나를 끌어 주시니 당신의 이름 때문이어라." 그녀는 성경을 덮고 눈앞에 펼쳐진 바깥 풍경을 바라보며 이 구절을 계속해서 되새긴다. 이렇게 하자 마음이 조금씩 주님께로 가까이 움직이는 것을 느끼고 눈물이 흘러내린다. 곧 그녀는 하느님께서 자신을 잊지 않으셨음을 알게 되고, 아쉬울 것이 없음을 알게 되며, 지금도 목자이신 주님께서 "바른길로 나를 끌어 주시는" 것을 알게 된다. 그녀에게는 아직 확실하지는 않지만, 꽤 실감 나게 주님의 사랑이 그녀가 현재 겪는 어려움 속에서도 작용하고 계심을 믿게 된다. 그녀는 일어나서 새로운 희망으로 하루의 일과를 다시 시작한다. 이것이 이냐시오가 규칙 6, 영적 실망의 시기에 언급하는 **묵상**이다.

제인 수녀는 피정 여섯째 날을 맞이했고 영적 실망에 깊이 짓눌려 있다. 그녀는 하느님을 향한 자신의 열정이 하나의 환상이라 느끼고 열심한 기도 생활도 자신에게 어울리지 않는다고 느낀다. 그녀의 마음은 혼란과 낙담으로 가득 차 있다. 제인 수녀는 저녁에 산책하려고 나간다. 그녀가 걸으면서, 의식적으로 그녀의 삶에서 비슷한 낙담의 시기였던 지난날들을 차례차례 회상한다. 이런 시기들을 겪을 때 하느님께서 어떻게 자신을 보호하셨는지뿐만 아니라, 각각의 시기에 하느님께서 어떻게 그 힘든 체험들을 영적 쇄신의 시간으로 바꾸셨는지도 묵상한다. 그녀는 여전히 영적 실망의 무거움을 느끼지만, 마음 안에서 신뢰의 움직임이 서서히 일어나, 지금 이 어두운 시간도 하느님께서 그녀에게 다시 한번 새로운 삶을 일으키시는 것이라는 믿음으로 나아간다. 제인 수녀는 마음의 무거움을 좀 덜어 내어 피정에 더 잘 응할 것 같은 마음을 가지게 된다. 다시 말하지만 바로 이것이 이냐시오가 규칙 6, 영적 실망의 시기에 언급하는 **묵상**이다.

이런 묵상은 신앙의 진리에 초점을 맞추고, 성경의 말씀에 초점을 맞추며, 하느님께서 우리에게 신실하시고 그래서 마음이 힘들 때 새로운 영적 활기를 불어넣어 주셨던 삶의 기억에 초점을 맞춘다. **영적 실망의 시기 그 순간**에 행했을 때 이런 묵상이 가지는 변화의 힘은 분명하다. 영적 실망의 시기에 하는 이런 묵상은 같은 상황 속에서 청원 기도처럼, 의식적 노력이 필요하다. 우리가 영적 위로를 체험하거나 더 일반적으로 말해서 고요한 마음을 가질 때, 자연스럽게 묵상으로의 이끌림이 느껴지겠지만 영적 실망 속에서는 그렇지 못할 것이다. 이럴 때에는 묵상이라는 수단을 사용하겠다는 결단이 필요하다. 어둠의 시기에 나에게 힘을 주는 신앙의 진리들을 묵상하는 것이다. 이는 영적 실망에 대항하여 승리하고 풍성한 열매를 맺기 위한 결단이며 용기 있는 행동이다.

깊은 성찰

레이는 오랫동안 신앙을 삶의 중심에 두었고 특히 최근 몇 년간은 주님께 더 가까이 다가갔다. 이런 영적 성장의 결과로, 자신의 아내와 아이들에 대한 사랑이 더 깊어졌고 가족 간의 유대가 더 강해지는 모습도 즐거운 마음으로 바라본다. 매일 통근 열차를 타고 일하러 가면서 몇 분의 시간을 내어 성경을 읽는다. 그런데 오늘은 주의가 산만해지면서 주의 깊게 성경을 읽을 수가 없고 충실히 성경 구절을 묵상할 수 없다. 회사에 도착하고 부산스러운 아침을 맞이하자 내적으로 불쾌감이 생기는 것을 어렴풋이 의식하게 된다. 하느님에 대한 그의 신앙이 깊어졌다는 것을 직접적으로 알지는 못하는 그의 직장 동료들도 최근에 레이에게 생긴 좋은 변화들을 알아챘고 항상 웃는 모습과 돕고자 하는 그의 마음에 고마워했다. 하지만 오늘 레이는 동료들에게 자꾸 조급해지려는 성질을 참느라 애쓰고 빨리 근무 시간이 끝나기를 바란다. 점심시간이 다가온다. 점심시간이 시작되면 레이는 보통 몇 분 정도 혼자 사무실에서 시간을 보내며 기도 속에 하느님께 자신의 마음을 바친다. 오늘은 기도하고자 하는 열망도 느끼지 못하고 기도도 하지 않는다. 대신 그는 기도의 삶에 도움이 되지 않는 환경과 대화가 오가는 장소 근처에 가서 점심을 먹을 생각을 한다. 레이는 이런 생각을 가지고 막 사무실을 나가려는 찰나에 갑자기 걸음을 멈춘다. 그는 마음이 동요하고 있고, 통근 열차에서 기도가 흐트러진 것을 각성한다. 사무실에서 동료들을 기꺼이 돕지 않았고 점심시간에 늘 하던 기도는 건너뛰는 대신 영혼에 해로운 결과를 가져다주는 유혹에 빠지려고 하는 자신을 보게 된다. 이 모두가 영적으로 무언가 잘못되고 있다는 신호임을 그는 깨닫는다. 레이는 이것을 정면으로 다루어야겠다고 느낀다.

그는 조용한 사무실 책상 앞에 앉아서 지금 자신에게 무슨 일이 일어나는지 파악할 수 있게 해 달라고 주님께 도움을 청한다. 불과 하루 전만 해도 그가 얼마나 행복했는지, 주님을 섬기고 직장 동료들에게 봉사하며 가족들을 위하는 데 얼마나 열정이 넘쳤는지를 기억해 낸다. 그가 묵상을 하자, 안 좋은 변화가 생긴 순간이 언제인지를 정확히 알게 된다. 오늘 아침 집을 나서기 전 출근 준비에 몰두하면서, 관심을 가져 달라는 어린 아들의 요구를 아무 생각 없이 밀쳐 냈다. 아내가 그 자리에 있었고 레이는 아들이 받은 상처를 반영하는 아내의 두 눈을 보았다. 성급해지고 짜증이 나서 그는 아들과 아내의 상처에 어떤 반응도 보이지 않고 집을 나섰다. 레이는 바로 그 순간이 평화를 잃어버린 순간임을 알게 된다. 그리고 이게 그가 지금까지 느낀 불안의 근원이며 오늘 하루 자신이 하는 모든 것, 즉 기도, 사무실에서의 관계들, 심지어 점심을 다른 곳에서 먹겠다는 지금의 결정까지 모든 것을 힘들게 했던 근원임을 지각하게 된다.

새롭고 분명한 이 지각이 마음을 가볍게 하면서, 그는 무엇을 해야 할지를 분명히 이해한다. 그는 아내에게 전화를 걸어 오늘 아침에 보였던 짜증스러운 모습과 그녀와 아이에게 줬던 상처에 대해 미안해한다. 통화를 하면서 아내의 기쁜 목소리를 듣자 그의 마음은 더 가벼워진다. 그는 평소처럼 사무실에서 기도한다. 영혼에 도움이 되지 않는 장소에서 점심을 먹겠다는 생각도 떨쳐 버리고 평소처럼 직장 동료들과 점심을 같이 먹는다. 이제 그는 밝은 미소를 회복하고 동료들을 기꺼이 돕고자 하는 평소의 모습을 되찾는다.

분명히 레이는 영적 실망의 시기를 체험했다. 즉 그는 기도를 포기하고,

주님을 섬기는 데 그 어떠한 열정도 느끼지 못하며, 유혹의 먹잇감이 될 뻔했다. 그가 실망을 극복할 수 있었던 열쇠는 정확하게 이냐시오가 말한 규칙에 있었다. 다시 말해, 영적 실망 속에서 무엇이 작용하고 있고, 이것을 물리칠 수 있는 수단이 무엇인지 파악할 때까지 **깊은 성찰**을 하는 것이다.

방금 위에서 언급한 경우처럼, 악한 영이 이용하는 것은 그날 아침 짧지만, 아들과 아내에게 했던 행동 때문에 레이의 마음속에 남아 있던 언짢고 실망스러운 느낌이다. 악한 영은 이런 언짢고 실망스러운 느낌을 영적 실망의 발판으로 악용한다. 만약 누구든 이런 비슷한 상황이 왔는데, 딱 멈추어서 성찰하지 않고 그냥 내버려 둔다면, 그 영적 실망은 점점 커져서 더 큰 해를 끼칠지도 모른다. 영적 실망은 레이가 그것을 성찰하고 원인을 깨달을 때까지 계속해서 악화된다. 레이가 성찰을 **실행**할 때, 그 순간 영적 실망은 힘을 잃고 그는 이 실망을 어떻게 물리쳐야 하는지 정확하게 알게 된다.

고통스러운 시련 자체에 매몰되어 있고 "내면에" 머물려는 의향이 거의 없는 때, 즉 **영적 실망의 시기에는** 기도와 묵상과 마찬가지로 성찰도 자연스럽게 되지 않을 것이다. 그렇기에 우리는 영적 실망을 대면하고 살펴보겠다고 의식적으로 결심해야 한다. 사실, 주의를 딴 데로 돌려 탈출로를 찾는 일이 더 쉬워 보이고 더 좋아 보인다. 그런 시기에 우리는 어떤 분주함이나, 대중 매체, 또는 정도 차는 있어도 건강과 관련된 다양한 만족거리들에 자신을 몰두시킨다. 이런 경우 그런 것들 모두가 "내면에" 머무는 것이 너무 불편해 보일 때 "외면에" 머물게 하는 방법이 된다. 불행히도 우리는 회피 수단들의 반대편에, 분주함과 만족거리들이 사라졌어도, 영적 실망이 여전히 남아 있음을 발견하게 된다. 이런 "아스피린"은 그 근원에 있는 고통을 완전히 치유하지 못하고 약효를 잃고 만다. 사실 우리가 영적 실망에 맞서는 것을 늦추면 늦출수록 고통은 점점 더 커진다.[95]

이냐시오가 여기서 조언하는 "깊은 성찰"은 회피하려는 행위를 정면으로 반박한다. 영적 실망의 시기에 우리는 내적으로 멈추고 질문을 해야 한다. "지금 내 마음에 무슨 일이 일어나고 있는가? 나는 영적 실망에 빠져 있는가? 이 실망이 어떻게 시작되었나? 무엇이 그 원인인가? 이 실망이 어떻게 내 마음에서 자라났나? 어떤 행동이 이 실망을 배척하는 데 도움이 될까?" 처음에는 힘들겠지만, 그 보상은 빠르고 어마어마하다. 우리가 이 질문들을 제기하고 답을 찾기 시작하면서, 우리를 온통 포위하고 있고 우리가 참을 수 없을 것 같던 무게가 가벼워져 우리가 다룰 수 있는 문제가 되고 영적 실망의 무게도 덜어진다. 무거움을 덜어 낸 마음으로 우리는 이 영적 실망을 극복하는 영적 수단들을 효과적으로 적용하기 시작한다.

줄스 토너는 이렇게 쓴다.

나의 영적 실망의 상태를 묵상하면서 …… **실망에 빠진 나를, 그런 나를 바라보는 나와** 분리한다. 이렇게 하면서 영적 실망의 원인과 결과 대신, 다른 중요한 것의 자리를 의식 속에 마련한다. 이 자리에서 나는 이

---

95 중요해서 반복하고자 하는 바는 규칙 4에 적혀 있듯이, 이냐시오가 여기에서 **영적** 실망에 대해 말하고 있다는 점이다. 그는 비영적 실망의 상황, 예를 들면, 심리적으로 받는 커다란 압박(스트레스)이나 다양한 심리적 증상(질병)을 말하지는 않는다. 이런 질병은 영의 식별 범위를 넘어선 것이며 전문가의 도움을 포함한 다른 해결책이 필요하다.

제 정찰을 하고 나의 관심과 이유와 의지를 동원하여, 영적 실망의 근원을 공격하고 약하게 만들며 심지어 파괴까지 할 수 있다.[96]

레이가 점심시간 동안 영적 실망에 빠져 고통받는 자신의 모습에서(**실망에 빠진 나**) 영적 실망을 의식적으로 성찰하는 모습(**실망에 빠진 나를 바라보는 나**)으로 바뀐 변화가 토너가 말하는 "실망에 빠진 나"에서 "실망에 빠진 나를 바라보는 나"에게로 이동한 의식의 전환이다. 토너가 말한 것처럼 이런 과정을 통해 무기력에 빠졌던 느낌이 사라진다. 영적 어둠과 불안에 젖어 들 때마다 우리가 알아차린다면 바로 그 순간이 '깊은 성찰'의 때이며 "실망에 빠진 나"에서 "실망에 빠진 나를 바라보는 나"로 변화하는 시기이다. 이것이 우리를 속박으로부터 자유롭게 할 것이며, 자유롭게 주님을 따르게 할 것이다.[97]

"적당한 형태의 고행을 더 늘리도록 한다"

앞서 얘기한 세 가지의 영적 수단과 함께, 이번에 언급할 네 번째 수단, "적당한 형태의 고행"은 특히 영적 실망의 시기에 그것을 배척하는 수단으로 활용할 수 있다. 앞서 말한 것처럼, 영적 실망에 빠진 사람은 흔히 내적 불안 때문에 바깥으로 주의를 돌려 여러 종류의 쾌락을 탈출구로 삼는 경향이 있

---

96 Toner, *Commentary*, 151. 굵은 글씨는 저자의 강조.

97 영의 식별을 지속해서 할 때, 매일 하는 행동으로서의 성찰이 가지는 역할은 이 책처럼 이냐시오의 식별 규칙에 대한 주석서에서 다루고자 하는 주제보다 더 큰 주제이다. 이 부분은 다른 연구에서 심도 있게 다루어 보고자 한다. 이 주제에 대해 알아보려면 G. Aschenbrenner, "Consciousness Examen," *Review for Religious* 31(1972): 14-21을 참조하라.

다. 그런데 이런 탈출구는 영적 실망의 시기가 이어지게 하고 오히려 더 깊어지게 할 따름이다. 우리가 마음 내키는 대로 하면서 오히려 영적 실망을 지속시키는 "부적절한" 탈출구 대신, 이냐시오는 **"적당한 형태의 고행"**을 제안한다. 이는 영적으로 건전한 방식 안에서 활기를 북돋아 주고 영적 실망 자체를 극복하도록 도움을 준다.[98]

도피하고자 하는 성향에 맞서고 영적 실망의 구체적 증상에 대항하는 행동을 취하고자 할 때 고행은 적합한 수단이 된다. 예를 들면, 이냐시오는 영신수련 피정에 대한 일러두기를 쓰면서, 피정자가 영적 실망에 빠져 원래 계획했던 기도시간을 줄이려고 하는 경우를 염두에 두고 아래와 같이 가르쳤다.

또한 위로 중에는 온전히 한 시간 동안 관상에 머물기가 그다지 어려운 일이 아니지만 실망 중에는 이를 지키기가 매우 어렵다는 것도 알려 주어야 한다. 그러므로 피정자가 실망에 대항하고 유혹을 이겨 내기 위해

---

98 비슷한 방식으로, 질 굴딩은 "새로워진 금욕주의"와 "창조적인 인내(고행)" 사이의 관계를 다룬다. "새로워진 금욕주의는 우리 마음속에서 일어나는 회심의 작용을 돕고 창조적인 인내가 조절되고 유지되게 한다. …… 나는 엄격한 수덕 실천을 잘못되고 임의적이며 강박적인 완벽주의와 분리하여 옹호하고자 하지는 않는다. 내가 엄격한 수덕 실천을 제안하는 이유는 이것이 생기를 불어넣어 주는 훈련이며, 개인이 그리스도에 맞춰 변화될 수 있게 해 주어서 그 결과로 함께 살아가고 일하는 다른 모든 이에게 영향을 미치는 훈련법이기 때문이다"[*Creative Perseverance: Sustaining Life-Giving Ministry in Today's Church* (Ottawa: Novalis, 2003), 130]. André Louf, *The Cistercian Way* (Kalamazoo, Mich.: Cistercian Publications, 1983), 82[앙드레 루프 아빠스, 『시토회가 걷는 길: 사랑의 학교』, 수정의 성모 트라피스트 여자 수도원 옮김, (서울: 분도출판사, 2011)]에서 쓴 것처럼, "몸이 인간이 부름 받은 영적 여정의 부분이 되어야 하는 게 맞으며 정상적이다. …… 참된 내적 삶은 오직 몸을 통해서만 성장한다. …… 금욕주의는 단지 예수님의 파스카 신비, 죽음과 하느님 안에서의 새로운 삶이라는 신비에 참여하는 우리의 몫이다."

서는 정해진 시간보다 항상 조금 더 머물도록 한다. 이로써 단지 역경을 견딜 뿐 아니라 거뜬히 이겨 내게 하려는 것이다.(『영신수련』, 13번)

만약 하느님이 멀리 계신 듯하고 우리의 노력이 쓸모없어 보이는 실망의 시기에 본래 계획했던 기도 시간보다 기도를 빨리 끝내면서 이 무거움을 해결하려는 성향을 보인다면, 정확하게 반대로 하는 것이 "적당한" 처방이라고 이냐시오는 말한다. 우선, 기도를 빨리 끝내고자 하는 마음을 배척해야 하고 영적 실망 이전에 계획했던 그 기도 시간을 유지해야 한다. 사실 이냐시오는 기도 시간을 줄이기보다 오히려 더 **늘리라**고 말한다. 이런 방식으로 우리는 악한 영을 "견딜 뿐 아니라 거뜬히 이겨" 내는 데 익숙해진다. 이냐시오는 이 구절에서 간단하지만 잘 지시된 용기 있는 행동들을 실례로 제시하는데, "실망에 대항하고" 원수에 대하여 저항하고 극복하는 능력을 우리 안에서 강화하는 행동들이다.

다양한 영적 실망의 형태에 맞서 우리가 취할 수 있는 "적당한 고행"은 어떤 형태일까? 영적 여정에서 종종 그렇듯, "너 자신을 알라"라는 말씀이 여기서도 중요하다. 영적 실망의 시기에 특별히 약한 부분을 더 잘 알면 알수록, 우리를 굴복시키려고 하는 힘에 대항하는 행동을 더욱 효과적으로 실천할 수 있다. 어떤 사람에게는 적당한 고행이 그저 방종으로 나아가려는 충동을 단순히 지연시키는 데 불과할지도 모른다. 하지만 작은 승리 하나를 통해 희망이 자라면 그다음 승리는 이미 준비된 것이다.[99] 또 누군가에게 고행은, 웃

---

99 『영신수련』에서 이냐시오는 다양한 형태의 "외적"으로 맞서는 방법, 즉 음식, 수면, 그리고 다른

고 싶지 않거나 어떤 특정한 개인에게 미소 짓고 싶지 않은데도 일부러 미소를 지어 보여 주는 것일지도 모른다. 이처럼 인내하거나, 짜증 섞인 말을 자제하거나, 그 밖의 본성을 거스르는 다른 행동들이 요청될 때, 고행은 어쩌면 도움이 필요한 이웃을 섬기기 위한 확실한 선택이 될지 모른다. 이렇게 각각의 작은 저항 행동들이 용기를 더욱 불러일으키므로 결국 영적 실망은 점점 사라지게 된다.

영적 능동성이 가져다주는 열매

이냐시오는 우리가 살펴보고 있는 이 짧은 규칙 안에 용기 있는 능동적 행동을 의미하는 언어를 반복해서 사용한다. 우리는 영적 실망에 대항해서 **열정적으로** 우리 자신을 변화시켜야 한다.[100] 우리는 **굳건해야**insist 하며 앞에 설명한 네 가지 수단을 **더 굳건하게** 사용해야 한다. 우리는 적당한 형태의 고행을 **더 늘려야** 한다. 우리가 너무 약해서 영적 실망을 극복할 수 없다고 억지를 부리는 악한 영의 속임수에 대항하여, 이냐시오는 하느님의 도우심과 앞에 언급된 수단들을 쓰면서 시련의 시기에 굳건히 대결할 수 있는 능력을 우리가 가지고 있음을 확신한다. 영적 실망의 시기에 능동적으로 저항

육체적 보속을 언급하며(82-84번) 이를 행할 때 각자의 역량에 따라 '적절한' 방식으로 적용되어야 한다고 권고한다(89번).

100 "el intenso mudarse."

할 때, 우리는 겸손한 마음으로 하느님께 돌아가 그분의 도우심을 청할 수 있고, 하느님의 변함없는 사랑을 묵상할 수 있으며, 영적 실망을 살펴보면서 그 원인과 치료법에 관해 더 깊이 이해할 수 있다. 영적 실망이 유발하는 파괴적 경향에 맞서서 작지만 "적당한 고행"을 용기 있게 실천할 때, 이냐시오가 단언한 것처럼 우리는 영적 실망의 어둠을 통과하여 하느님 사랑의 빛으로 나아가는 길을 찾게 된다.

이 글을 읽으면서 우리는 한 가지 의혹을 가질 수 있다. 영적 실망 때문에 마음이 무거워지고 혼란스러울 때 우리가 정말로 그런 용기를 가지고 살 수 있을까? 그런 능동적 행동 개시가 정말로 가능할까? 이냐시오는 그렇다고 믿는다. 용기 있는 행동은 하느님의 은총과 인간의 노력이 만나는 곳에서 생겨난다. 확실히 각각의 영적 수단을 실행하려면 용기가 필요하다. 그런데 영적 용기는 인간의 노력만으로 다 되는 것은 아니며 은총의 열매이다. 이냐시오가 네 가지 영적 수단을 논하면서 맨 선두에 청원 **기도**를 둔 것은 우연이 아닐 것이다. 영적 실망에 항전하는 일은 예수님께서 우리에게 말씀하신 것처럼, "너희는 나 없이 아무것도 하지 못하는"(요한 15,5) 일임을 우리는 안다. 또한, 바오로처럼, "나에게 힘을 주시는 분 안에서 나는 모든 것을 할 수 있습니다"(필리 4,13)라는 고백을 확신에 차서 할 수 있음도 우리는 안다.

이냐시오는 겸손한 마음으로 신실하게 이 규칙대로 영적 수단을 쓰면 그 사용법에 점점 더 능숙해지고 더 두려움 없이 영적 실망에 대항할 수 있다는 것을 체험으로 배웠다. 물론 이 네 가지 수단이 영적 수단의 전부는 아니다. 이냐시오는 뒤이어 나오는 규칙에서 더 많은 수단을 제시한다. 하지만 규칙 6의 가르침을 습득하는 것으로 이미 우리는 영적 실망에 항전하는 튼튼한 무장을 시작했다. 이 가르침을 통하여 이미 우리는 영적 해방으로 가는 길에 발걸음을 내디디고 있는 것이다.

7장

영적 실망: 저항의 시간 (규칙 7)

조앤. 그분의 우정은 나를 실망시키지 않을 것이고,

그분의 조언이나 사랑도 그럴 것이다. 그분의 힘 안에서

나는 죽기까지 감히 용기를, 용기를, 용기를 낼 것이다.

- 조지 버나드 쇼, 『성녀 조앤』[101]

우리의 다짐을 강화시키는 생각

규칙 7도 규칙 5와 6에 이어서 계속 영적 실망 중에 있는 사람들에게 초점을 맞추어 저항하고 이겨 내는 지침을 제시한다. 앞선 두 규칙이 피해야 할 해로운 변화들(규칙 5)과 노력을 기울여 실행해야 할 건강한 변화들(규칙 6)을 제시하며 **변화**를 다루었다면, 규칙 7에서 이냐시오는 저항의 영역을 확장한다. 영적 실망의 시기에 어떤 능동적 행동을 해야 하는가뿐만 아니라 생각을 어떻게 다스려야 하는가까지 확장한다. 규칙 6에서 제시한 영적 수단인 기도, 묵상, 성찰, 적당한 고행은 **해야** 할 능동적 행동이다. 규칙 7에서는 어떻게 **생각**할지를 선택함으로써 잘 저항할 수 있다고 말한다. 영적 실망의 시기에 신비롭고 사랑

---

101 잔 다르크의 생애를 다룬 희곡 (역자 주).

가득한 섭리로 이 싸움을 허락하시는 **하느님의 관점으로 본다면** 신앙심이 흔들리지도 않을 것이고 영적 실망 자체에 저항하는 투지도 더 높일 수 있다.

규칙 7. 실망 중에 있는 사람은, 주님이 어떻게 그를 본성의 능력만 지닌 채 시련에 처하게 놔두시어 원수의 여러 가지 책동과 유혹에 저항하도록 하시는지를 생각한다. 이 경우에 비록 그가 분명하게 느끼지 못할지라도, 그에게 항상 남아 있는 하느님의 도우심에 힘입어 대처해 낼 수 있다. 왜냐하면, 주님은 그에게서 큰 열성과 넘치는 사랑과 열렬한 은총을 거두셨지만, 영원한 구원을 위해서 필요한 은총을 충분히 남겨 두었기 때문이다.

"실망 중에 있는 사람은 **생각한다**." 이와 관련된 모든 지침은 우리가 영적 실망에 빠져 있을 때 체험하는 특별한 방식의 생각과 정확하게 관련되어 있다. 이냐시오가 권하는 **생각**은 영적 실망의 시기를 허락하시는 하느님과 이 시기에 우리 안에서 일어나는 하느님의 작용에 초점을 맞추는 생각이다. "**주님**이 어떻게 그를 **본성의 능력**만 지닌 채 **시련**에 처하게 놔두시어 원수의 여러 가지 책동과 유혹에 **저항하도록 하시는지**를 생각한다." 이런 생각은 세 가지 요소를 포함하고 있다. 영적 실망 중에 있는 사람은 그런 실망을 하느님께서 주시는 **시험대로서의 시련**이라고 생각하는 것이 첫 번째 요소이다. 그리고 그들이 이 시험대의 **본질**을 고려해야 하는 게 두 번째 요소이다. 마지막 세 번째는 시험대에 올리는 하느님의 **목적**을 생각해야 한다는 것이다. 나는 순서대로 각 요소를 설명하고자 한다.

시련

"실망 중에 있는 사람은, 주님이 어떻게 그를 **시련에** 처하게 놔두셨는지를 생각한다." 하느님의 관점에서 볼 때 영적 실망은 하나의 **시련**trial이다. 영적 실망을 받고 있지만 이 진리를 생각하는 사람은 문턱을 넘어갈 수 있다. 이런 생각을 하지 못하는 사람은 영적 실망에 조건반사적으로 대응하기 쉽다. 이 황폐함, 이 무거움은 아무런 의미나 가치가 없어 보이고, 그저 기를 꺾고 마음을 혼란스럽게 하는 불행으로 여겨진다. **성찰 없이** 조건반사적으로 영적 실망에 대응하다 보면 쉽게 고통당하고 슬픔과 절망에 빠져 버리고 만다.

영적 실망이 그저 헛된 고통으로 여겨질 때 그 황폐함은 특히 참아 내기 어렵고 영적 실망 중에 있는 사람은 더욱 쉽게 악한 영의 속임수에 넘어가는 먹잇감이 될 것이다. 이냐시오가 규칙 7에서 제안하는 **숙고**를 통해서, 무의미하고 헛된 고통이라는 문턱을 **넘어 나와** 이 시련의 시간에 하느님께서 의도하시는 의미가 들어 있다는 깨달음 **안쪽으로** 넘어간다. 그들이 겪는 어둠의 의미를 하느님 안에서 찾게 되면 영적 실망 중에 있는 사람은 다시 기운을 차려 영적 실망 자체에 저항하고 물리칠 수 있다.

폴리뇨의 안젤라 성인은 깊이 계속되는 영적 실망의 체험을 이렇게 이야기한다.

이 시기 동안 나는 엄청난 압박감에 짓눌린 상태였다. 그 이유는 내가 하느님에 대해 그 어떠한 것도 느끼지 못했을 뿐만 아니라 하느님께서 나를 버리셨다는 느낌도 받았기 때문이다. 나는 죄를 고백할 힘도 없었다. 내 자만 때문에 이런 상태에 빠졌다고 생각했지만 다른 한편으로는 내가 행한 많은 죄의 깊이가 너무나도 깊어 내가 그 죄를 적절히 뉘우치거나 고백할 수도 누군가에게 말할 수도 없어 보였다. 내게는 내 죄를 드러낼 수 있는 그 어떤 방법도 없는 듯했다. 하느님을 찬미할 수도 없었고 기도 안에 머무를 수도 없었다. 하느님과 관련해서 내 안에 남아 있던 것은 내가 받아 마땅한 만큼의 많은 시련을 다 받지 않았다는 확신뿐이었다. 이와 비슷하게 다른 확신도 들었다. 그것은 선이든 악이든 고통이든 목적이 무엇이든 간에 이 세상이 주는 그 목적을 얻겠다고 하느님의 은총으로부터 배제되는 꼴은 당하고 싶지 않다는 것이었다. 그리고 그 어떤 악에도 동의하고 싶지 않다는 것도 확실했다. 나는 4주 이상 이렇게 심하고 비참한 고통의 상태에 빠져 있었다.[102]

영적 실망을 표현하는 전형적 진술이 곳곳에 있다. "내가 하느님에 대해 **그 어떠한 것도 느끼지 못했을 뿐만 아니라**" "하느님께서 **나를 버리셨다**는 느낌도 받았기 때문이다." "**하느님을 찬미할 수도 없었고 기도 안에 머무를 수도 없었다.**" "**하느님과 관련해서 내 안에 남아 있던 것**은 내가 받아 마땅한 만큼의 많은 시련을 다 받지 않았다는 확신뿐이었다." 그녀는 수 주 동안 계속되는 **극심하고 비참한 고통**의 상태에 있는 자신을 보게 된다.

---

102 P. Lachance, trans., *The Book of Angela of Foligno: Complete Works* (New York: Paulist Press, 1993), 171.

"선이든 악이든 고통이든 목적이 무엇이든 간에 이 세상이 주는 그 목적을 얻겠다고" 그녀 안에 있는 하느님의 은총을 약하게 만드는 그 어떠한 행동도 고려하지 않았음을 안젤라는 잘 알고 있다. 그녀의 마음은 견고하게 하느님께 놓여 있고 영적 실망의 깊은 고통 속에서도 이 점을 확실히 감지하고 있다. 하지만 이 확신은 그녀 마음의 혼란을 없애지 못한다. 고통 속에 있는 그녀는 이 실망의 이유를 파악하려고 노력한다. 두 가지의 가능한 이유가 묵상 중에 떠오르는데, 두 가지 다 자신에게로 향한다. "내 **자만** 때문에 이런 상태에 빠졌다고 생각했지만"이라고 그녀는 쓴다. 이 생각은 한 가지 특정한 잘못, 즉 그녀의 자만이 지금 현재의 고통에 대한 설명이라고 넌지시 말한다. 다른 한 가지는 좀 더 범위가 넓은데, 그녀가 범하는 일반적인 모든 **죄**를 예민하게 깨달으면서 그녀 마음에 무기력감이 생겨난다. 그녀는 "내가 그 죄를 적절히 뉘우치거나 고백할 수도 누군가에게 말할 수도 없어 보였다"라고 느낀다. 그리고 "내게는 내 죄를 드러낼 수 있는 그 어떤 방법도 없는 듯했다"라고도 느낀다. 이런 4주의 시간 동안 그녀는 자기 마음을 보듬을 만한 그 어떤 의식적 희망의 표시도 다 빼앗긴 채로 영적 실망의 무자비한 손아귀에 사로잡혀 있다는 느낌을 받는다.[103]

"실망 중에 있는 사람은 주님이 어떻게 그를 '시련에 처하게' 놔두셨는지를 생각한다." 만약 안젤라가 고통 속에 **빠져 있는** 4주의 시간 동안 두려움과

---

103 하느님께서는 그녀를 내버려 두지 않고 도움을 주신다. 그녀는 계속해서 적는다. "이 기간이 지난 후에 나는 하느님께서 나에게 하시는 다음과 같은 말씀을 들었다. '나의 딸아, 너는 위대하신 하느님과 천국의 모든 성인의 사랑을 받고 있다. 하느님은 당신 사랑을 너에게 부어 주셨다. ……'"(위의 책, 171).

무기력감에 대한 조건반사적 대응을 넘어설 수 있고, 이것이 그녀의 삶을 이끄는 사랑의 섭리로 **하느님**께서 허락하신 **시련**임을 **숙고**할 수 있다면 그녀는 앞에서 언급한 문턱을 넘어갈 수 있을 것이다. 영적 실망의 무거움이 즉시 또는 완전히 없어지지는 않겠지만 그녀는 이제 신앙심이 다시 깨어난 만큼 더 잘 견딜 수 있다. 그리고 무한히 지혜로우시고 사랑하시는 하느님의 눈으로 이 시련의 의미를 찾을 수 있다.[104] 그녀의 시련은 구원 역사 속에서 하느님 백성이 겪은 시련처럼(유딧 8,25-27), 구원의 의미가 있고 하느님 사랑의 가르침 안에 자리 잡고 있다는 점을 깨닫게 될 것이다.

앨리스와 제인 수녀의 경우에서도 비슷한 점을 말할 수 있다. 앨리스는 새로 옮긴 성당에서 봉사하는 데 최선을 다했음에도 영적 실망을 겪고 "모든 것이 절망적이고 의미 없는 듯하다." 만약 앨리스가 **주님**께서 이 영적 실망을 하나의 시련으로 지금 자신의 삶에 허락하시면서 활동하고 계시다는 점을 의식적으로 **숙고**한다면, 황폐함이 즉시 사라지지는 않겠지만 더 큰 희망을 지니고 이 황폐함을 달게 받을 수 있을 것이다. 비록 지금 이 순간에는 **어떻게** 그런지 분명히 알지 못하지만 하느님의 사랑이 그녀를 새로운 삶으로 이끌기 위해 이 고통을 허락하시면서 진실로 자신 안에서 작용하고 계시다는 믿음 안에서 성장해 갈 것이다. 이런 커 가는 믿음은 주위를 감싸는 어둠을 밝히는 빛이 된다. 만약 제인 수녀가 깊은 슬픔이 가득한 피정 여섯째 날에 이 영적 실망이 단순히 의미 없는 고통이 아니라 **주님**께서 그녀가 체험하기를 허

---

104 원수가 우리를 **유혹한다**(규칙 4, 7, 12). 하느님은 우리가 이런 **시련**을 겪도록 허락하신다(규칙 7과 규칙 9).

락하신 **시련**이라는 점을 **숙고**할 수 있다면 앨리스와 마찬가지로 흔들리지 않고 이 실망을 짊어질 믿음의 힘 안에서 성장해 나갈 수 있다.

영적 실망의 시기에 하는 이런 숙고, 즉 이 시기가 하느님 사랑의 섭리 안에 자리 잡은 시련이라는 생각은 분명히 가치 있지만, 당장 시련에 빠진 당사자에게는 쉽지 않은 일이다. 어렵더라도 의식적인 선택이 요구된다. 이런 의식적 노력을 몇 번 반복해서 연습하고 실행해야 점차 삶의 한 부분처럼 익숙해질 텐데 그때까지는 영적 실망에 빠지면 당장 닥쳐오는 생각이 혼란과 고통일 것이다. 지금 체험하는 영적 실망이 하느님께서 허락하신 시련이라고 **숙고하기**를 계속해서 선택해 간다면 어둠의 시기에도 영적 안정이 더해질 것이다. 이냐시오가 테레사 레하넬 수녀에게 말한 것처럼 이런 방식으로 영적 실망은 성장을 위한 하나의 훈련으로 변모된다.

시련의 본질

안젤라는 영적 실망에 대한 체험을 기술하면서, 그녀에게서 **거둬진** 것과 그녀에게 **남겨진** 것 둘 다에 대해 말하고 있다. 하느님을 느끼는 아주 작은 능력도 빼앗겨서 "내가 하느님에 대해 **그 어떠한 것도 느끼지 못했다**"고 했다. 하느님의 현존을 느끼는 것도 마찬가지였다. "하느님께서 **나를 버리셨다는 느낌도** 받았기 때문이다." 안젤라는 죄를 스스로 극복할 힘을 완전히 잃어버려 "내가 그 죄를 적절히 뉘우치거나 고백할 수도 누군가에게 말할 수도 **없어 보**

였다. 내게는 내 죄를 드러낼 수 있는 **그 어떤 방법도 없는 듯했다.**" 모든 힘, 심지어 하느님을 찬양하거나 단순히 기도할 힘도 그녀에게서 사라져 버렸다. "하느님을 **찬미할 수도 없었고 기도 안에 머무를 수도** 없었다." 안젤라는 영적 실망의 시기에 그녀에게서 **거둬진** 모든 것을 예민하게 감지하고 있다. 그녀는 이 시기 동안 그녀 안에 **남겨진** 것들에 대해서도 고통스럽게 의식하고 있다.

> **하느님과 관련해서 내 안에 남아 있던 것은** 내가 받아 마땅한 만큼의 많은 시련을 다 받지 않았다는 **확신뿐이었다.** 이와 비슷하게 다른 확신 도 들었다. 그것은 선이든 악이든 고통이든 목적이 무엇이든 간에 이 세상이 주는 그 목적을 얻겠다고 하느님의 은총으로부터 배제되는 꼴 은 당하고 **싶지 않다는 것**이었다. 그리고 그 어떤 악에도 동의하고 싶 **지 않다는 것**도 확실했다.

모든 영적 위로, 즉 하느님에 대한 따뜻한 인식과 영적 힘에 대한 감각은 사라져 버렸다. 남은 것이라고는, 오직 받아 마땅한 만큼의 고통을 받지 않았 다는 그녀 자신의 확신과 하느님의 은총에서 결코 떨어져 나가지는 않겠다는 그녀의 확고한 의지이다. 글을 읽으면서 우리는 안젤라가 말 그대로 영적으로 홀로 남겨졌다는 것을 느낀다. **그녀의** 확신과 **그녀의** 의지는 작동하고 있지 만 그녀는 하느님께서 그녀 안에서 **활동하고 계신다**는 느낌을 전혀 받을 수 없다. 이냐시오는 이것이 시련의 본질이라 말한다. "주님은 그에게서 큰 열성 과 넘치는 사랑과 열렬한 은총을 거두셨다." 전에 누리던 영적 위로가 없어졌다. 이제 그 사람은 주님에 의해 시련 속에 남겨져서 **본성의 능력**에 의존하게 된다. 안젤라처럼 영적 실망의 시간을 보내는 사람들은 주님의 도우심이나 주님의 현존을 **느끼지** 못한다. 그들에게 남은 것은 "본성의 능력"을 사용하는 것뿐이라고 **느낀다.** 생각할 수 있는 힘(정신), 선택할 수 있는 힘(의지), 어떤 사실을 마음에 떠올리는 힘(기억), 영적인 실체를 상상하는 힘(상상력), 그리고 창조주께서 그들에게 주신 모든 인간적 "능력"이 바로 그것이다.

예를 들자면, 영적 실망에 빠진 사람들이 기도하고자 시도할 때는 "큰 열성과 넘치는 사랑과 열렬한 은총"을 마음으로 느끼지 못한다. 안젤라처럼 그들은 기도할 때 정말로 마음이 황폐해짐을 느끼고 영적으로 생기를 잃어버린 것처럼 느낀다. 그들에게 남겨진 것은 그들에게 주어진 본성의 능력을 사용하는 길밖에는 없다고 느낀다. 그래서 그들은 기도 시간을 줄이지 않으려고 **선택할** 수 있고(의지에 대한 본성의 능력), 성경 구절을 **읽고 생각할** 수 있으며(지성에 대한 본성의 능력), 성경의 장면을 **그릴** 수 있고(상상에 대한 본성의 능력), 그들의 "본성의 능력"을 발휘하여 다른 방법을 실행할 수 있다. 이렇게 하지만 그 어떠한 온기도 느끼지 못하고 열매도 거의 맺지 못한다고 그들은 생각한다. 마음의 혼돈, 슬픔과 불안, 여러 가지 전형적인 영적 실망의 증상들이 그들의 마음을 빼앗는다. 그리고 그들은 "마치 스스로가 창조주 주님으로부터 멀리 떨어져 있는 것처럼" 느낀다. 이것이 이냐시오가 말하는 **시련의 본질**이다. 우리가 영적 실망의 시기에 처해 있을 때, 공동체의 전례, 다른 이들을 위한 봉사, 주님을 사랑하고자 하는 매일의 노력 등도 시련에 처할 수 있다. 안젤라의 이야기를 봐도 그리고 일반적인 영적 체험들을 봐도 이런 시련은 참아 내기 힘들다.

시련의 목적

이제 안젤라, 앨리스, 제인 수녀, 또는 다른 열심한 신앙인이 그들의 영성 생활의 다양한 시점에서 이 시련을 체험하고 있다고 가정해 보자. 이 시련이 발생하는 각각의 시간은 고통스러울 것이다. 그리고 고통의 정도는 영적 실망에 대한 체험의 강도와 지속 시간에 따라 다양하겠지만, 계속 심란해질 것은 누구나 마찬가지이다. 상상의 나래를 더 펼쳐, 그들이 이 시련을 체험할 때마다 겸손한 마음으로 이 영적 실망에 저항하고 배척하려고 노력한다고 생각해 보자. 그들은 이전에 했던 계획들에 더 충실하게 머물려고 하고 적절한 영적 수단을 활용해서 이 시기를 극복하려고 한다. 이기기도 하고 실패하기도 하는 이 싸움에서 인내하면서 점점 놀라운 일이 그들에게 생겨난다. 그들에게 해를 끼치려는 이 시련의 힘이 점점 약해짐을 발견하게 되고, 영적 실망을 배척하려는 그들의 감지, 파악, 행동이 이제는 좀 더 빨리 시작되고 더욱 확실하게 그 효과를 누리는 걸 보게 된다. 하느님의 신의에 의탁하고 인내심을 가지고서 이런 시련을 받으면 그들은 점점 그 어떠한 해도 없이 시련을 참아 낼 수 있게 된다.

앨리스를 예로 들면 그녀는 영적 실망의 시기를 인내하며 보낸다. 그녀는 기도를 포기하지 않고 봉사하고자 하는 열정도 버리지 않는다. 청원 기도와,

묵상, 성찰, 용기를 가지고 행하는 적절하게 맞서는 방식들, 그리고 영적 실망을 배척하기 위해 이냐시오가 제안하는 다른 모든 수단을 통해 이 실망에 저항한다. 실망은 지나가고, 앨리스는 이제 본당뿐만 아니라 다른 곳에서도 하느님께서 주시는 새로운 봉사의 기회를 발견한다. 영적 위로가 다시 돌아오고, 그녀의 기도는 다시 하느님의 현존으로 가득 찬다.

영적 실망은 다시 돌아올 수 있고, 앨리스는 다시 이 실망의 무게를 느낄 수 있다. 그러나 이번에는 "모든 것이 절망적이고 의미 없는 듯하다"라는 절망은 덜 할 것이다. 그녀는 영적으로 이미 그런 체험을 했고, **구체적 체험을 통해** 이 어둠으로 인하여 영성 생활의 희망과 의미가 끝나지 않음을 터득했다. 오히려 이 시련은 하느님께서 허락하신 시련이다. 만약 그녀가 마음을 다해 최대한 영적 실망에 저항하면 하느님께서 그녀의 노력을 돌아보실 것이다. 시련은 지나가고, 영적 위로가 되돌아오며, 이 시련을 통과하면서 새롭게 성장하는 법을 하느님께서 은총으로 주실 것이다. **저항함으로써**, 앨리스는 **저항하는 법을 배운다**. 앨리스가 이 시련을 체험하고, 단지 한두 번 저항해 보고 관두는 것이 아니라 영적 실망이 일어날 때마다 저항하면, 그녀가 배운 것은 굳건해지고 저항하는 그녀의 능력도 더욱 굳건히 자리 잡는다. 많은 사람이 체험하는 장애물, 영적 실망이 가져다주는 좌절이라는 영적 성장의 가장 큰 장애물은, 그 힘을 잃어 그녀가 하느님께로 나아가는 것을 막지 못한다.

이것이 바로 이냐시오가 말하는, 시련 자체를 허용하시는 **하느님의 목적**이다.

실망 중에 있는 사람은, 주님이 어떻게 그를 본성의 능력만 지닌 채 시련에 처하게 놔두시어 원수의 여러 가지 책동과 유혹에 **저항하도록** 하시는지를 생각한다.

하느님께서 당신의 도움 없이 오직 우리의 인간적인 힘에만 의지하도록 시련 속에 남겨 두신 이유는, 이 시련을 겪는 과정에서 "원수의 여러 가지 책동과 유혹에"에 저항할 **기회**를 주기 위해서라고 이냐시오는 말한다. 정통 신학이 가르치는 것처럼, 영적 능력(미덕들)은 반복된 수련을 통해서 굳건히 뿌리내린다. 영적 실망이 가져다주는 시련을 반복적으로 **체험**하고 계속해서 **저항**하는 것이 하느님께서 인간을 위해 계획하신 길이며 영적 실망에서 벗어나 자유를 찾는 정상적인 길이다. 겸손한 마음으로 용기 있게 저항할 때 영적 실망은 아주 중요한 영적 훈련으로 그 의미가 변모되어 희망을 가르친다. 영적 위로만으로는 이루어 낼 수 없는 영적 성숙의 길로 안내하는 아주 중요한 영적 가르침이 된다.

여기서 영성 생활 전체에 걸쳐 중요한 묵상 주제가 드러났다. 열심한 신앙인들은 자신의 영성 생활을 돌아보면서 평화와 영적 위로의 시기가 영적 진보에 의미 있는 시간이었고 영적 실망의 시기는 영적 진보에 무의미하고 손실에 불과한 시기였다고 판단하는 경향이 있다. 그들은 빛나고, 위로받고, 하느님의 사랑과 활동을 또렷이 느끼는 시간에 감사한다. 그러나 과거든 현재든, 영적 실망의 시간은 그들에게 불안과 슬픔일 뿐이다. 이 시간은 마치 하느님의 은총으로부터 '제외되어' 버려진 시간처럼 생각하고 이 시간에 대해서는 후회를 느낀다.

이렇게 열심한 신앙인들이 이냐시오가 여기에서 확인해 주는 바를 알아볼 때 많은 변화가 시작된다. 영적 위로만 좋은 것이라 여기고 영적 실망을 무조건 나쁜 것으로 여기는 태도는 하느님의 사랑과 섭리를 반쪽만 받아들이는 꼴이다. 하느님의 사랑과 섭리가 영적 위로 속에는 살아 있고 영적 실망 속에는 없는 것이 아니다. 오히려 우리에게 영적 위로도 주시고 영적 실망의 시련도 허락하시면서 하느님은 **항상** 우리 삶에 살아 계신다. 영적 위로는 받아들이고 영적 실망은 배척하는 이런 각각의 행동은 그 나름대로 성장을 가져다준다. 하느님께서 사랑을 주시는 법을 가늠하려면 **둘 다** 필요하다. 이냐시오가 말한 것처럼 두 가지 모두 가르침이다. 이 두 가지 모두를 통해 우리는 "그리스도의 충만한 경지에"(에페 4,13) 다다른다.

"너는 할 수 없다"가 "나는 할 수 있다"로 바뀔 때

이 시점에서 우리는 이냐시오가 말하는 모든 일련의 규칙 중에서 가장 희망이 가득 차 있는 문장 하나를 만난다. 하느님은 우리가 그 실망에 저항할 기회를 주시고자 영적 실망의 시련을 허락하신다고 이냐시오는 말하고 있다.

비록 그가 분명하게 느끼지 못할지라도, 그에게 항상 남아 있는 하느님의 도우심에 힘입어 **대처해 낼 수 있다.** 왜냐하면, 주님은 그에게서 큰 열성과 넘치는 사랑과 열렬한 은총을 거두었지만 영원한 구원을 위해서 필요한 은총을 충분히 남겨 두었기 때문이다.

영적 실망의 시간을 보내는 사람들은 폴리뇨의 안젤라처럼 그들이 이전에 체험하며 즐겼던 "큰 열성과 넘치는 사랑과 열렬한 은총"을 빼앗겼다고 느낀다. 그들은 그들 안에서 작용하시는 하느님의 은총을 **느끼지 못한다**. 반대로 그들은 그들의 마음을 무겁게 하고 그들을 어둠에 사로잡히게 하는 "원수의 여러 가지 책동과 유혹"을 **강하게 느낀다**. 그들은 오직 이 시련의 시간에서 그들을 돕기에는 너무나 약한 "본성의 능력"만 가진 채로 완전히 홀로 남겨진 것처럼 보인다. 영적 실망의 시기에 빠진 사람들은 자주, 이를 **감내할 수 없을** 것이고, 영적으로 아무 탈 없이 그 황폐함에서 **벗어날 수 없다고** 느낄 것이다.

이냐시오가 우리에게 상기시켜 주는 것처럼 실상은 완전히 다르다. 그들이 비록 "분명하게 느끼지" 못할지라도, 주님께서 주신 "큰 열성과 넘치는 사랑과 열렬한 은총"을 주님께서 되가져 가셨다고 해도, 주님은 "영원한 구원을 위해서 필요한 은총을 충분히 남겨 두었기 때문이다."[105] 그래서 영적 실망의 시간을 보내는 사람들은 이 어둠 속에서 "분명하게 느끼지" 못함을 "숙고"해

---

105 **충분한 은총**이라는 용어는 우리가 이미 말했듯이 여기에서는 학문적인 의미로 사용되지 않고 다소 대중적인 방식으로 사용된다. 비록 우리가 이 은총을 느끼지 못하지만, 이 은총은 우리가 체험하는 상황에서 요청되는 행동을 완수하는 데 충분한 은총이다. …… 실망 속에 있는 이는 자신과 함께하시는 하느님의 도우심이 충분해서 영적으로 피폐해지지 않고 이 실망을 잘 견뎌 낸다는 것을, 그리고 오히려 하느님의 도우심이 자신의 영원한 구원에 도움이 된다는 것을 생각해야 한다(Gil, *Discernimiento*, 189).

야만 한다. 즉 하느님께서는 항상 **충분한 은총**을 주셔서 우리가 이 시련을 안전하게 통과하게 하실 뿐 아니라 저항을 통해 우리가 영원한 구원으로 나아가는 영적인 성장을 이루도록 하신다는 점이다. 주님께서는 고난 중에 있는 바오로에게 "너는 내 은총을 **넉넉히** 받았다"(2코린 12,9; 저자의 강조 추가)라고 말씀하셨다. 주님께서 우리에게도 이 말씀을 하고 계신다는 것을 만약 안젤라와 영적 실망을 겪고 있는 모든 사람이 생각한다면, 그들은 더욱 굳건히 저항할 용기를 얻을 것이다.

이냐시오는 희망으로 가득 차서 이렇게 확실하게 단언한다. 즉 하느님은 항상 영적 실망의 시련을 이겨 낼 수 있는 충분한 은총을 남겨 두셨다는 점이다. 황폐함에 빠져서 저항할 힘을 찾는 사람은 확신을 가지고 그들이 **저항할 수 있다**는 점을 알게 된다. 4주 동안 시련을 겪는 안젤라, "모든 것이 절망적이고 의미 없는 듯하다"라던 앨리스, 피정 여섯째 날에 "혼돈, 혼란, 그리고 좌절감으로 가득 찬" 제인 수녀, 그리고 영적 실망을 체험하는 다른 이들도 짐이 너무 무거워 참을 수 없다고 느낄 수도 있다. 그들은 실망에 **저항할 수 없고** 결국은 패배할 것이라고 느낄지도 모른다. 이 시련의 시간에 그들은 신앙을 걸고 숙고해야 하고 느낄 수 없는 것을 확신해야 한다. 그들 안에 항상 머물러 있는 하느님의 도우심 덕분에 **저항할 수 있다**는 사실을.

비영적 실망을 잠깐 언급하고 다시 돌아가겠다. 자신의 정서적 육체적 한계를 능가하는 고난이라서, 직시한다거나 줄기차게 저항한다고 해도 해결이 안 되는 비영적 실망의 상황도 분명히 있다. 정서적 육체적으로 완전히 고갈되어서 녹다운되거나 우울증에 걸렸다면 현명한 치료를 해서 되살리는 것이 가장 우선되어야 한다. 그래야 지금 겪는 상황을 더 효과적으로 직면할 수 있다. 그 상태에서는 직면하고 저항한다고 해결되는 것이 아니다.

하지만 이냐시오는 여기서 비영적 실망에 대해 말하는 것이 아니라 정확하게 **영적** 실망에 대해 말하고 있다. 앨리스와 제인 수녀의 사례에서 드러난 것처럼 정서적 육체적 힘은 본질적으로 건강한 힘이라고 이냐시오는 생각한다. 이 경우에, "나는 할 수 없다"라는 느낌은 우리가 가진 인간적 힘이 진짜 부족해서 생기는 게 아니라 영적 실망의 시기에 악한 영이 가하는 **영적 낙담**에서 생겨난다. 규칙 6은 신앙에 굳건히 뿌리박고 "너는 할 수 없다"라는 악한 영의 속삭임을 배척하며 "나는 할 수 있다"라는 믿음을 확고히 하라고 권유한다. 왜냐하면 "나는 주님께서 이것을 이겨 내기에 필요한 은총을 충분히 남겨 두셨다"는 것을 알기 때문이다.

앨리스는 주님께 봉사하는 노력을 더 이상 끈기 있게 **할 수 없다**고 느낄지도 모른다. 제인 수녀는 피정이 점점 견디기 힘든 피정으로 바뀌어 가고, 끝까지 끈기 있게 **할 수 없으며**, 그리고 오늘 피정집을 떠나야만 한다고 느낀다. 신앙이 깊은 사람도 다른 사람들과 마찬가지로 또 다른 하루를 **참아낼 수 없다**고 느끼거나 일을 **계속해 나갈 수 없다**고 느낄 수도 있다. 사제는 맡은 본당사목을 더 이상 **계속해 나갈 수 없고** 은퇴 계획을 세워야만 한다고 느낄지도 모른다. 기도를 열심히 바치는 사람들도 이날 기도하는 시간이 끝이 없고, 참을 수 없을 정도로 강요받는 것 같다고 느낄 수도 있으며, 끈기 있게 **해 나갈 수도 없어서** 지금 이 노력을 그만두어야 한다고 느낄지도 모른다. 이러한 경우나 다른 모든 경우에 가지는 느낌이 **영적** 실망에서 유래한다고 생각하면서 이냐시오는 확신을 가지고 답을 한다. "너는 할 수 있다!" 비록 지금 사랑이신 하느님의 현존을 느끼지 못하지만, 너는 할 수 있다. 하느님의 은총은 **항상** 영적 실망의 시기에도 충분하기 때문이다. "나는 할 수 없다"라 며 비틀거리는 상태에서 하느님께서 주시는 지지하는 도우심으로 용감하게 "나는 할 수 있다"라는 태세로 전환할 때, 끈질기게 저항하는 자유가 생겨나 고 영적 실망의 위세를 쳐부수게 된다.[106]

'기억'과 '망각'

이 모든 것에는 기억과 망각 사이의 역동이 작용하고 있다. 영적 실망의 시기에 악한 영은 하느님을 **잊어버리도록** 우리를 이끄는데, 이때 우리가 할 일은 하느님을 **기억하는** 것이다. 이냐시오는 테레사 레하델 수녀에게 이렇게 조언한다. 악한 영은 "하느님을 사랑하고 하느님께 봉사하기 시작하는 사람들이 걸어가는 길에 방해물과 장애물을 설치한다." 그리고

---

106 이런 전환은 제라드 맨리 홉킨스가 깊은 영적 실망의 시기에 지은 마지막 시 중 하나에 그 예 가 잘 드러나 있다. "아니요. 저는 그러지 않으렵니다. 썩은 고기의 위로자, 절망이여, 당신으 로 배 불리지 않으렵니다. / 인간으로서의 이 마지막 묶음을, 비록 느슨하여도, 풀지 마시오. / 내 안에는, 아니 너무나 지쳐, **더는 울 수도 없습니다.** 나는 할 수 있어요. / 무언가를 할 수 있 어요, 희망합니다. 그날이 오길 바랍니다. 죽음을 선택하지 않으렵니다." [W. H. Gardner, ed., *Gerard Manley Hopkins: Poems and Prose* (Harmondsworth, Middlesex: Penguin Books, 1981) 60. 굵은 글씨는 원문의 강조 표시를 따른 것임].

하느님께 봉사하기 시작하는 사람들이 장애물을 뛰어넘고 주님과 함께 고통받기를 선택할 때 악한 영은 주님께서 늘 주시는 큰 위로와 위안을 **기억에서 지워 버리려고** 애씁니다.[107]

영적 실망의 시기에 악한 영은 몰래 숨어서 주님께서 신실하고 열심한 신앙인들에게 주시는 큰 위로와 위안을 "기억나지 않게 방해한다." 이냐시오는 테레사 레하델 수녀에게 "악한 영은 하느님께서 우리를 **완전히 잊어버리셨다**는 속임수까지 쓴다"고 설명한다.[108]

아빌라의 데레사는 그녀가 체험한 영혼의 비통한 시련에 대한 몇몇 장면을 묘사하면서, 이런 체험을 하는 동안 "하느님께서 나에게 베푸신 모든 은총이 **잊혔고**, 오직 고통을 안겨 주는 기억만 남아 있으며, 이 모든 은총이 **꿈처럼 여겨졌다**"고 썼다.[109] 그녀가 체험한 시련의 시기에 주님께서 일찍이 주신 '모든' 은총, 너무나 풍부했던 은총이 **잊혔다**. 오직 은총이 있었다는 기억만 남아 있지만, 그 기억도 비현실적이고 꿈같아 보인다. 기억의 진실을 부정한다면 그 기억은 위안이 되지 않고 고통을 줄 뿐이다. 피오리토는 이렇게 지적한다. "우리는 성녀 데레사가 악한 영의 전술 중 하나는 잊어버리게 만드는 것

---

107 Young, *Letters of Saint Ignatius*, 19.

108 위의 책, 22.

109 *The Book of Her Life*, chapter 30, paragraph 8, in *The Collected Works of St. Teresa of Avila*, vol. 1, trans. Kieran Kavanaugh and Otilio Rodriguez (Washington, D.C.: ICS Publications, 1987), 256. [아빌라의 성녀 데레사, 『아빌라의 성녀 데레사 자서전: 하느님의 자비에 대한 글』, 고성·밀양 가르멜 여자 수도원 옮김, (칠곡: 분도출판사, 2017)]; Fiorito, *Discernimiento y Lucha*, 95에 인용되어 있다.

임을 언급하고 있다는 사실에 주목해야 한다." 악한 영은 "우리가 받은 은총을 상기하면 유혹에 저항할 힘을 얻으리라는 사실을 알고 있다. 그래서 기를 쓰고 우리를 망각으로 이끈다."[110]

영적 실망 중에 있는 사람들은 "잊어버리게" 이끄는 이런 술책을 체험할 것이다. 이것은 악한 영이 활동하고 있다는 특징이다. 영적 실망에 빠져 슬프고 어두운 시기에는 영적 여정 중에 있었던 하느님의 신실한 사랑에 대한 기억을 악한 영이 "잊어버리게 만들 것이다." 희망을 잃어버린 앨리스와 낙담 중인 제인 수녀는 아마 그들의 삶 전반에 걸쳐 주시는 하느님의 지치지 않는 사랑을 쉽게 잊어버리고 있었을지도 모른다. 바오로가 "나에게 힘을 주시는 분 안에서 나는 모든 것을 할 수 있습니다"(필리 4,13)라고 했건만, 영적 실망을 체험하는 사람들이 이런 악한 영의 전술을 깨닫지 못한다면 마음을 짓누르는 무거움과 영적 고립감에 완전히 넘어가 그 너머를 전혀 볼 수 없을지도 모른다. 시편 작가가 "그분의 사랑 우리 위에 굳건하고"(시편 117,2)라며 외치는 굳건한 하느님의 사랑을 까맣게 **잊어버릴지도** 모르겠다.

그래서 영적 실망의 시기에 우리가 해야 할 일은 이냐시오가 테레사 레하델 수녀에게 쓴 것처럼 "주님께서 늘 주시는 큰 위로와 위안"을 **기억하는** 것이다. 그리고 악한 영이 흐려 놓으려고 하는 진리, 즉 하느님의 도우심(충분한 은총)은 항상 충분히 우리에게 남아 있으므로 우리는 혼자가 아니며 우리가 **저항할 수 있다**는 사실을 기억하는 것이다. 이스라엘 백성의 경우처럼(신명 32,7; 시편 105,5; 시편 143,5), 이렇게 "기억하기"는 우리를 강하게 만들어 용기를

---

110 Fiorito, *Discernimiento y Lucha*, 97.

가지고 우리의 영적 여정을 계속해 나가게 도와준다.

영적 실망의 시기에 저항하는 분투를 통해서 우리의 저항하는 역량은 점점 더 강화된다. 동시에, 하느님께서 우리와 **항상** 함께 계시고 하느님의 섭리가 우리 삶에 **항상** 살아 있다는 감지도 점점 더 성장한다. 이 감지는 영적 위로의 시기에는 분명할 것이고, 영적 실망의 시기에는 느낄 수 없으나 엄연한 현실이고 항상 살아 있다. 예수님께서 말씀하셨듯이 우리 여정의 매 순간, 진실로 "그러나 나는 혼자가 아니다"(요한 16,32)라는 점을 더 깊이 알게 된다.

8장

영적 실망: 인내의 시간 (규칙 8)

적막한 내 땅에

나는 꽃피우려 노력했다.

나중에, 바위 위 내 땅에

포도와 옥수수가 영글었다.

- 에밀리 디킨슨

인내는 모든 것을 이루어 낸다.

- 아빌라의 데레사

시련의 시기를 지탱하는 인내심

깊은 신앙으로 기도 생활을 했던 부인, 엘리자베스 르쾨르는 몇 주 동안 이어진 심한 내적 고투를 1902년 10월 18일 영적 일기에 이렇게 기술한다.

다른 사람을 대할 때 보이는 나의 소심함, 약함, 어색함, 내가 소중히 여기는 생각에 해를 끼칠 수 있는 것들, 극심한 신체적 고통과 깊은 심적 고통, 이런 가운데 하느님께로 향하는 흔들리지 않는 의지, 하느님에 대한 넘치는 신뢰와 사랑, 어떠한 대가든 무릅쓰고 엄청난 노력을 기울여 수행하는 매일의 의무들, 열정 없이도 여전히 행하는 의무들, 그 후에 조금씩 나에게 돌아오는 고요함과 다시금 나를 관통하는 하느님의 힘, 새롭고 활기 넘치는 다짐들, 하느님께서 나의 모든 의무를 다하도록 도우시리라는 희망, 이것이 지난 몇 주 동안의 이야기이며 이 시기에 내 영혼이 겪은 이야기이다.[111]

여기에는 분명히 영적 상태와 무관한 비영적 실망이 있고, 육체적, 정서적 고통이 있으며, 또한 영적 실망의 암시도 있다. 엘리자베스는 "깊은 심적 고통"을 체험하고 하느님께서 주신 그녀의 과제들을 오직 "엄청난 노력"만으로 완수한다. 그녀는 영적 실망의 전형적 표현인 "열정이 없는" 상태인데도 하던 일에 꾸준하다.

그녀는 고뇌에 굴하지 않고 굳건히 하느님께 그리고 일상의 부르심에 충실하면서 뛰어난 용기로 이 어려운 시기를 마주한다. "이런 가운데 **하느님께로 향하는 흔들리지 않는 의지**"로 "**어떠한 대가든 무릅쓰고 엄청난 노력을 기울여** 매일의 의무들을 수행하며, 열정 없이도 여전히 매일의 의무를 행"한다. 그리고 시련 속에서 인내하는 이런 신실함은 영적 위로가 되돌아옴으로써 열매를 맺는다. "그 후에 조금씩 나에게 돌아오는 고요함과 다시금 나를

---

111 Elisabeth Leseur, *My Spirit Rejoices: The Diary of a Christian Soul in an Age of Unbelief* (Manchester, N.H.: Sophia Institute Press, 1996), 68.

관통하는 하느님의 힘"이 있다. 활기와 희망이 다시 한번 그녀 안에 샘솟는다. "새롭고 활기 넘치는 다짐들, 하느님께서 나의 모든 의무를 다하도록 도우시리라는 희망"이 생겨난다. 엘리자베스는 이 고투의 시기에 꾸준하고 충실하게 견뎌, 어둠에 전혀 다치지 않고 영적 위로가 점차 되돌아옴을 체험한다.

1년 뒤 1903년 11월 3일에 그녀는 유사한 체험을 한다.

두 달 이상 거의 끊이지 않는 육체적 고통으로 인한 실의, 그리고 쥘리에트의 이야기를 들은 뒤의 심각한 근심, 내 생전에 이 병도 계속되어 항상 내 삶을 방해하리라는 슬픈 믿음. 완전한 받아들임, 그러나 기쁨이나 그 어떤 내적 위로도 없는 받아들임. 영혼들의 선익을 위해 나의 불행들을 활용하겠다는 굳은 다짐. 나의 삶을 기도, 일, 애덕으로 채우기. 모든 것에서 평정을 유지하기. 내 삶의 소중한 동반자들을 어느 때보다 더 사랑하기.[112]

영적 상태와 무관한 비영적 실망이 다시 분명하게 드러나고 영적 실망의 요소들 또한 나타난다. 이때도 엘리자베스는 끈질긴 용기로 내적 고뇌에 맞선다. 비록 그녀는 "기쁨이나 그 어떤 내적 위로도 없"지만, 하느님께서 그녀에게 허락하신 시련을 "완전히 받아들인다." 그리고 이 받아들임은 단순히 수동적인 받아들임이 아니라 "영혼들의 선익을 위해 나의 불행들을 활용하겠다

---

112 위의 책, 77. 쥘리에트와 엘리자베스는 자매였다. 쥘리에트는 이 편지를 적고 2년 후인 22세의 나이에 결핵으로 사망했다.

는 굳은 다짐"과 연결되어 있다. 엘리자베스는 이 시련의 시기에 "내 삶을 기도, 일, 애덕으로 채우려는" 결심을 한다. 그리고 내적 태도로서 "모든 것에서 평정을 유지"하리라 결심한다. 무엇보다도, 어둠이 이어진 두 달은 하느님께서 그녀에게 동반자로 보내 주신 사람들을 "어느 때보다 더 사랑"하기로 선택하는 시기가 된다.

위의 두 단락에서 엘리자베스는 우리가 실망의 시기에 저항하고자 할 때 가장 필요한 마음가짐이 무엇인지 숭고하게 보여 준다. 바로 시련의 시기에 **굴복하지 않고**, 시련이 지나가고 마음의 평화가 돌아올 때까지 능동적으로 그리고 용감하게 버티는 충실한 인내다. 영적 실망의 시기에 지니는 이 '인내'가 이냐시오가 말하는 규칙 8의 핵심이다.

이냐시오의 규칙 8은 아래와 같다.

규칙 8. 실망 안에 있는 이는 자기가 당하고 있는 괴로움에 상반된 인내를 유지하도록 노력하고, 규칙 6에서 말한 것과 같이 이런 실망에 상반된 노력을 한다면 머지않아 위로를 받을 것으로 생각해야 한다.

이 규칙은 영적 실망의 시기에 주어지는 두 개의 부르심을 설명하고 있다. 무엇을 위해 **노력**하라는(인내를 유지하는 노력) 부르심과 무엇을 **생각**하라는(곧 위로가 되돌아온다는 생각) 부르심이다. 생각은 결국 행동과 연결되어 있다. 그리고 이는 규칙 6에서 제시한 수단들, 즉 기도, 묵상, 성찰, 적절한 고행과 더불어 힘껏 사용해야 한다. 규칙 8의 뒷부분에 묘사된 생각, 그리고 연결된 행동은 이 규칙의 앞부분에 제시된 대로 "인내를 유지하도록 노력"하는 것을 거들어 준다. 이제 이 규칙의 앞부분과 뒷부분을 더 자세히 살펴보겠다.

인내: 영적 실망의 시기에 핵심 덕목

영적 실망을 겪고 있는 사람은 "**인내**를 유지하도록 **노력**"해야 한다고 이냐시오는 말한다.[113] 이 표현은 그 자체로 이 지침을 따르는 데 필요한 노력을 아주 잘 드러낸다. 이냐시오가 말하는 **인내**는 이 단어의 어원이 말하듯, 시련을 겪고 있는 사람들에게 알맞은 미덕이다. 즉, 그들은 시련을 피해 도망가지 않고 시련이 계속되는 한 참고 견디며 그 짐을 충실히 짊어진다.[114] 내적 부담에 대한 엘리자베스의 용감한 대응은 이냐시오가 의도한 인내의 정확한 예이다. 그녀는 고통에 굴복하지 않고, 이 시련이 계속되는 한 사랑과 봉사를 고수하겠노라 선택한다.

이 **인내**는 상대적으로 쉬운 상황에서 단순한 "진보" 이상을 의미한다. 예를 들면, 영적 위로의 시기에 기도 시간을 완전히 채우거나, 보람과 영적 활기를 얻을 때 다른 이들에게 봉사하는 상황들이다. 영적 위로 중에 꾸준히 기도하고 사랑으로 봉사하는 것도 물론 영적으로 진보하는 데 유익한 방법들

---

113 "trabaje de estar en paciencia."

114 "인내patience"는 라틴어 patior에서 나왔다. 그 뜻은 '고통을 당하다suffer', '참다bear', '인내하다endure' 등이다.

이다. 하지만 이들은 이냐시오가 규칙 8에서 말하는 "인내"는 아니다.

여기 앨리스, 제인 수녀, 안젤라, 엘리자베스, 그리고 영적 실망 중에 있는 모든 사람의 경우처럼, 내적인 어둠, 슬픔, 희망이 없는 느낌, 열정 부족, 하느님의 사랑을 느낄 수 없는 무능력, 이 모든 것이 사랑하고 봉사하려는 노력을 그냥 포기하라고 우리를 몰아붙일 때 우리는 굴하지 않는다. 오히려 **인내**로써 앞으로 나아가며 지금 우리가 해야 할 과제를 충실히 계속한다. 무미건조한 느낌이어도 기도나 피정을 끝까지 마치고, 하느님께서 멀리 떨어져 계신 것 같아도 봉사를 계속한다. 사랑을 실천하는 데 열의를 전혀 느끼지 못해도 우리는 사랑에 대한 결심을 고수하며, 우리가 느끼는 슬픔에도 아랑곳없이 가정, 본당 단체, 직장에서 사랑하려는 노력을 기울이며 앞으로 나아간다.

끈기 있는 인내를 이렇게 이해할 때 이냐시오가 택한 동사를 온전히 이해하고 파악할 수 있다. 우리는 영적 실망 중에 있을 때 그런 인내로 버티도록 '노력해야' 한다. 엘리자베스는 실망의 시기에 이 인내를 유지하는 데 들어가는 "노력"에 딱 맞는 예를 보여 준다. "**어떠한 대가든 무릅쓰고 엄청난 노력을 기울여** 수행하는 매일의 의무들, 열정 없이도 여전히 행하는 의무들," 그리고 "영혼들의 선익을 위해 나의 불행들을 활용하겠다는 굳은 **다짐**. 나의 삶을 **기도**, **일**, **애덕**으로 채우기. 모든 것에서 **평정을 유지**하기. 어느 때보다 더 **사랑**하기." 노력과 결심, 어떤 대가를 치르든 상관없이 하는 봉사, 기도, 일, 애덕, 이 모든 것 안에서 평정을 유지하려는 노력, 평화의 시기보다 어둠의 시기에 더 큰 사랑으로 살아가려는 시도. 이런 것이 영적 실망의 시기에 꾸준히 인내하려고 **노력하는** 사람의 모습이다.

이런 영적 노력은 다음과 같은 노력에 상응한다. 이미 장거리를 뛰어 피로하지만 완주할 때까지 멈추지 않는 마라톤 선수, 병이 나을 때까지 요구되는 노력에도 아랑곳없이 오랜 병마와 싸우는 병자를 보살피는 가족, 시험 하나하나를 준비하면서 마지막 시험이 끝날 때까지 오랜 노력을 기울여 꾸준히 공부하며 학기 말을 보내는 학생 등. 마찬가지로, 영적 실망이 패배를 인정하라고 우리를 몰아붙이더라도 기도, 봉사, 영적 결심들, 그 밖에 우리가 받은 부르심에 충실할 때, 우리는 **인내하려고 노력**하고 있는 것이다. 이런 방법으로 영적 실망에 대응하는 사람들은 영적 실망에 다치지 않을 뿐 아니라, 이 실망이 계속되는 동안 굳건히 버티는 노력을 통해 훌쩍 성장할 것이다.

인내를 키우는 생각

규칙 7에서 이냐시오는 영적 실망 중에 있는 사람들에게 그 실망이 그들의 영적 성장을 위해 주님께서 허락하신 시련이라 **숙고하라**고 조언했다. 그 시련에 저항함으로써 그들은 점점 더 저항할 수 있게 된다. 이런 생각은 그들에게 용기를 북돋아 주고 영적 실망에 저항하는 힘을 길러 준다. 이제 다시 한번, 이냐시오는 영적 실망 중에 있는 사람들에게 실망에 저항하는 데 더욱 도움이 될 어떤 형태의 **생각**을 하라고 초대하는데, 바로 "머지않아 위로를 받을 것으로 **생각**"하는 것이다.

앞에서 우리는 영적 실망이 어떻게 영적 과거와 미래에 힘을 발휘하는지 살펴보았다. 앞서 보았듯이 이냐시오는 그가 영적 실망을 겪을 때 "삼위일체 하느님을 전혀 느껴 본 적이 없었던 것 같았고, 앞으로 다시는 느끼지 못할" 것처럼, 성삼위에게서 "멀리 떨어져" 있다고 느낀다. 악한 영은 이런 상태를 악용하여 위세를 부리고 현재의 고통이 미래에까지 그대로 이어지리라는 확신을 서서히 주입한다. 도스토옙스키의 표현을 빌리면, 현재의 실망은 종종 "이런 차갑고 죽음 같은 고통의 세월이 아무 희망 없이 이어지리라 예고하는 영영 가시지 않는 느낌을 동반한다."[115]

제인 수녀는 깊은 영적 실망 가운데 피정 여섯째 날을 맞으면서, 이날 하루 그리고 남은 피정 기간이 이런 실망 속에서 계속될 거라 느낀다. 이런 예감 때문에 거의 참을 수 없을 정도로 실망을 느낀다. 앨리스는 영적 실망을 겪으며 자신의 노력이 지금뿐만 아니라 앞으로도 계속 "절망적이고 의미 없는 듯하다"라는 생각으로 더욱 고통스러워한다. 이렇게 미래에도 영향을 끼치리라는 생각은 영적 실망의 일반적 특징이며 실망을 겪는 사람들에게 지워지는 부담의 주요 요인이다.

영적 실망 중에 있는 사람이 기도 시간을 시작할 때, 그들은 종종 기도 시간 전체가 마찬가지로 실망스러우리라는 "확신을" 느낀다. 이런 느낌도 아예 기도를 놓으려는 충동에 큰 영향을 미친다. 이와 비슷하게, 열심한 신앙인

---

115 Fyodor Dostoevsky, *Crime and Punishment*, trans. Sidney Monas (New York: Signet Classics, 1968), 413. [표도르 도스토예프스키, 『죄와 벌』, 김연경 옮김, (서울: 민음사, 2012)]. 에밀리 디킨슨도 이런 성질의 고통을 완벽하게 묘사한다. "고통은 공허함의 요소를 가지고 있다. / 고통은 기억해 낼 수 없다 / 언제 고통이 시작되었는지 또는 고통이 없던 날이 하루라도 있었는지. / 고통은 미래가 없고 오직 고통뿐이다." R. Linscott, ed., *Selected Poems & Letters of Emily Dickinson* (New York: Doubleday, 1959), 89.

들이 일과를 시작하거나 봉사 활동을 시작하면서 영적 실망을 느끼면, 그날 하루 또는 활동도 무거운 공허감만 가득하리라는 확신이 들 때가 있을 것이다. 만약 그들이 이런 예감을 믿어 버리면 머지않아 자신들의 노력을 줄이거나 봉사를 완전히 포기할 수 있다.

그렇기에 영적 실망 중에 있는 사람들은 "**머지않아 위로**를 받을 것"으로 **생각**하라는 이냐시오의 권고가 지닌 힘은 분명하다. 악한 영은 미래를 장악할 힘이 없으며 모든 것이 그러하듯 미래 또한 우리 삶의 모든 것을 당신 구원 계획으로 이끄시는 하느님의 손안에 있다(로마 8, 28)는 점을 영적 실망 중에 있는 이들은 생각해야 하고 그 점을 묵상하기를 선택해야 한다. 이냐시오의 짧은 문장은 활기와 희망으로 가득 차 있다. 즉, 현재의 실망이 결국 미래에도 우세하리라는 거짓된 암시는, **머지않아 위로를 받을 것**이라는 생각, 이 실망은 미래에 부서져 사라지리라는 생각, 영적 실망 중에 있는 이들이 다시 한번 따스한 하느님의 사랑과 친밀감을 체험하리라는 생각에 맞닥뜨린다. 그리고 단지 위로가 오는 데서 그치지 않는다. 이냐시오는 영적인 대담함을 띠고 영적 실망 중에 있는 이들에게 영적 위로가 **머지않아** 돌아옴을 생각하라고 초대한다.

앨리스가 영적 실망이 몇 주, 몇 달 동안 이어지리라고 여기며 낙심할 때, 이냐시오는 다음과 같은 진리를 떠올리라고 초대한다. 즉, '영영 희망이 없을 것 같다'는 전망은 전혀 사실이 아니며 영적 위로는 영적 실망 상태에서 느껴지는 것보다 그리고 앨리스가 감히 기대하던 것보다 **더 빨리** 돌아온다고 말이다. 제인 수녀가 영적 실망 때문에 남은 피정 기간이 엉망이 되리라고 슬프게 예감할 때, 이냐시오는 그런 생각 대신에 이 사실을 떠올리라고 충고한다. 다시 말해 그녀가 지금 겪는 "혼돈, 혼란, 좌절감"은 현재 영적 실망에서 비치는 것보다 그리고 역시 그녀가 감히 기대하던 것보다 훨씬 **더 빨리** 영적 위로로 바뀌리라는 사실이다. 영적 실망의 시기에 기억해야 할 생각에 관해 앞서 이야기한 내용은 다시 한번 여기서도 적용된다. 즉 이 생각은 저절로 떠오르는 것이 아니라 의식적인 노력이 필요하며, 이 노력은 바로 이런 생각을 하겠다고 거듭 선택함으로써 더욱 쉬워진다.

하지만 이런 생각이 아무리 용기를 불어넣는다고 하더라도 생각만으로는 충분하지 않다. 생각은 행동을 동반해야 한다. 그럴 때 비로소 영적 실망의 손아귀에서 벗어나는 효과를 완전히 이룬다. 이냐시오는 "규칙 6에서 말한 바와 같이 이런 실망에 상반된 **노력을 한다면** 머지않아 위로를 받을 것으로 생각"하라고 한다. 그것은 우리에게 익숙한 네 가지 수단으로 기도, 묵상, 깊은 성찰, 적당한 고행이다. 영적 위로는 영적 실망의 어둠이 보여 주는 것보다 더 빨리 되돌아올 것이다. 하지만 이냐시오는 우리가 영적 수단을 힘껏 쓴다면 영적 위로가 더더욱 빨리 되돌아온다고 말하는 듯하다.

여기서 은총은 나선형으로 순환한다. 영적 실망 중에 있는 이들이 이 실망은 앞날을 영원히 장악하지 않으며 영적 위로가 곧 돌아온다고 **생각**할 때, 이런 생각에서 기운을 얻고 규칙 6에서 말한 네 가지 수단을 쓸 힘도 늘어날 것이다. 그리고 그들이 네 가지 수단을 **힘껏 사용**할 때, 이냐시오가 권하는 대로 생각하는 것도 더욱더 가능해질 것이다. 하느님의 충분한 은총을 겸손하게 신뢰하며 이런 방식으로 생각하고 행동하는 사람들은 영적 실망을 극복하는 길에 굳건히 발을 딛고 있다. 우리는 여기에서 하느님의 은총과 인간의 노력이 함께 일하는 신비에 닿아 있다. 이런 사람들은 바오로 사도가 말한 것처럼 "하느님께서 나에게 베푸신 은총은 헛되지 않았습니다. 나는 그들 가운데 누구보다도 애를 많이 썼습니다. 그러나 그것은 내가 아니라 나와 함께 있는 하느님의 은총이 한 것입니다"(1코린 15,10)라고 말할 것이다.

규칙 7이 실제로 어떻게 적용되는지 간단한 예화로 보자. 앤서니는 토요일 아침마다 늘 성당에 가서 한 시간 동안 기도하는 습관이 있다. 그런데 앞선 한 주는 영적 실망의 시기였고 오늘 토요일 아침에 일어나면서 그는 늘 하던 대로 성당에서 기도하고 싶은 마음이 거의 없다. 성당으로 갈 준비를 하면서 오늘은 기도를 생략하고 싶은 생각이 점점 커진다. 지난 한 주 내내 기도는 무미건조했고 결실도 없는 것처럼 보였다. 앤서니는 오늘 아침에도 그럴 것이라는 느낌이 너무 확실해서 그렇게 공허한 기도를 한 시간이나 참고 싶지 않았다.

앤서니는 이런 생각을 하다가 무언가 잘못되었음을 알아차린다. 그는 멈추고 자기 내면에 무슨 일이 벌어지는지 살펴본다. 이제, "영적 실망에 빠진 나"는 "영적 실망에 빠진 나를 바라보는 나"로 바뀌었다. 이런 전환을 통해 앤서니는 새로이 명료하게 이해한다. 그는 지금이 예전의 영적 결심(규칙 5 실망에 빠졌을 때는 결코 변경해서는 안 되며)을 바꿀 때가 아니라 영적 실망 자체에 맞서 저항하는 노력을 기울여야 할 때임을 깨닫는다. 그는 나갈 준비를 계속하면서 오늘 아침 성당에서 기도에 충실할 수 있도록 하느님께 도움을 청한다. 앤서니는 비록 "우리는 올바른 방식으로 기도할 줄 모르지만," "성령께서도 나약한 우리를 도와주십니다"(로마 8, 26)라는 바오로의 말을 생각한다. 그는 우리가 기도하고자 할 때 위로자 성령께서 나약한 우리를 도와주신다는 생각에 편안해진다. 그는 완전히 무미건조하게 시작했지만 한 시간 안에 하느님을 풍부히 체험한 시간이 되었던 지난 여러 토요일의 기도를 기억해 낸다. 앤서니는 성당으로 가서 늘 하는 기도시간을 충실하게 채우고, 하루 동안 자신을 지탱할 평화를 얻는다.

앤서니는 영적 실망의 시간에 굴복하지 않고 꾸준히 버티기 위해서 **인내**하려고 **노력했다.** 그는 이냐시오가 가르친 것처럼, 영적 위로가 **머지않아,** 실망 안에 느껴지는 것보다 더 일찍, 어쩌면 기도 중에라도 돌아오리라고 **생각했다.** 그리고 그는 규칙 6에 언급된 네 가지 수단 중 몇 개를 **힘껏 사용했다.** 그는 우선 성찰하고 이어서 청원 기도를 한 다음 유용한 신앙의 진리들을 묵상한다. 하느님의 은총과 영적 실망에 저항하는 앤서니의 현명한 영적 노력은 효과가 있어서, 그는 영적 여정에서 꾸준히 앞으로 나아간다.

번갈아 나타나는 영적 위로와 영적 실망

규칙 8에서 영적 실망 중에 있는 이는 영적 위로가 곧 오리라고 생각하라니, 과연 영적 체험을 바라보는 이냐시오의 일반적 시각이 어떠한지 궁금해진다. 이냐시오에게 이 두 영적 움직임이 번갈아 일어나는 것은 모든 영성생활에서 볼 수 있는 **일반적 현상**이다. 영적 위로도 영적 실망도 영원히 계속되지 않는다. 결국, 한쪽이 다른 한쪽에 밀려난다. 영적 위로를 체험해 보았으니, 영적 실망이 다시 일어난다고 해서 놀랄 필요가 없다. 그리고 이냐시오가 이 규칙에서 말하다시피 영적 실망 중에 있을 때는 영적 위로가 반드시 돌아옴을 미리 생각해야 한다. 그렇게 함으로써 지금 겪는 영적 실망의 위력을 많이 약화시킬 수 있다. 영적 실망 다음에 영적 위로가 오고 이 영적 위로 다음에는 다시 영적 실망이 온다. 영적 실망 다음에 또다시 더 큰 영적 위로가 온다. 이것이 수 세기에 걸쳐 오늘날까지 주님의 제자라면 누구나 체험한 정상적인 현상이다. 영적 위로와 영적 실망은 둘 다 사랑하시는 하느님의 섭리 안에 있되, 영적 위로는 하느님께서 주시는 것이며 영적 실망은 하느님께서 허락하시는 것이다. 그리고 둘 다 하느님께서 주시는 "가르침"으로서 우리에게 영적 성장의 기회가 된다.

노리치의 줄리안은 그녀의 책『계시Showings』에서 위로와 실망이 이렇게 번갈아 나타나는 모습을 인상적으로 보여 준다.

이 일이 있고 난 뒤, 그분은 나의 영혼에 지고한 영적 기쁨을 드러내셨다. 이 기쁨 속에서 나는 영원한 확신으로 가득 찼고, 이는 어떠한 고통스러운 두려움도 없이 힘찬 확신이었다. 이런 느낌은 너무나도 반갑고 너무나도 영적이어서 나는 온전히 평화롭고 편안하고 진정되어, 지상에서는 아무것도 나에게 고뇌를 일으킬 수 없었다.[116]

---

116 E. Colledge and J. Walsh, *Julian of Norwich: Showings* (New York: Paulist Press, 1978), 204. [노리지의 줄리안,『하나님 사랑의 계시』, 엄성옥 옮김, (서울: 은성, 2007)]. 다음에 나오는 인용은 모두 이 책의 204-205에서 인용해 적는다.

아주 분명하게 줄리안은 심오한 영적 위로를 여기에서 체험한다. 그러나 줄리안이 체험한 영적 위로는 오래가지 않는다. 그녀는 자신의 이야기를 계속해서 적는다.

이것은 그저 잠시 이어졌다. 그 후에 나는 곧 변해서 홀로 남겨진 채로, 억눌리고 내 삶에 지쳐 나 자신에게 후회하면서, 계속 살아갈 인내도 거의 내지 못하게 되었다. 믿음, 희망, 사랑을 제외하고는 내게는 그 어떠한 편안함이나 위로도 없었고, 심지어 이 믿음, 희망, 사랑도 거의 느끼지 못했다.

독실한 신앙인들은 이전에 느낀 영적 위로에 대한 줄리안의 애처로운 표현, 즉 "이것은 그저 잠시 이어졌다"라는 말에 완전히 공감할 것이다. 이제 그녀의 영적 위로는 지나갔고 극심한 영적 실망이 그 자리를 차지한다.
그러고는 또다시 영적 실망은 영적 위로로 바뀐다.

그리고 이제는 하느님께서 다시 내 영혼에 위로와 평안을 주셨고, 기쁨과 보호가 주님께서 주시는 축복으로 너무나도 힘 있게 다가와서, 나를 괴롭힐 수도 있는 그 어떠한 두려움도, 슬픔도, 육체적이든 영적이든 그 어떠한 고통도 없어졌다.

위로와 실망의 순차적 출현은 거듭 계속된다.
그런 다음 나는 다시 고통을 느꼈고, 이어서 기쁨과 즐거움을 느꼈다.

지금 하나를 느끼면 다음에는 반대되는 것을 느끼기를 반복하여 스무 번 정도 그렇게 한 것 같다. 그리고 기쁠 때 나는 바오로 성인처럼 "그 무엇도 그리스도의 사랑에서 나를 떼어 놓을 수 없으리라"라는 말을 되뇔 수 있었고, 고통스러울 때는 베드로 성인처럼 "주님, 저를 구하여 주소서. 제가 죽게 되었나이다"라고 되뇌기도 했다.

줄리안은 여기에 자신의 체험을 겸손하게 기술하면서, 주님을 찾는 모든 사람이 겪는 체험을 적어 놓았다. 그런 사람들은 줄리안처럼 영적으로 충만하다가 힘들어지기도 하고, 높여졌다가 낮아지기도 하며, 활기가 넘쳤다가 사라지기도 하고, 기쁨에 넘치다가 슬퍼지기도 한다. 영적 위로와 영적 실망이 계속 번갈아 나타나는데, 지속 기간과 강도도 다르고, 그 사이사이에 위로도 실망도 느껴지지 않는 고요한 때도 있다. 이것은 정상적인 영적 체험일 것이다.

사실 줄리안은 하느님께서 위로와 실망이 번갈아 나타나도록 허락하신 데에는 이유가 있다고 생각한다.

이런 환시가 나타난 것은 어떤 사람들이 한 번은 위로를 받고 또 다른 때는 홀로 남겨진 느낌을 받는 실망의 체험을 통해서 이득을 얻는다는 것을 이해하도록 나를 이끄시기 위해서였다. 하느님은 슬플 때나 기쁠 때나 항상 우리를 보호해 주신다는 것을 우리가 알기를 바라신다.

여덟째 규칙에 담긴 이냐시오의 가르침은 같은 맥락에서 영적 자유를 제시하고 있다. 열심한 신앙인들은 영적 실망을 겪기 마련이다. 그때 그들은 거듭 오르락내리락하는 영적 움직임을 겪는 사람은 '오직 나뿐'이라고 생각할지도 모른다. 남들은 나보다 영적으로 더 뿌리가 깊어 부침 없이 정감적으로 쭉쭉 진보한다고 생각할지도 모른다. 남들은 전혀 동요 없이 언제나 하느님의 것을 바라고, 기도할 때 언제나 하느님이 가까이 계심을 느끼고, 희망이 사라지거나 하느님이 멀리 계시다는 느낌은 전혀 들지 않는다고 생각할지도 모른다. 영적으로 활기가 넘치는 시기를 지낸 후에, 생기를 잃고 하느님에게서 멀리 떨어졌다고 느낀다는 사실이 그들에게는 자신들이 약하고 영적 성장이 부족하다는 증거로 보이기도 한다.

이냐시오와 줄리안처럼 영적 위로와 실망이 번갈아 나타나는 것이 **일반적인** 영적 체험이며 **모든 사람에게** 공통되다고 이해할 때 많은 것이 바뀔 수 있다. 성장을 향한 하느님의 사랑 담긴 부르심은 영적 위로와 영적 실망 **두 시기에 모두** 우리에게 닿는다. 하느님은 영적 위로 중에 받는 빛과 힘을 통해서뿐만 아니라, 영적 실망 안에 저항하면서 키우는 힘을 통해서도 성장하도록 우리를 부르신다. 하느님은 우리를 **식별의 사람**들이 되라고 부르신다. 즉, 영적으로 무엇이 자신 안에서 일어나고 있는지 감지하고, 그것을 파악하며, 선한 영의 움직임은 받아들이고 악한 영의 움직임은 배척하는 사람이 되라고 부르신다. 그렇게 될수록 영적 위로의 열매가 우리의 마음에 더 풍성하게 열릴 것이고, 반면에 영적 실망의 기간, 강도, 피해는 더욱 줄어들 것이다. 이냐시오는 이 중대한 노력을 하는 사람들을 돕기 위해, 규칙을 제시할 때 이런 영적 현실과 관계되는 **설명**과 그 현실에 대응하는 행동에 관한 **지침**을 함께 제시한다.

9장

하느님께서는 왜 영적 실망을 허락하시는가? (규칙 9)

하지만 주님의 길을 선택합니다. 확실히 주님의 길이 가장 좋은 길입니다.

당신에게 빚을 진 가난한 자인 저를 키우기도 하고 위축시키기도 합니다.

이것이 더 나은 음악을 만들기 위해 오직 제 가슴이 하는 조율입니다.

- 조지 허버트

하느님의 목적은 영혼을 강하게 만드는 것이다.

- 십자가의 성 요한

"내가 떠나는 것이 너희에게 이롭다"(요한 16,7)

규칙 9에서 이냐시오는 영적 실망의 시기를 보내고 있는 열심한 신앙인들의 마음에 때때로 강하게 일어나는 질문 하나를 다룬다. 나를 사랑하시는 하느님께서 왜 이런 고통을 허락하시는가? 영적 실망의 시기에는 이 질문이 가장 절실하고 긴급한 것이 사실이다. 특히 실망이 깊고 오래 이어질수록 더 그렇다. "내 반석이신 하느님께 말씀드렸네. 어찌하여 제가 원수의 핍박 속에 슬피 걸어가야 합니까?"(시편 42,10) 아무리 독실한 사람이더라도 영적 실망의 깊은 수렁 속에서 이렇게 울부짖지 않는 사람이 과연 있을까? 영적 실망의 시기에 영적으로 이해해야 할 절박한 필요성을 설명하지 않는다면 이냐시오의 규칙은 근본적으로 불완전한 채로 남는다.

영적 이해의 필요성에 대한 답은 지금까지 제시된 것에 이미 암시되어 있다. 규칙 7에서 이냐시오는 영적 실망이 하느님께서 허락하신 **시련**이기 때문에, 저항함으로써 우리는 저항하는 방법을 알게 된다고 가르친다. 테레사 레하델 수녀에게 한 조언에서도 이냐시오는 영적 실망이 값을 매길 수 없을 만큼 가치 있는 가르침을 얻는 **훈련**이라고 했다. 이냐시오는 규칙 9에서 "왜?"라는 질문에 대해 분명하고 자세히 대답한다. 이 규칙은 추측한 바를 쓴 문장이 아니라 대단히 실용적인 문장이다. 왜 하느님이 영적 실망을 허락하시는지 이유를 나열하면서 이냐시오가 이루고자 하는 목적은 우리가 더 효과적으로 저항하고 배척할 수 있게 돕는 것이다.

줄스 토너는 예수님께서 수난하시기 전날 밤에 제자들에게 하신 말씀을 영적 실망에 적용하면서 이 규칙을 적절히 설명하고 있다. "그러나 너희에게 진실을 말하는데, 내가 떠나는 것이 너희에게 이롭다. 내가 떠나지 않으면 보호자께서 너희에게 오지 않으신다."(요한 16,7)[117] 예수님은 제자들에게 당신이 곧 그들에게서 떠나갈 것이라고 말씀하시고, 그 말씀에 제자들은 깊은 슬픔에 빠진다. 영적 실망 때 늘 그렇듯이, "창조주 주님으로부터 멀리 떨어져 있는 것처럼" 느끼면서 그들은 단지 주님을 잃어버렸다는 충격에 슬퍼할 뿐 다른 것을 보지 못한다. 떠나신 후에 오실 위로자이시며 보호자이신 성령에 대

---

117 Toner, *Commentary*, 183.

해(요한 14,16.26; 15,26) 예수님께서 반복해서 강조하셔도 제자들은 귀 기울여 듣지도 않는다. 곧 다가오는 헤어짐에 대한 슬픔이 그들의 마음을 사로잡았고 그들은 그 너머를 생각할 겨를도 없다.

사랑하신 당신의 사람들을 끝까지 사랑하신(요한 13,1) 예수님은 이제 그들이 이런 일시적인 헤어짐을 체험하는 것이 왜 **그들에게 더 나은지** 설명하시면서 그들의 비통함을 덜어 주고자 하신다. 예수님께서 당신의 수난과 죽음의 시간에 그들을 멀리 떼어 놓지 않으면 그들은 그들을 변화시킬 성령의 선물을 받지 못할 것이다. 성령의 선물은 제자들의 사명과 그 앞에 놓일 모든 것을 위해 너무나 중요하다. 토너는 이렇게 쓴다.

> 예수님은 제자들의 머릿속에서 곧 다가올 헤어짐에 대한 **슬픔을 떨쳐내고**, 헤어져야만 하는 **합당한 이유들**, 그들을 향한 예수님의 사랑과 하느님의 사랑으로부터 나오는 이유에 주목하게 하려고 노력하신다. 만약 그들이 왜 예수님께서 멀리 가시는지에 대해 이해할 수 있다면 그들은 슬픔을 잘 견딜 수 있을 것이다. 예수님께서 해 오셨던 일에 협력했던 방식으로 예수님과의 이별도 잘 받아들일 수 있을 것이다. 그리고 이것을 통해 예수님께서 의도하시는 대로 제자들은 성장할 것이다.[118]

이는 우리에게도 똑같이 적용된다. 만약 영적 실망의 시기에 우리의 관심을 슬픔의 깊은 수렁으로부터 하느님께서 이런 "헤어짐"을 허락하시는 **이유**

---

118 위의 책, 183. 저자 강조 추가.

로 돌릴 수만 있다면 슬픔 그 자체는 가벼워질 것이고 이 고통을 통해 우리에게 선물이 주어진다고 믿게 될 것이다. 실망에 저항할 정도로 강해질 것이다. 규칙 9에서 이냐시오의 목적은 영적 실망의 시기에 내적 관심의 주안점을 바꾸는 것이다. 즉 슬픔의 깊은 수렁에서 빠져나와 이 슬픔이 가지는 구원의 이유를 이해하는 방향으로 나아가게 하는 것이다.

"세 가지 중요한 이유가 있다"

규칙 9. 우리가 실망에 빠지는 데에는 세 가지 중요한 이유가 있다. 첫째는 우리가 영적인 수련들에 대해 미온적이거나 게으르거나 소홀하기 때문인데, 이런 경우는 우리 탓으로 영적 위로가 떠나간 것이다. 둘째는 우리가 얼마만 한 존재인지, 즉 위로와 넘치는 은총의 상급이 없이 우리가 봉사와 찬미에 있어서 얼마나 나아갈 수 있는지를 시험하기 위해서다. 셋째는, 우리에게 참된 지식과 인식을 주어서 우리가 큰 열심과 뜨거운 사랑, 눈물이나 다른 어떤 영적 위로를 일으키거나 갖는 것은 우리 힘으로 되는 것이 아니며, 이 모든 것이 우리 주 하느님의 선물이고 은총임을 마음속 깊이 느끼게 하기 위함이다. 그리고 어떤 교만이나 허영심에서 그러한 신심이나 다른 영적 위로가 우리 자신의 것인 양 생각하며 거기에 우리 마음을 빼앗기는 일이 없게 하려는 것이다.

이 문장에서 주된 단어는 "이유"이다. "우리가 실망에 빠지는 데에는 세 가지 중요한 **이유**가 있다." 이 맥락에서 보면 그 "이유"는 영적 위로를 우리에게서 거두어 가시고 악한 영이 우리를 영적 실망으로 억누르도록 허락하시는 **하느님의 이유**를 뜻한다. 여기에서 "이유"는 근원(원인이 되는 것)을 말하는 것이 아니라 **최종적인 것**(실망을 허락하신 목적)을 말한다. 규칙 9를 보면 이 이유는 **하느님의** 궁극적 목적, 즉 구원이다. 구원에 도움이 된다는 하느님의 동기가 있으니까 우리에게 영적 실망의 시련을 허락하시는 것이다. 이 규칙은 영적 실망을 하느님의 관점에서 바라보고 우리가 왜 그것을 체험하는지를 구원의 관점에서 이해시킨다.

영적 실망 자체만으로는 성장하지 못한다는 점에 유의하는 것이 중요하다. 즉, 저항하지 않으면 영적 실망은 갖가지 손해를 끼친다. 영적 실망의 체험은 **우리가 그것에 저항할 때** 성장의 열매를 맺는다. 하느님의 구원 이유가 성립하려면 우선 영적 실망에 저항하려고 인내하는 노력이 필요하다.[119] 예를 들어, 만약 앨리스가 새로 옮긴 성당에서 힘이 들어서, 또 제인 수녀가 피정 중에 실망의 날들을 겪어서 영적 실망에 쉽게 굴복한다면 분명히 오직 해로움만 남을 것이다. 반대로 그들이 겸손한 마음으로 용기 있게 저항의 수단들을 쓴다면 이때 실망을 허락하신 하느님의 목적이 이루어지는 것이다.

이냐시오는 하느님이 영적 실망을 허락하시는 "세 가지 **중요한** 이유"에 대해 말한다. "중요한"이라는 단어는 규칙 9에 나열된 이유만이 전부가 아니고, 다

---

119 Gil, *Discernimiento*, 199.

른 하느님의 구원 동기도 있다는 뜻이다.[120] 그렇지만, "중요한"이라고 언급된 여기 세 가지 이유는 하느님께서 실망을 허락하시는 구원 동기 중 특별히 중요한 의미를 가진다. 이들이 주된 이유이기 때문에 우리는 더 주의해서 봐야 한다.

첫 번째로, 하느님께서 우리의 잘못으로부터 우리를 치유하는 수단으로서 영적 실망을 허락하신다. 이 경우에 하느님께서 주시는 선물은 **회개**이고 회개에 따른 영적 성장이다. 두 번째로, 하느님께서는 영적 실망을 시련으로 허락하신다. 이 경우에 하느님께서 주시는 선물은 영적 **배움**이다. 세 번째로, 영적 위로는 전적으로 하느님의 의사에 의해 우리에게 완전히 무상으로 주어지는 것임을 우리가 보게 하시려고 영적 실망을 허락하신다. 이 경우에 하느님께서 주시는 선물은 깊은 **겸손**이다.[121] 우리는 이 세 가지를 각각 살펴볼 것이다.

우리의 잘못, 그리고 회개라는 선물

"첫째는 우리가 영적인 수련들에 대해 미온적이거나 게으르거나 소홀하기 때문인데, 이런 경우는 우리 탓으로 영적 위로가 떠나간 것이다." 열심한

---

120 Toner, *Commentary*, 191에서 토너는 다른 두 가지 동기를 제안한다. 하나는 "예수님의 구원적 가난과 고통과 치욕 속에서 예수님과 함께하면서 하나 되고자 하는 열망"이며, 다른 하나는 "그리스도의 방식으로 실망을 참아 냄으로써 우리가 실망 중에 있는 다른 이들을 이해하고 공감하는 길을 배운다." Fiorito, *Discernimiento y Lucha*, 186에서 피오리토는 다른 동기를 제안하는데, 이는 기도 안에서 영적 위로와 영적 실망을 겪었던 체험으로 되돌아가서 이 체험을 가지고 더 깊은 기도로 나아가라는 이냐시오의 조언과 맞닿아 있다(『영신수련』, 62, 118번). Brian O'Leary, "Review and Repetition," *The Way Supplement* 27 (1976): 58을 참조하라.

121 Gil, *Discernimiento*, 199는 이 세 가지 이유를 회심, 현실주의, 겸손으로 제시한다.

신앙인들의 마음에 하느님께서 어떻게 일하시는지 두 가지 예시를 보면서 이 첫 번째 이유를 다루어 보겠다.

패트릭은 가까운 피정 센터에서 피정을 하고자 한다. 그의 삶의 중심은 하느님이신지라, 주님께 더 가까이 가고자 하는 열정 때문에 피정을 선택한다. 첫 며칠 동안 패트릭은 그룹의 다른 사람들과 함께 기도에 매진하고 혼자서는 성경을 열심히 읽는다. 그는 자신의 기도 속에서 하느님께서 하시는 일에 주의를 기울이고 하느님께 집중할 수 있게 도와주는 피정 센터의 조용한 환경을 즐긴다. 분명히 축복받은 날들이었고, 그는 영적 위로를 충만하게 체험한다.

하지만 시간이 흐른 후, 피정이 계속 진행되면서 기도하고 성경을 묵상하는 패트릭의 마음이 약해지기 시작한다. 그는 이제 하느님께 집중하려고 조용히 마음을 가다듬는 것에 주의를 덜 기울인다. 그는 종종 기도시간도 짧게 줄이고 그의 마음에서 하느님께서 하시는 일을 알아채기 위해 영적으로 깨어 있으려는 노력도 그만둔다. 피정 초기에 가졌던 영적 위로가 사라지고 영적 실망이 일으키는 작은 소용돌이가 그 자리를 대신 차지한다. 이런 동요가 패트릭을 움직여서 피정 중에 있는 자신의 상황을 되돌아보게 한다. 이 과정에서 그는 자신이 기도에 태만했고, 이전에 하느님께서 하시는 일에 주의를 기울이는 데에도 태만했음을 깨닫게 된다. 패트릭은 피정 초기에 가졌던 마음가짐을 새롭게 하고자 결심하고 이 결심을 수행한다. 그러자 영적 실망이 사라지고 영적 위로가 되돌아온다.

이와 같은 역동이 일상생활에서도 일어난다. 캐서린은 지난 수년 동안 하느님께 가까이 다가가게 되었고 기도 생활에서도 발전을 이루어 왔다. 그녀는 주일 미사에 충실히 참여하고, 자주 성경을 읽고 기도하며, 매주 있는 기도 모임에 성실하게 참석한다. 캐서린은 종종 주님의 현존을 느끼게 되며, 그녀의 기도는 바쁜 삶 안에 그녀에게 평화를 가져다준다. 하지만 어느 순간, 기도를 바치는 시간이 점점 줄어든다. 그녀는 계속해서 기도하지만, 빈도는 점점 줄어들고 정성도 줄어든다. 캐서린에게도 역시 패트릭처럼, 그녀가 기도 안에서 같은 평화를 더는 체험할 수 없고, 이전처럼 하느님의 현존을 느끼지도 못하며, 하느님과의 관계를 방해받는 느낌이 들기 시작하는 순간이 다가온다. 이런 내적 문제가 영적으로 자신을 깨우는 경종과 같은 역할을 한다. 캐서린은 그녀가 기도에 느슨해지기 전, 예전에 가졌던 하느님과의 관계와 지금의 실망스러운 상황을 비교하면서, 새로워진 마음으로 평소의 정성 어린 기도를 다시 시작하고자 결심한다. 영적 실망이 사라지고 캐서린은 다시 한 번 하느님께서 가까이 계심을 느낀다. 그녀는 하느님 안에 평화를 되찾고 신앙생활에 새로운 활력을 되찾는다.

이 두 가지 예에서 보듯 그 패턴이 같다. 정도의 차이는 있을지언정 영신 수련에서 점검하는 몇몇 영적 수련과 규칙적 기도 생활을 소홀히 하는 데서 화근이 시작된다. 그 결과로, 그들이 전에 가졌던 영적 위로는 약해지고, 영적 실망이 그 자리를 대신한다. 영적 실망에 빠지는 사람들이 **식별**하면, 다시 말해 자신의 상황을 감지하고 파악하여 그 상황을 배척하는 현명한 걸음을 내디디면, 실망을 허락하시는 하느님의 "이유"가 완성된다. 영적 실망은 **회개**의 필요성을 일깨워 주는 영적 수련의 역할을 하게 된다. 이렇게 적절한 변화를 체험하면서 그들은 또 한 번 영적 진보를 이루게 된다.

규칙 9에서 말하는 사람들은 영성 생활의 근본 방향이 죄에서 멀어지고 하느님께로 향하는 사람들이다. 그들은 "자기 죄를 깊이 정화하고 우리 주 하느님을 섬기는 데 선에서 더욱 큰 선으로 나아가는 사람들"이다(규칙 2). 그런데도 패트릭과 캐서린의 경우처럼 그들은 **특정** 부분에서 점점 "미온적이거나 게으르거나 소홀"해진다. 이런 경우, **전체적으로는** 하느님께로 **나아갈**지도 모르지만, 그들 영성 생활의 **특정 부분**에서는 **퇴보**하기도 한다. 이런 특정 부분에서 그들을 치유하기 위해서, 하느님은 영적 위로를 거두시고 대신 그 자리를 영적 실망이 차지하도록 허락하시기도 한다.

규칙 9의 첫째 이유는 우리가 규칙 1에서 봤던 선한 영의 활동과 비슷하다. "대죄에서 대죄로 나아가는" 사람들의 경우를 보면 선한 영은 이성의 힘을 활용하여 양심에 가책을 일으켜 그들이 심각한 죄를 그만두고 하느님께로 되돌아갈 수 있도록 그들을 "자극하고 가책을 일으키는" 방법을 취했다. 이제 훨씬 더 세련된 단계이지만, 여기에서도 하느님은 다시 한번 영적 불편함, 즉 영적 위로를 거두어 가시고 그 자리를 차지하는 영적 실망이 가져다주는 혼란을 수단으로 삼아 회개를 일으키신다. 그리고 특정 부분만 치유되면 계속 독실한 신앙생활을 할 사람들에게, 영적 실망을 수단으로 삼아 그 특정 부분의 쇄신을 유도하신다.[122]

---

[122] Toner, *Commentary*, 49-53을 참조하라. 여기에서 저자는 "영적으로 퇴행한 그리스도인들"과 "영적으로 성숙한 그리스도인들"에 대해 말하는데, 규칙 1을 언급할 때 말했던 영적 실망(대죄를 통해 하느님에게서 완전히 멀어지는 것을 포함하는 심각한 퇴행)과 여기 규칙 9에서 묘사하고 있는 영적 실망(근본적으로는 하느님을 향해 있는 이들의 영성 생활 일부에서 체험하는, 덜하지만 그래도 실제로 이루어지는 퇴행)을 포함한다. 1장을 참조하라.

이냐시오의『영적 일기』에서 예를 들어 보면 영적 실망의 첫째 이유를 더욱더 분명히 알 수 있고, 이런 역동이 일어나는 영적 단계들을 잘 볼 수 있다. 이냐시오는 1544년 4월 2일 일기에 이렇게 썼다.

나중에 다른 때 위로를 더 많이 받고서는 나는 확실히 이해하게 되었다. 다시 말해, 내가 잘못하고 있는 때는 하느님께 위로를 받지 않는 것이 차라리 더 나은 일임을 생각하게 되었다. 하루를 보내면서 나를 온전히 바치지 못하고, 스스로 돕지 못하고, 내가 미사에서 주님의 말씀과 엄위하심에 집중하지 못한 채 딴생각에 빠져 있는 탓에 주님께서 나를 찾지 않는 시기라면, 차라리 위로를 받지 않는 편이 더 나은 일임을 생각하게 되었다. (내가 나를 사랑하는 것보다 더 많이 나를 사랑하시는) 주님께서 나에게 더 큰 영적 혜택을 주시기 위해 이 시기를 명령하신다는 생각을 가지게 되었다. 그래서 주님께서 다시 나를 찾아오시도록 하려면 미사 때 똑바로 걷고, 그 외에도 온종일 똑바로 걸어야 한다는 마음의 다짐을 했다.[123]

일상생활에서 영의 식별을 충실히 적용하면 주님을 사랑하는 사람에게 무엇이 일어나는지 이 글에 잘 나타나 있다. 이 글은 자신의 내면에 계시는 하느님의 사랑과 그분의 활동에 계속해서 깨어 있는 한 사람을 잘 보여 준다.

---

[123] 저자의 번역이며 부분적으로는 Decloux, *The Spiritual Diary*, 173의 도움을 받았다. 다시 한번 말하지만 나는 여기에 S. Thió de Pol, trans., *Ignatius of Loyola, La Intimidad del Peregrino: Diario espiritual de San Ignacio de Loyola* (Bilbao: Mensajero-Sal Terrae, 1990), 193의 스페인어 버전을 포함해 번역했다.

이냐시오가 끊임없이 행하는 식별은 하느님과의 관계를 매일 계속해서 풍성하게 만들고 참된 사랑의 관계가 지닌 특징이 되는 풍요로운 만남을 깨닫게 해 준다.

"나중에 다른 때 위로를 더 많이 받고서는," 즉 이냐시오는 이제 깊은 영적 위로가 가져다주는 평화와 기쁨으로 이 글을 적는다. 지금의 위로가 주는 빛과 그 따뜻함은, 이 순간에 앞서 영적 위로가 왔다가 사라짐을 파악할 수 있게 그를 도와준다. 그는 "확실히 이해하게 되었다." 다시 말해, 비록 위로가 사라지더라도 그는 이제 위로가 사라진 이유를 파악할 수 있게 되어 평화로운 마음을 갖게 되었다.

이냐시오는 주님께서 자주 "찾아오시지" 않는 이유가 "하루를 보내면서 **나를 온전히 바치지 못하고, 스스로 돕지 못하고,** 내가 미사에서 주님의 말씀과 엄위하심에 집중하지 못한 채 **딴생각에 빠져** 있는 탓"이라고 이해한다. 하느님과 일치하는 삶을 살고자 하는 열망과 사랑은 더 깊어져서 일상적인 일이 된다. 미사를 거행하는 동안 하느님께 집중하지 못하는 아주 작은 순간들도 이제 이냐시오는 감지한다. 때때로 그가 하느님께 집중하지 못할 때 그는 하느님께서 그를 너무 많이 사랑하셔서 그를 다시 부르실 것이고, 다시 부르시기 위해 조용히 영적 위로를 거두어 가시는 것이라고 이해한다.

이냐시오는 묵상을 통해서 하느님께서 영적 위로를 거두어 가시는 이유를 이해한다. 그래서 "주님께서 나를 찾지 않는 시기라면, **차라리 위로를 받지 않는 편이 더 나은 일**임을 생각하게 되었다. (내가 나를 사랑하는 것보다 더 많이 나를 사랑하시는) 주님께서 **나에게 더 큰 영적 혜택을 주시기 위해** 이 시기를 명령하신다는 생각을 가지게 되었다." 『영적 일기』에 적힌 이 말은 규칙 9의 첫 번째 이유가 되었다. "첫째는 우리가 영적인 수련들에 대해 미온적이거나 게으르거나 소홀하기 때문인데, 이런 경우는 우리 탓으로 영적 위로가 떠나간 것이다." 이냐시오는 내면에서 일어나는 하느님의 활동을 워낙 예민하게 감지하고 따르고 있으므로 하느님께서 한순간 잘못하고 있는 그를 깨우치기 위해 굳이 영적 실망까지 허락하실 필요는 없었다. 영적 위로를 거두어 가시는 것으로 충분했다. 영적 위로를 거두어 가시기만 해도, 온종일 주님을 찾는 자신의 일상을 새롭게 하고자 하시는 주님의 목적과 그 결정을 그는 깨닫는다.

이 뒤를 이어 대단히 아름다운 표현이 따라 나온다. 왜 하느님께서 영적 위로를 거두어 가셨는지 파악한 이냐시오는 자신의 마음에서 활동하시는 하느님의 이미지를 드러낸다. "**(내가 나를 사랑하는 것보다 더 많이 나를 사랑하시는)** 주님께서 이 시기를 명령하신다." "내가 나를 사랑하는 것보다 더 많이 나를 사랑하시는 주님"이라는 놀라운 표현이 규칙 9에 나오는 첫째 이유의 핵심이다. 이냐시오는 영적 위로가 사라지는 것을 바라지 않으며, 자신을 사랑하시는 하느님께서 이 사실을 잘 알고 계심도 알고 있다. 그러나 하느님께서 자신보다 그를 "더 많이" 사랑하시는 데에 영적 위로를 거두어 가신 "이유"가 있다는 것도 안다. 하느님께서 영적 위로를 거두어 가신 이유는 아주 작은 잘못도 깨닫고 극복할 기회를 이냐시오에게 주시기 위해서이다. 이렇게 깨달으면서 이냐시오는 그토록 원하는 하느님과 영원한 일치를 회복해 나간다.[124]

---

124 C. S. 루이스는 그의 삶에서 하느님이 어떻게 작용하셨는지에 대한 이야기를 비슷한 통찰로 결론 내린다. "하느님의 엄하심은 인간의 부드러움보다 더 다정하시고 하느님의 강제하심은 우

"내가 나를 사랑하는 것보다 더 많이 나를 사랑하시는 주님." 이냐시오처럼 내가 나를 사랑하는 것보다 더 많이 나를 사랑하시는 하느님을 만나게 되고, 영적 위로가 없어지는 이유와 영적 실망을 체험하는 이유가 하느님께서 나를 더 많이 사랑하시기 때문임을 파악하게 될 때, 하느님께서 영적 실망을 허락하시는 첫째 이유를 이해하게 된다. 이런 이해를 통해 도움을 받으면 열심한 신앙인들도 이냐시오처럼 힘을 얻고 다시 한번 힘차게 하느님께로 더 가까이 갈 수 있을 것이다.

시험, 그리고 배움이라는 선물

하느님께서 영적 실망을 허락하시는 두 번째 이유는 그런 황폐한 시련이 우리의 영적 상태에 대한 소중한 진리를 드러내기 때문이라고 이냐시오는 적고 있다. "둘째는 우리가 얼마만 한 존재인지, 즉 위로와 넘치는 은총의 상급이 없이 우리가 봉사와 찬미에 있어서 얼마나 나아갈 수 있는지를 **시험**하기 위해서다."

이냐시오는 규칙 6에서 영적 실망은 하느님께서 허락하시는 **시험**trial이어서, 이에 저항함으로써 우리는 영적 실망을 배척하는 방법을 배울 수 있다고 말한다. 규칙 9에서 이냐시오는 다시 한번 영적 실망을 시험으로 규정하고 하느님께서 이를 통해 우리에게 주시려는 선물에 집중한다. 우리는 영적

리의 해방이다."[*Surprised by Joy: The Shape of My Early Life* (New York: Harcourt, Brace & Company, 1955), 229. C. S. 루이스, 『예기치 못한 기쁨』, 강유나 옮김, (서울: 홍성사, 2005)].

실망에 대항하는 투쟁을 통하여 더욱 강해지는 선물을 받는다. 이 목적으로 하느님께서는 영적 실망을 허락하신다.

다니엘 힐이 하는 비유는 이냐시오가 규칙 9에서 시련을 어떤 의미로 쓰는지 잘 보여 주고 있다. 이런 시련 속에서는 하느님께서 "위로와 넘치는 은총" 주시기를 멈추신다. 이 일이 일어날 때 "우리는 자신이 하는 일에 합당한 보상을 받지 못하는 군인과 같은 상황을 마주한다. 용병은 전쟁을 포기하지만 애국자는 계속해서 싸움을 이어 나간다."[125] 두 무리의 군인들이 군대에 들어간다. 몇 명은 단순히 돈을 위해 싸우는 용병이며 다른 이들은 사랑하는 조국을 수호하기 위해 싸우는 애국자이다. 재원이 줄어들고 더는 돈이 지급되지 못하는 시간이 온다. 이때 용병은 그냥 무기를 내려놓고 싸움을 포기한다. 그들은 단지 돈을 위해 싸우기 때문이다. 그리고 돈을 받지 않으면 그들은 더는 싸우지 않을 것이다. 하지만 애국자는 돈을 받지 못할지라도 충실하게 이 싸움을 계속한다. 왜냐하면 그들의 마음은 합당한 보상과 상관없이 싸우는 이유가 확고하기 때문이다.[126]

이런 식으로 이냐시오는 "우리가 얼마만 한 존재인지, 즉 위로와 넘치는 은총의 **상급이 없이** 우리가 봉사와 찬미에 있어서 **얼마나 나아갈 수 있는지**를 시험하기 위해서" 하느님께서 영적 실망을 체험하게 하신다고 단언한다. 우리가 이냐시오의 말을 있는 그대로 받아들인다면 하느님께서는 이러실 수도

---

125 Gil, *Discernimiento*, 202.

126 이 비교는 왕이신 그리스도께서 자신의 구원 사업의 일환인 "모든 원수를"(『영신수련』, 95번) 정복하시는 일에 동참하라고 초대하시는 부르심에 대해 이냐시오가 묘사한 응답들을 떠올리게 한다. 『영신수련』, 91-98번을 참조하라.

있다. "여기에 열심한 신앙인이 있는데, 그는 기도에 충실하고 사랑으로 하는 봉사에 충실한 사람이다. 그가 영적 용병인지 아니면 애국자인지 시험해 보자. 영적 실망의 시기에 그 어떤 위로의 '보상'도 없을 때 이 사람이 기도하고 봉사하는 노력을 포기하는지 아니면 계속해서 인내하고 기도하고 봉사하는지 시험해 보자." 하느님께서는 영적 실망을 허락하시는 방식으로 우리를 **시험하신다.** 이 시험을 통해서 **드러나는 무언가가 있다.** 이 시험을 통해서 우리의 영적 정체성에 대한 냉정한 평가("우리가 얼마만 한 존재인지")와 시련의 시간에도 얼마나 오래 인내하며 봉사하고자 하는지에 대한 냉정한 평가("얼마나 나아갈 수 있는지")가 드러난다. 이런 배움은 여러모로 유익한 결실을 맺는다.

2장에서 우리는 루시아가 은총으로 가득 찬 피정을 마치고 집으로 운전해 오는 동안 체험한 내적인 혼란에 대해 말했다. 영적으로 지독하게 실망에 빠진 시간을 보내는 그녀는 방금 끝낸 피정의 진정성에 대해 의심을 하게 만드는 많은 "이유"를 찾게 된다. 이런 싸움의 시간이 흐른 뒤에 그녀는 피정 지도자에게 전화를 걸어 대화하고, 대화 중에 그녀가 느낀 두려움에 대한 답을 찾고 피정 기간 동안 받은 하느님의 선물에 대한 더 큰 확신을 받게 된다. 이제 루시아는 피정 지도자에게 이런 글을 보낸다.

신부님에게 전화를 걸도록 나를 이끄신 것은 진실로 하느님의 은총이었고, 신부님의 말씀과 기도가 나에게 이 진리를 드러내 보여 주었습니다. 나는 이제 하느님께서 나를 얼마나 사랑하시는지 내가 얼마나 하느님을 필요로 하는지 어느 때보다 더욱 절실하게 압니다. 나는 더욱 굳

건하게 "시선을 예수님께 고정"하고, 그분을 따르고 섬기며 그분의 뜻을 행하고자 결심합니다.[127]

영적 실망의 시험에서 **배운** 결과는 "더욱"이라는 단어에 잘 녹아 있다. 실망의 시간이 지나간 후에 그녀는 실망의 시간 전보다 "더욱" 영적으로 성숙했다. 이 시험을 통해 그녀는 두 가지 중요한 영적 진리를 더 새롭고 더 깊은 방식으로 터득했다. "나는 이제 하느님께서 나를 얼마나 사랑하시는지 **어느 때보다도** 더욱 절실하게 압니다." 그녀는 또한 이전보다 더욱 충만하게 "얼마나 하느님을 필요로 하는지"도 안다. 이 기본적 진리를 직접 체험하는 훈련 속에서, 그녀는 왜 하필 피정을 끝내고 집으로 돌아갈 때 하느님께서 시련을 허락하셨는지 완전히 이해하고 받아들인다.

이 "더욱"이라는 단어는 이해하고 받아들이는 이해력 영역에만 국한되지 않는다. 의지력 영역에도 큰 은총이 내린다. 그녀는 자신의 시선을 고정해 예수님을 바라보고(히브 12,2), 그분을 따르고 섬기며, 그분의 뜻을 행하고자 하는 마음을 그 이전보다 **"더욱 굳건하게 결심"**한다. 영적 실망의 시련을 겪은 뒤에 그 결과로 영적 성장이 분명해진다.

이런 배움과 성장은 루시아가 영적 실망에 **저항했기 때문에** 하느님께서 의도하신 대로 생겨나는 것임을 주목해야 한다. 그녀는 영적 실망의 시간 속에서 일어나는 생각에 굴복하지 않고 용기를 가지고서 모든 것을 피정 지도자

---

127   Toner, *Spirit of Light or Darkness*, 39에 인용되어 있음.

와 나누고 그러면서 영적 실망의 손아귀에서 벗어난다.[128] 이렇게 했기 때문에 피정 중에 받은 은총이 영적 실망으로 약해지지 않았다. 오히려 반대로, 영적 실망의 시련은 하느님께서 그 시련을 허락하신 목적을 달성한다. 루시아는 강도 높은 훈련을 받았고, 예수 그리스도를 사랑하고 따르고자 하는 이해와 의지가 모두 성장하였다. 영적 실망을 허락하신 하느님의 이유가 성취되었다.

다른 사람도 영적 실망의 시험을 통해 새로운 가르침을 터득한다. 아랫글을 보자.

나는 이 영적 실망의 체험을 통해서 나의 일중독 성향을 극복하는 데 내가 얼마나 무기력한지 알게 되고, 이런 약한 부분에서 하느님의 도우심이 정말 많이 필요함을 알게 된다. 나를 향한 하느님의 한결같은 사랑은 내가 얼마나 사랑받는 존재인지 더 깊이 볼 수 있게 해 준다. 그 덕분에, 내가 집 없는 이들에게 봉사하는 데 재능이 있다는 사실에 감사하게 된다.[129]

다시 한번 "영적 실망의 체험"이 배움으로 이어진다. "나는 이 영적 실망의 체험을 통해서 …… **알게 된다.**" 이 사례에서의 배움은, 자기 자신에 대한 이해가 높아져 속박에서 새로운 자유로 나아가는 것이다. 글쓴이의 "일중독

---

128 이것이 이냐시오의 규칙 13에 대한 가르침일 것이다. 규칙 13은 영적으로 유능한 사람이면서 원수의 속임수에 익숙한 이의 마음속에 원수가 일으키는 불안과 유혹에 대해 말하는 규칙이다. 13장을 참조하라.

129 Maureen Conroy, *The Discerning Heart: Discovering a Personal God* (Chicago: Loyola University Press, 1993), 87에 인용되어 있음. 콘로이는 이 글을 적은 이에 대해 더 자세한 설명 없이 인용문을 제시한다.

성향"과 "나를 향한 하느님의 한결같은 사랑"이 배움의 초점이다. 그 결과, "내가 얼마나 사랑받는 존재인지를 더 깊이 볼 수 있게" 된다. 영적 실망의 체험에서 얻게 되는 가르침은 심오하다. 이 가르침은 과도하게 행하려는 성향에 사로잡혀 있는 자신을 분명히 볼 수 있게 해 주는 가르침이고, 나를 향한 하느님 사랑의 느낌이며, 그 결과 영적으로 건강한 방식으로 자신을 사랑하는 새로운 능력이다. "영적 실망의 체험", "그 덕분에" 가난한 이들에게 봉사하는 데에서도 하느님께서 주신 재능에 감사하게 된다고 글쓴이는 말한다. 다시 한번 우리는 예수님께서 큰 사랑을 보여 주시면서 우리에게 부드럽게 하시는 말씀을 들을 수 있다. "내가 떠나는 것이 너희에게 이롭다."(요한 16,7)

영적 실망에 저항하는 데서 오는 배움은 앞선 사례에서 나타나듯이 여러 방향으로 뻗어 간다.[130] 그 황폐함은 자신의 한계를 드러내어 우리가 잘못된 방향으로 가는 것을 경계하게 한다. 또한, 어떤 부분을 영적으로 성장시키는 것이 가장 유익한지 드러내기도 한다. 예전에는 영적 실망을 두려워했지만 일단 저항해 보고 나니 놀랍게도 두려워할 필요가 없다는 기쁨을 터득하기도 한다. 다시 말해, 하느님의 도우심으로 우리는 아무런 영적 손상 없이 오히려 성장과 진보를 이루면서 이 시험을 통과할 수 있다. 그래서 토너는 이런 표현을 썼는데 참으로 옳은 말이다. 영적 실망의 시험 없이는 우리는 영적으로 어린아이에 머물게 된다.[131] 영적 실망에 저항하면 여기서 배움을 얻어 견고한 영적 성숙을 이룰 수 있게 해 준다. 이런 이유로 사랑하시는 하느님께서

---

130 Toner, *Commentary*, 187-190을 참조하라.
131 위의 책, 188.

우리가 영적 실망을 체험하도록 허락하신다고 이냐시오는 말한다.

아시시의 프란치스코 성인전에는 속수무책이라고 느꼈던 유혹에 대항하여 싸우는 프란치스코회 형제 한 명에 관한 이야기가 있다. 그는 프란치스코가 자신의 영적 투쟁을 잘 알고 있다고 믿었기 때문에 어느 날 프란치스코와 단둘이 있을 때 도움을 청했다.

좋으신 사부님, 저를 위해 기도해 주십시오. 당신이 친절하게도 저를 위해 기도해 주신다면 저는 제가 받은 유혹으로부터 즉시 자유로워지리라 확신합니다. 저는 감당할 수 없을 정도로 괴로우며 사부님은 이 사정을 잘 알고 계시기 때문입니다.

고통의 시간을 겪고 있는 이 형제에게 프란치스코 성인이 해 준 아래의 대답이 커다란 위로를 준다.

프란치스코가 그에게 말했다. "형제여, 내 말을 믿어도 좋소. 나는 당신이 유혹을 받는다는 바로 그 이유로 더욱 진실로 당신이 하느님의 종이라고 생각합니다. 그리고 당신이 더욱 유혹을 받을수록 당신이 나에게서 더욱 많은 사랑을 받으리라는 사실을 나는 압니다." 그리고 그는 덧붙여 말했다. "진정으로 유혹과 시련을 겪어 보기 전에는 누구도 결코 진정한 하느님의 종이 될 수 없습니다. 이것은 나에게 으뜸가는 진리입니다. 유혹을 극복하는 것은 어떤 면에서는 주님께서 진정한 당신의 종에게 끼워 주는 혼인 반지 같은 것입니다."[132]

이 형제가 자신의 영적 결함을 알려 주는 신호라고 생각했던 시련이 프란치스코가 보기에는 진정한 하느님의 종임을 드러내는 신호이다. 이렇게 시련을 겪는 사람을 향한 사랑을 통하여 프란치스코는 하느님의 진심을 드러낸다. "당신이 더욱 유혹을 받을수록 당신이 나에게서 더욱 많은 사랑을 받으리라는 사실을 나는 압니다." 이런 유혹과 시련은 혼인서약과도 같은 심오한 의미가 있다고 프란치스코는 말한다. 즉 유혹과 시련에 저항해서 이겨 낼 때 이 유혹과 시련을 통해 하느님은 우리와 혼인과도 같은 사랑의 관계를 맺는다. 이것이 이냐시오가 영적 실망을 허락하시는 하느님의 두 번째 이유라고 쓴 문장에 담긴 심오한 의미이다. 이런 이유는 결국 우리에게 주는 대단한 격려인 셈이다.

가난, 그리고 겸손이라는 선물

이냐시오는 하느님께서 영적 실망을 허락하시는 세 번째 이유를 아래와 같이 말한다.

셋째는, 우리에게 참된 지식과 인식을 주어서 우리가 큰 열심과 뜨거운

---

132 Thomas of Celano, *Second Life*, no. 118, in *St. Francis of Assisi, Writings and Early Biographies: English Omnibus of the Sources for the Life of St. Francis*, ed. Marion Habig (Chicago: Franciscan Herald Press, 1973), 460.

사랑, 눈물이나 다른 어떤 영적 위로를 일으키거나 갖는 것은 **우리 힘으로 되는 것이 아니며, 이 모든 것이 우리 주 하느님의 선물이고 은총**임을 마음속 깊이 느끼게 하기 위함이다. 그리고 어떤 교만이나 허영심에서 그러한 신심이나 다른 영적 위로가 우리 자신의 것인 양 생각하며 거기에 우리 마음을 빼앗기는 일이 없게 하려는 것이다.

여기서 이냐시오는 지금까지 계속 고수해 왔던 간결하게 핵심만 말하는 화법을 버리고, 처음으로 거창하게 그의 가르침을 설명한다. 이런 화법의 변화는, 이 세 번째 이유가 이냐시오가 생각하기에 특별히 중요한 이유임을 시사하고 있다.[133] 세 번째 이유는 사실 이냐시오의 『영신수련』 전체의 중추가 되는 주제를 건드리고 있다. 즉, 복음적 가난에 뿌리를 둔 복음적 겸손이 하느님의 은총으로 향하는 문이고 우리 삶 안에서 주님이신 예수님을 따라나서는 문이라는 점이다(『영신수련』, 146번).

두 번째 이유를 설명하는 데 인용한 사례에는 공통점이 있다. 피정을 마치고 집으로 운전하여 돌아오는 길에 영적 실망을 체험한 후 루시아는 이렇게 쓴다. "나는 이제 하느님께서 나를 얼마나 사랑하시는지 **내가 얼마나 하느님을 필요로 하는지 어느 때보다 더욱 절실하게 압니다.**" 영적 실망이 가져다주는 고통스러운 시험의 시간은 그녀에게 하느님이 절실히 필요하다는 사실을 구체적으로 실감하게 한다. 영적 실망이 가져다주는 어둠과 불안감을 이겨 내는 체험을 지나오면서 그녀는 영적으로 자기 자신에게만 매달리는 것으

---

133 Fiorito, *Discernimiento y Lucha*, 191.

로 충분하지 않고, 하느님과 하느님의 은총이 필요하다는 걸 배운다.

다른 사람도 같은 체험을 말한다. "나는 이 실망의 체험을 통해서 나의 일중독 성향을 극복하는 데 **내가 얼마나 무기력한지 알게 되고** 이런 약한 부분에서 **하느님의 도우심이 정말 많이 필요함**을 알게 된다." 다시, 영적 실망을 실제로 겪으면서 자신의 약점뿐만 아니라 "하느님의 도우심이 정말 많이 필요함을" 구체적으로 감지하는 신앙인을 보게 된다. 루시아처럼 이 사람에게도 그렇게 감지한 깨달음이 하느님께 의탁하는 마음을 약화시키는 것이 아니라, 하느님의 도우심을 확신하고 의지하는 마음을 더 심화시킨다. 영적 실망의 시기에, 하느님의 은총이 정말 많이 필요하다는 것을 체험했기 때문에 이 두 사람은 영적으로 더 강해진다.

이것이 하느님께서 열심한 신앙인들에게 영적 실망을 허락하시는 더 큰 이유라고 이냐시오는 말한다. 이런 사람들은 영적 실망의 혼란 속에서 다른 때보다 더 "너희는 나 없이 아무것도 하지 못한다"(요한 15,5)라는 예수님 말씀이 참되다고 느끼게 된다. 영적 실망의 시기에 특히 더 강렬하게 그들은 "큰 열심과 뜨거운 사랑, 눈물이나 다른 어떤 영적 위로를 일으키거나 갖는 것은 **우리 힘으로 되는 것이 아니며, 이 모든 것이 우리 주 하느님의 선물이고 은총임을** 마음속 깊이 느끼게" 된다.

그러므로 영적 실망의 시간은 모든 영적 성장이 하느님께서 주시는 은총임을 분명히 각인시키는 시간이다. 영적 위로를 체험하는 시간도 그 위로가 순전히 주님의 은총임을 각인시키는 시간이다. 영적 실망이 가져다주는 메마름과 무거움을 다 겪어 보고 나서 이냐시오는 이렇게 쓴다. "어떤 교만이나 허영심에서 그러한 신심이나 다른 영적 위로가 우리 자신의 것인 양 생각하며 거기에 우리 마음을 빼앗기는 일이 없게 하려는 것이다." 이냐시오, 안젤라, 앨리스, 제인 수녀, 그리고 영적 실망을 체험하는 다른 모든 이는 "자신의 것인 양 생각하며 거기에 우리 마음을 빼앗기는 일이" 없을 것이다. 그들은 영적 위로가 순수하게 사랑하시는 하느님의 자유로운 선물임을 마음 깊이 알게 될 것이다.

이런 감지는 "다른 모든 덕행들로"(『영신수련』, 146번) 이끄는 **복음적 겸손**을 키워 준다. 이런 깨달음을 체득한 사람들에게 하늘 나라로 들어가는 문이 되는 영적 가난이 깊어진다(마태 5,3). 이 겸손은 마음의 문을 열어 "겸손한 이들에게는 은총을 베푸시는"(1베드 5,5) 하느님의 축복을 더 많이 받게 한다. 다시 우리는 주님께서 조용히 반복하시는 말씀, 영적 실망의 시기를 지내면서 영적 훈련과 성장의 열매를 선물 받을 수 있도록 "내가 가는 것이 너희를 위해 더 낫다"라는 말씀을 듣게 될 것이다.

내포된 가르침

먼저 나오는 규칙 5-8과 달리, 규칙 9에서 이냐시오는 행동에 대한 지침을 분명하게 주는 대신에, 영적 실망의 세 가지 중요한 이유를 설명하는 데 온전히 할애하고 있다. 하지만 피오리토가 지적한 것처럼, 세 가지 이유에 대한 설명만으로도 영적 실망에 저항하는 중요한 방법이 이미 암시적으로 제시되어 있다. 이냐시오가 영적 실망의 이유를 설명할 때는 매우 조심스럽게 우리를 가르치지만 영적 실망의 시기에 빠졌을 때 그 이유를 찾는 문제에 대해서는 **구체적인 이유를 찾으라고** 적극적으로 가르친다. 그렇게 함으로써 우리는 영적 실망에 대한 준비를 더 잘하고 효과적으로 이에 대응할 수 있다.[134]

다락방에 있던 제자들처럼 우리가 영적 실망의 슬픔에만 온통 정신이 팔려 그 슬픔의 이유를 찾을 생각을 하지 못한다면 우리는 영적 실망에 효과적으로 저항하지 못할 것이다. 그러나 우리가 실망을 잘 살펴보고(규칙 6) 슬픔의 이유를 알아볼 때 우리는 비로소 새로운 힘과 지혜를 가지고 실망에 저항할 준비가 된다.[135] 그렇기에 영적 실망의 시기에 우리가 의식적으로 이 질문을 하는 것이 중요하다. "**왜** 나는 이런 영적 실망에 빠져 있나? 이 영적 실망의 **이유는 무엇인가?**"[136]

병든 사람은 아프다는 느낌이 분명하지만 그렇게 아프게 되는 원인이 뭔지는 막연하다. 질병의 원인을 정확히 파악하기 전까지는 효과적인 치료를 할 수 없다. 정확한 진단을 받으면 비로소 병을 이겨 낼 방법을 알게 된다.[137] 영적 실망이 초래하는 영적 질병도 같은 상황이라고 이해하면 된다. 규칙 9에서 이냐시오는 우리가 체험하고 있는 영적 실망에 대해 정확히 진단하도록, 즉 그 이유를 파악할 때까지 검증하도록 우리를 초대한다. 그 이유를 정확히

---

134 위의 책, 195.

135 『영신수련』, 77번에서 이냐시오는 기도 시간도 비슷한 방식으로 성찰하라고 요구한다. 성찰을 통해 기도의 몇몇 요소가 제대로 되어 있지 않다는 점을 알게 되면, 기도하는 이는 먼저 그 원인을 찾고 그 원인을 확인한 후에 변화를 모색해야 한다.

136 이유를 찾을 때 반드시 필수적인 것은 아니지만 영적으로 능숙하고 유능한 이와 대화하는 게 이롭다는 점을 알게 될 것이다. 13장을 참조하라.

137 Toner, *Commentary*, 150.

파악할 수 있을 때 우리는 그것을 극복하기 위해 적절한 영적 처방을 내릴 수 있다. 하느님께서 영적 실망을 바라보는 방식대로 우리도 영적 실망을 바라보게 될 것이다. 하느님께는 영적 실망도 구원 계획 중 하나로 허락하시는 것이다. 우리도 그렇게 이해하고 받아들이게 될 것이다.

영적 실망의 이유를 이렇게 파악하려고 노력하는 것과 영적 실망이 자신의 어떤 인간적 결함 때문이라고 성찰 없이 가볍게 묵인해 버리는 것에는 분명히 차이가 있다. 영적 실망을 겪고 있는 열심한 신앙인들은 이런 생각을 쉽게 한다. "만약 내가 영적 실망 상태라면 이는 틀림없이 내가 주님께 뭔가 잘못했기 때문이다." 이냐시오는 잘 살펴보지 않고 이렇게 자신의 결함 탓으로 돌리는 식별을 받아들이지 않는다. 규칙 9에 적어도 세 가지 이유가 나와 있다. 하느님께서 영적 실망을 허락하시는 이유는 여러 가지라고 가르친다.

하느님께서 영적 실망을 통해 열심한 신앙인들이 자신의 영성 생활에서 태만한 부분이 어딘지 깨우치기를 바라신다는 점은 분명하다. 그런데 그런 사람들이 자신의 영성 생활을 잘 살펴봤는데도 태만한 부분을 발견하지 못했다면, 하느님께서 그들 자신의 태만 때문이 아닌 다른 이유, 즉 이냐시오가 규칙 9에서 든 두 번째나 세 번째 이유로 영적 실망을 허락하셨다고 생각해도 좋다. 이런 사람들에게 영적 실망이 닥치는 것은 그들이 주님의 제자로서 무엇을 잘못했거나 실패했기 때문이 아니다. 하느님께서 시련을 통해 그들을 더 크게 성장시키기 위해서이다. 이들이 신심 깊은 제자들이기 때문에 이런 시련이 주어진다는 사실을 알면(히브 12,5-13) 그들도 큰 위로를 받을 것이다. 여기서 다시 한 번 더, 이냐시오의 규칙 전체에 면면히 흐르는 정신은 "사로잡힌 영혼에게 해방을!"임을 확인할 수 있다.

10장

영적 위로: 대비하는 시간 (규칙 10)

당신은 사랑으로 저를 바라보셨습니다.

그리고 당신의 두 눈에는 은총이 깊이 새겨져 있습니다…….

- 십자가의 성 요한

시련이 시작되기 전

이전 다섯 규칙에서 영적 실망 속에 있는 사람에게 초점을 맞췄던 이냐시오는 규칙 10에서 영적 위로 속에 있는 사람에게로 초점을 옮긴다. 이 규칙은 모든 규칙 중에서 가장 간결하다.

규칙 10. 위로 중에 있는 이는 다음에 실망이 올 때 어떻게 처신할 것인지를 생각하고 그때를 위해서 새로운 힘을 마련하도록 해야 한다.

규칙 10은 **영적 위로**와 관련된 규칙이다. 하지만 우리가 영적 실망에 저항할 수 있도록 돕고자 하는 이냐시오의 의도는 이 규칙에서도 그의 주요한 관심사로 남아 있다. 우리가 말했듯이 대부분의 열심한 신앙인들이 영적 여정에서 도움을 절실히 필요로 할 때는 영적 위로보다 영적 실망의 시기이기 때문이다.[138] 이냐시오가 이제 규칙 10에서 영적 **위로**를 언급하지만, 열심한 신앙인들에게 영적 실망을 극복하는 도움을 주자는 관점은 유지한다. 14개 규칙의 가장 근본적인 목적은 변하지 않고 일정한데, 그것은 영적 실망과 영적 실망이 휘두르는 속임수를 극복하는 데 있어서 우리에게는 큰 도움이 필요하다는 점이다. 사실 규칙 10은 영적 위로를 정확히 영적 실망과 관련해서 바라보고 있다. "**위로** 중에 있는 이는 다음에 **실망**이 올 때 어떻게 처신할 것인지를 생각하라."[139]

지금까지 이냐시오는 **영적 실망을 겪고 있는 시기**에 집중하여 어떻게 그 실망에 저항할 수 있는지를 가르쳐 왔다. 예를 들어, 새로 옮긴 성당에서 힘든 일 년을 보낸 뒤에 앨리스의 마음이 무거워질 때나, 제인 수녀가 피정 여섯째 날 낙담하게 될 때이다. 지금까지 그가 집중한 시간대는 "영적 실망의 시기" 바로 그 시간이었다. 이제 이냐시오는 영적 실망을 직접 겪는 시기 이외의 시간대로 시야를 확장하여 그의 저항 노력을 더 세련되게 한다. **영적 실망**

---

138 이 책에서는 이냐시오가 제시한 규칙의 첫째 세트인 14개 규칙을 다루고 있다(『영신수련』, 313-327번). 둘째 세트의 8개의 규칙(『영신수련』, 328-336번)에서 이냐시오는 영적 **위로**에 주목하고 이와 연관된 식별 문제에 집중한다. 『영신수련』, 8-10번 참조.

139 Gil, *Discernimiento*, 210-212에서 규칙 10과 규칙 11(앞부분에서 영적 위로에 대해 말하고 있다)을 이냐시오가 영적 위로 속에 있는 이에게 한 조언으로 제시한다. 이냐시오는 이 사람이 체험하고 있는 위로가 영원히 계속될 것이라는 기대 속에 빠져 착각하지 말라고(규칙 10), 위로 속에서 헛되이 자기만족에 빠지지 말라고(규칙 11) 조언한다. Toner, *Commentary*, 192-196에서와 같이, 나도 규칙 10을 이냐시오의 가르침으로 제시한다. 이 가르침은 영적 위로의 시간을 보낼 때, 곧 다가올 영적 실망을 준비하는 것이 중요하다는 점을 가르친다. 나는 규칙 11을 이냐시오가 말하는 영적 균형에 대한 설명으로 이해한다. 이 영적 균형은 우리가 영적 위로와 영적 실망이 번갈아 나타남을 체험할 때 이냐시오가 우리를 이끌어 안내하고픈 영적 균형이다(11장 참조).

이 시작되기 전에 우리가 취해야 할 행동이 있다. 이 행동은 막상 영적 실망이 닥쳤을 때 저항하는 데 큰 도움이 된다고 이냐시오는 말한다.

우리는 지금까지 이냐시오가 영성 생활에 영적 위로와 영적 실망이 번갈아 찾아오는 것으로 이해하고 있음을 보아 왔다. 그렇기에 영적 실망의 시기 이전에는 항상 영적 위로의 시기가 있다. 제인 수녀를 예로 들면, 그녀는 실망에 빠지는 여섯째 날이 오기 전에 기도 속에서 영적 위로의 날들을 즐긴다. 여기 규칙 10에서 이냐시오는 우리가 영적 실망에 **앞서 갖는 영적 위로의 시기 동안** 취할 수 있는 효과적인 영적 조치를 우리에게 가르쳐 준다. 이 조치는 실망이 되돌아올 때 영적 투쟁에서 우리의 힘을 강화해 줄 것이다.

"행복하게 즐겼던 두 시간"

이야기를 더 끌고 가기 전에, 우선 영적 위로의 시간 **자체**에 대해 살펴보는 것이 중요하다. 이는 영적 위로에 대한 논의에 균형을 잡아 줄 것이고, 우리 영성 생활에서 영적 위로의 자리가 어디인지를 명확히 해 줄 것이다. 무엇보다도 영적 위로는 감사하는 마음으로 받아야 하는 하느님의 선물이다. 그리고 하느님께서 주시려고 하는 새로운 에너지가 영적 위로를 통해 부어진다. 영적 위로는 우리를 사랑스럽게 바라보시는 하느님의 시선이며, 우리 마음에 새겨지는 은총이다.

이런 영적 위로의 정의가 아랫글에 잘 나타나 있다. 이 글은 엘리자베스

시튼이 쓴 것인데, 그녀가 열다섯 살이던 해 코네티컷에서 여름을 보낼 때 있었던 영적 체험을 몇 년 뒤에 기술한 것이다.

아버지가 영국에 계시던 1789년 5월의 어느 날 아침, 잡목을 베러 가는 마차에 쾌활하고 가벼운 마음으로 뛰어올랐다. 집에서 1마일 정도 떨어진 나무숲에 이르러, 마차를 몰던 소년은 나무를 베기 시작했고, 나는 나무숲 속으로 들어갔는데, 곧 초원으로 통하는 샛길을 발견했다. 밤나무 한 그루와 그것을 둘러싼 작은 나무들을 보았고, 그 나무 밑에 넓게 퍼져 있는 이끼를 발견했으며 따뜻한 태양도 보았다. 마치 안락한 침대와 같았다. 바람은 잔잔했고 머리 위는 아주 푸른 둥근 천장이었으며, 봄의 선율과 기쁨이 흘렀고, 그 길옆에 전동싸리들과 들꽃들이 있었다. 내 마음은 순수해질 수 있는 그 끝까지 한껏 순수해져, 하느님에 대한 열정적 사랑과 그분이 하신 일들에 대한 존경으로 가득 찼다…….

하느님은 나의 아버지였고 나의 모든 것이었다. 모든 슬픔을 넘어서 얼마나 멀리까지 주님께서 나를 데려가실 수 있는지를 자신에게 이야기하면서, 나는 기도했고, 성가를 불렀으며, 울었고, 웃었다. 그리고 가만히 누워서 내 영혼을 감싸는 천국의 평화를 즐겼다. 이렇게 행복하게 즐겼던 두 시간 동안, 영성 생활에서는 10년이 자랐던 것 같다.[140]

---

140 Joseph L. Dirvin, C.M., *Mrs. Seton: Foundress of the American Sisters of Charity* (New York: Farrar, Straus & Giroux, 1975), 25에 인용되어 있음. [요셉 더빈, 『성녀 엘리사벳 씨튼』, 김승혜, (칠곡: 분도출판사, 2002)].

다시 우리는 거룩한 땅에 서 있다……. 두 시간 동안 엘리자베스는 강렬한 형태의 영적 위로를 분명하게 체험한다. 그녀의 마지막 말은 하느님께서 영적 위로를 통해 주시는 근본적인 선물을 아름답게 묘사한다. "이렇게 행복하게 즐겼던 **두 시간** 동안, 영성 생활에서는 **10년이 자랐던** 것 같다." 이것이 하느님께서 우리에게 영적 위로를 주시는 가장 본질적 이유이다. 즉, 영적 위로를 통해 우리의 신앙이 깊어지고, 우리의 마음이 사랑으로 자라며, 우리의 모든 존재가 새로운 영성 생활로 확장된다. 이것이 이냐시오가 규칙 5에서 말했던 "선한 영이 우리를 인도하고 권고하는" 시간이다. 영적 위로의 시기에 우리가 해야 할 주요한 일은 이런 위로를 통해 하느님께서 주시는 축복을 항상 **받아들이는** 것이다.

여기서 벗어나는 영성 생활의 목적은 단연코 없다. 심지어 영적 위로의 시기에 다가올 영적 실망을 대비하라는 이냐시오의 규칙 10도 여기에서 벗어나지 않는다. 하느님께서 주시기를 원해서 오는 위로의 시간은 그저 순순히 받아들이고 딴짓을 하지 않는 것이 가장 하느님의 뜻에 맞는 태도이다. 라이사 마리탱이 기도 시간 동안 깊은 위로를 받아 두 시간이고 세 시간이고 기도가 계속된다면 그것 그대로 받아들이고 즐기면 된다. 다가오는 영적 실망을 대비하기 위해 의식적으로 지금 하느님께서 진행하시고 있는 일을 구태여 옆으로 밀쳐놓아야겠다는 의무감을 가져서는 안 된다. 소화 데레사도 정원에서 은총이 가득했던 그 시간 동안 다른 일에 비슷한 의무감을 가져선 안된다. 하느님께서 영적 위로를 주시는 다른 모든 이들도, 하느님께서 선물을 주시고자 할 때 다른 일에 의해 방해받도록 해서는 안 된다. **그 어떤 영적 직**

무도 하느님의 은총을 단순히 받아들이는 자유와 그 은총에 의해 영적으로 더 강해지는 기쁨을 짓누르지 말아야 한다.

하지만 라이사가 강렬하게 위로를 받은 세 시간이 끝난 후에, 하느님의 위로하시는 행동이 여전히 그녀에게 머물러 있지만 조금 누그러져 있고, 정신을 잃은 것 같은 강렬함에서 벗어나 자유롭게 생각을 굴릴 수 있는 시간이 따라온다. 소화 데레사도 정원에서 일어난 심오한 은총의 시간이 끝난 뒤에 그날의 나머지 시간은 넘치는 기쁨 속에 일상으로 돌아온다. 엘리자베스에게도 숲속에서 보낸 두 시간이 끝난 후 집으로 돌아오면서, 여전히 하느님의 사랑을 의식적으로 생각하고 기뻐하는 시간이 온다. 제인 수녀에게도 피정 기간 중 위로를 받는 날들을 보내면서, 규칙적인 기도시간 후에 평화로운 마음으로 방에 조용히 앉아 있는 시간이 온다. 이들 모두는 이미 영적 위로라는 하느님의 선물을 **받아들였다.** 그들의 마음은 빛과 기쁨으로 가득 차 있지만 이제 그들은 다가올 영적 실망에 **대비하는 선택**을 분명히 해야 한다. 만약 그들이 그렇게 한다면 영적 위로는 또 다른 방식으로 그들을 축복할 것이고 그 축복은 그들이 이미 받은 커다란 선물을 넘어서는 방식으로 주어질 것이다. 이렇게 준비하는 선택을 통해 그들은 영적 실망이 되돌아올 때 더욱 기꺼이 저항할 수 있는 대비를 할 수 있게 된다.

이렇게 대비하는 선택이 갖춰졌더라면 제인 수녀가 피정 중에 실망으로 가득한 여섯째 날을 맞이할 때 어찌해 볼 수도 없이 낙담하지는 않았을 것이고 효과적인 방법으로 대응할 준비를 더 잘했을 것이다. 결과적으로 그녀가 맞이한 실망은 덜 고통스러울 것이고 준비되지 않은 채 맞이하는 것보다 더 빨리 지나갈 것이다. 이냐시오가 제시하는 규칙 10은 다가올 영적 실망을 대비하는 것을 겨냥한 조언이다. 여기서 이냐시오가 우리를 초대하는 바는 앞선 영적 위로의 시간 동안, 그 이후에 다가올 영적 실망을 대비하라는 것이다. **어떻게** 대비해야 할까? 이냐시오는 두 부분에서 하나의 대비책을 제시한다. 영적 위로의 시기를 보내는 동안 대비책이 되는 **생각**을 선택하여, 곧 돌아올 영적 실망에 저항하기 위한 **새로운 힘을 마련**하는 데 도움을 받을 수 있다.

대비책이 되는 생각

"위로 중에 있는 이는 다음에 실망이 올 때에 어떻게 처신할 것인지를 **생각하라**." 다시 한번 앞의 규칙 7과 8에서처럼 이냐시오는 **생각**하는 방식을 언급한다. 영적 **실망**의 시기이든(규칙 7, 규칙 8) 영적 **위로**의 시기이든(규칙 10) 이렇게 반복해서 "생각하기"를 중시하는 이냐시오의 가르침은 똑같다. 이 사실은 영적 실망에 저항하는 힘이 생각하는 방식에 달려 있다는 이냐시오의 의중을 표현한다.[141]

규칙 10에서 언급된 "생각하기"는 영적 위로의 시기에 하는 것이기 때문에, 규칙 7과 8이 대상으로 삼는 **현재**의 영적 실망에 초점을 맞추기보다는 **미**

---

141 규칙 11에서 이냐시오는 다시 한번 영적 위로와 영적 실망 각각의 시간에 생겨나는 "생각"에 대해 말할 것이다.

래의 영적 실망에 초점을 맞추고 있다. 그리고 이런 "생각하기"는 미래의 영적 실망의 시기에 **어떻게 행동해야 할지**에 관심을 집중한다. 예를 들어, 제인 수녀는 피정 기간 초기에 위로의 날들을 보내는 동안 영적 실망에 대비할 수 있었다. 그녀는 영적 실망이 되돌아온다는 사실을 이미 알고 있었다. 그리고 실망에 저항하기 위해 미래에 **어떻게 행동할지**를 **미리 생각**할 수도 있었다.

규칙 7과 8에서 말하는 영적 실망의 시기에 이냐시오가 권고하는 생각—이 시련은 하느님께서 허락하신 시련(규칙 7)이라는 생각과 위로가 곧 되돌아오리라는(규칙 8) 생각—이 실망 중에 있는 사람에게 저절로 일어나기는 어려울 것 같다. 우리가 의식적으로 선택해야만 할 듯 보인다. 생각이 저절로 흘러가는 수준에서는, 피정 여섯째 날을 맞이한 제인 수녀에게는 이냐시오가 권고하는 것처럼 **생각**하기보다 단순히 낙심하기가 더 쉬워 보인다. 그렇기에 그녀는 더욱 이냐시오가 권고하는 규칙을 실행하는 의식적 선택을 해야 한다.

마찬가지로, 영적 위로의 시기에 미래의 영적 실망을 준비하려는 생각은 거의 저절로 생겨나지는 않는다. 영적 위로 중에 있는 사람들이 위로에 대해 저절로 올라오는 대로만 반응한다면 이럴 것이다. "기쁠 때 나는 바오로 성인처럼 '그 무엇도 그리스도의 사랑에서 나를 떼어 놓을 수 없습니다.'라고 말했을 것이다"(노리치의 줄리안). 영적 위로의 축복을 받은 사람들은 하느님의 선물을 통해 확실히 힘을 얻고 성장하고 있다. 영적 위로가 특별한 방식으로 미래의 영적 실망을 준비하는 데 더 많은 도움을 줄지 어떨지는 이 사람들이 영적 위로의 은총을 받는 것에 더해서, 이냐시오가 규칙 10에서 권고하는 생각하기를 선택하느냐, 하지 않느냐에 달려 있다. 저절로 흘러가는 수준에서는 이 선택이 그리 필요하지 않을 것 같겠지만 바로 그때 규칙 10의 권고에 따라 선택해야 한다. 앞의 다른 규칙처럼, 반복 연습하다 보면 이냐시오의 지침을 적용하기가 더 쉬워질 것이다.

영적 위로의 시기든 영적 실망의 시기든 상관없이 이냐시오는 의식적으로 생각하기를 중시한다. 이 가르침은 매일의 일상적 영성 생활에 대한 그의 시각을 나타낸다. 이냐시오가 생각하는 영적인 사람은 번갈아 반복되는 영적 위로와 영적 실망에 피동적으로 끌려다니지 않는다. 영적인 사람은 그와 반대로 **끊임없이 자신이 어떤 영적 상태에 있는지 감지**하면서 살아간다. 그들은 영적 실망이 닥치면 이것을 감지하고, 신앙적 방법으로 이것을 어떻게 생각할지를 **선택**한다. 그들은 영적 위로의 시기에도 깨어 있어서 미래의 영적 실망을 미리 생각하고 그것을 잘 맞이할 준비를 **선택**한다. 이렇게 계속해서 영적으로 깨어 매일의 영성 생활을 면밀하게 점검하는 중에 **식별하는** 사람이 형성, 발전되어 가는 것이다.[142]

만약 대비하지 않는다면

영적 위로의 시기에 우리가 미래의 영적 실망을 미리 생각하지 않고 준비하지 **않는다면** 영성 생활에 어떤 일이 일어날까? 만약 제인 수녀가 피정 초기에 맞은 위로의 날들 동안 영적 실망이 곧 돌아올지도 모른다는 생각을 미리

---

142 여기에 **성찰examen**의 문제가 나타난다. 일상의 삶에서 매일 하는 영적 훈련으로 이냐시오가 말하는 성찰을 살펴보고자 하면 George Aschenbrenner, "Consciousness Examen," *Review for Religious*, 31 (1972): 14-21을 참조하라.

하지 않고 준비하지 않는다면? 만약 노리치의 줄리안이 영적 위로의 시기에 바오로 사도가 말한 것처럼 "그 무엇도 그리스도의 사랑에서 나를 떼어 놓을 수 없습니다"라는 저절로 올라오는 느낌만 즐기고 있다면?

토너는 그 후환(後患)을 이렇게 묘사한다. 영적 실망이 "깜짝 놀랄 만큼 혼란"을 일으키면서 닥칠 것이다.[143] "평정심을 완전히 잃어버릴"지도 모르고, 이렇게 혼란을 가져오는 놀라운 충격 속에서 우리가 행하는 모든 영적 실천과 계획은 그냥 흐트러질지도 모른다.[144] 우리는 아마도 "공연히 자기 자신을 비난하는 속임수에 넘어갈지도 모르고, 하느님의 신실함을 의심할지도 모르며, 삶 자체에 화가 끓어오를지도 모른다. 그래서 마음이 쓰라릴 것이다." 사실 영적 실망이 완전히 예기치 않은 충격으로 닥쳐올 때, 우리는 정말 슬픔이나 쓰라림에 잠겨서 주님께 이런 원망을 할 것이다. "저는 제가 할 수 있는 최선을 다해 주님을 섬기려고 노력해 왔는데, 이 내적 고통이 그 유일한 결과입니까? 제가 기울인 노력은 그 어떤 가치도 없습니까? 제 영적 분투가 기껏 이것밖에 안 됩니까?" 막상 예상치 못한 영적 실망이 기습하면, 우리는 손쉬운 먹잇감이 되기 쉽다. 규칙 9에서 가르쳤던 하느님께서 이 실망을 허락하신 여러 가지 이유를 잊어버린 채 자신의 신앙이 실패했다는 경솔한 생각에 빠지기 쉽다. 만약 우리가 잘 준비하지 않으면 영적 실망은 더욱 쉽게 우리를 사

---

143 Toner, *Commentary*, 194. 다음에 이어 나오는 인용문은 모두 이 페이지에서 가져왔다.

144 토니 헨드라는 자신이 영적으로 체험한 1년의 맑은 시간과 영적 위로의 시간 뒤에 갑자기 의심과 실망이 끼어들어 "완전하게 잃어버린 평정심"을 정확하고 아주 생생하게 묘사한다. "갑자기 …… 내가 탄 엘리베이터의 선이 끊어져 어두운 수직 통로 속으로 급강하하면서 끝이 없는 구멍 속으로 떨어져 갔다"[*Father Joe: The Man Who Saved My Soul* (New York: Random House, 2004), 88. 토니 헨드라, 『조 신부님』, 이영기 옮김, (서울: 랜덤하우스코리아, 2004)].

로잡아 무겁게 짓누를 것이다. 저항하고 극복하기도 더욱 어렵게 될 것이다. 이냐시오는 규칙 10에서 이런 어려움을 피할 수 있는 길을 보여 준다.

만약 대비되어 있다면

토너는 계속해서 말한다.

다른 한편으로, 만약 내가 **미리 예감한다면**, 지금의 이 위로는 지나가
고 실망이 다가오는 것이 정해진 순서임을 예감한다면, 나는 하느님의
은총에 의지하면서 내 상황을 잘 조절할 수 있는 위치에 있게 된다. 그
리고 내 기도와 일, 결정에 영향을 끼치려는 영적 실망의 발동을 소용
없게 만드는 위치에 있게 된다. 그 모든 속임수와 술책에 대하여 나는
즉시 반격할 수 있는 위치에 있게 된다.[145]

만약 우리가 영적 위로의 시기에서 영적 실망이 되돌아올 것이라는 **생각
을 미리 하면서 준비하고 있다면**, 영적 실망은 "깜짝 놀랄 만한 혼란"으로 엄
습하지는 않을 것이다. 우리는 항상 우리에게 필요 이상으로 충분히 은총을
주시는 하느님의 도우심으로 더 빨리 저항할 준비가 되어 있을 것이다. 이럴
때 실망이 끼치는 피해는 훨씬 줄어든다.

이 비유를 보면 더 실감할 수 있다. 통근 버스를 타고 있는 두 사람을 상
상해 보자. 두 사람 모두 서서 머리맡에 있는 손잡이를 잡고 몸을 지탱하고

---

145 Toner, *Commentary*, 194.(저자 강조 추가)

있다. 첫 번째 사람은 버스가 곧게 뻗은 길을 지나가는 동안 이야기를 하고, 스쳐 지나가는 광경을 바라보는 데 몰두하고 있다. 이 부분의 도로는 굴곡이 없어서 버스는 곧게 뻗은 길 위를 계속해서 달린다. 그래서 결과적으로 균형을 유지하기 위해 손잡이를 꼭 잡을 필요가 없어진다. 그러나 이 길 끝에는 예상치 못한 굴곡이 기다리고 있다. 이 사람은 딴 데 정신이 팔린 상태이기 때문에 버스가 이미 크게 커브를 돌기 시작할 때까지, 갑자기 방향을 바꾸리라는 사실을 알지 못한다. 느슨하게 잡았던 손잡이는 더는 그를 지탱해 주지 못하고 그는 쓰러진다. 작은 상처를 입고 소지품도 조금 망가진다. 그는 일어서서 일상생활을 계속하지만, 그날 하루 나머지 시간은 쓰러져 다친 것과 소지품손상 때문에 불편을 감수해야 한다.

두 번째 사람은 첫 번째 사람처럼 버스가 곧게 뻗은 길을 달리고 있을 때 느슨하게 손잡이를 잡고 있다. 버스가 곧은길을 달릴 때 이 사람 역시 자기 일에 몰두하고 있지만 첫 번째 사람과 달리, 때때로 버스가 나아가는 길에 무엇이 있는지 고개를 들어 살펴본다. 그는 급격히 꺾이는 굴곡진 길이 다가오는 것을 미리 보고, 버스가 그 길을 돌기 전에 손잡이를 꼭 잡는다. 버스가 크게 커브를 돌 때 몸이 약간 흔들리지만 균형을 잃지 않고 똑바로 서 있다. 쓰러지지도 다치지도 않았고 소지품도 멀쩡하다. 첫 번째 사람과는 달리 남은 일과에 아무 이상이 없다.

규칙 10에 담긴 이냐시오의 의도는 이 두 번째 사람과 같이 대비되어 있는 영적 여정을 안내하는 것이다. 위로의 시기에 영적 여정을 가기는 수월하며, 우리는 그 어떤 부담도 없이 앞으로 나아간다. 이냐시오의 의도는 기쁨과 평안과 수월함을 즐기는 바로 이런 시간에 어려운 시기를 대비하라는 것이다. 우리가 만약 현재의 선물을 받아들일 뿐만 아니라 **미리 앞을 내다보고 미래의 영적 실망에 어떻게 행동할지를 생각한다면** 실망이 닥쳤을 때 우리에게 끼치는 피해가 많이 줄어들 것이다. 영적 실망이 시작될 때 우리에게 이런 준비가 되어 있다면, 비록 영적 실망에 저항하는 영적 힘이 더 필요하겠지만, 우리는 인내하면서 쓰러지지 않고 영적 균형을 유지할 수 있다. 피정 체험상 수많은 사례에서, 규칙 10을 충실히 연습하면 어떤 위력을 발휘하는지 입증되었다.

규칙 9를 설명할 때 우리는 이냐시오의 영적 일기에서 그가 이런 대비를 섬세하게 실천해 온 것을 봤다. **영적 위로의 시기에** 이런 위로가 이전에는 없었음을 성찰하면서, 그는 미래에 영적 위로가 또 사라지는 것을 파악하고 대처할 수 있는 준비를 분명히 더 잘하게 된다. 영적 위로의 시기를 보내면서 그는 이렇게 쓴다. "나중에 다른 때 **위로를 더 많이 받고서는** 확실히 이해하게 되었다. 다시 말해, 주님의 방문이 줄어든 이유가 하루를 보내면서 내적 자세를 갖추지 않거나 스스로 노력이 부족해서라면 우리 주 하느님께 위로를 받지 않는 것이 차라리 더 나은 일임을 생각하게 되었다." 이런 성찰을 통해 그는 새로운 영적 통찰력을 얻는다. "내가 잘못하고 있는 때는 차라리 위로를 받지 않는 편이 더 나은 일임을 생각하게 되었다. (내가 나를 사랑하는 것보다 더 많이 나를 사랑하시는) 주님께서 나에게 더 큰 영적 혜택을 주시기 위해 이 시기를 명령하신다는 생각을 가지게 되었다."[146]

---

146 9장 각주 123번을 참조하라.

이냐시오는 커다란 영적 위로라는 선물을 **받아들일** 뿐만 아니라, 그 시간을 이 영적 위로가 없어지는 미래의 시간을 위한 **준비로 생각한다.** "나는 확실히 이해하게 되었다. …… 더 낫다고 **생각했다.** …… 더 나을 거라고 **생각했다.**" 영적 위로의 시기에 미래를 대비하는 규칙 10과 같은 생각하기는 미래에 위로가 사라졌을 때 분명 효험을 발휘한다.

"그때를 위해서 새로운 힘을 마련"

"그때를 위해서 **새로운 힘**을 마련하라." 이것은 창세기 41장, 현재의 대풍작에 미래의 흉년을 대비한 요셉의 지혜와도 같은 것이다. 요셉은 미래를 내다보고 대풍이 드는 일곱 해 동안 남아도는 자원을 비축하며, 비축한 자원이 삶을 유지하기 위해 아주 중요해지는 일곱 해의 가뭄을 준비한다. 비슷한 방식으로, 이냐시오는 영적 위로의 시기에는 당장 영적 힘을 비축할 필요가 없을지라도 어느 순간 뒤따라올 영적 실망의 시기에 대비하여 우리는 "새로운 힘"을 길러야 한다고 말한다.

이냐시오는 간단히 언급만 하고는 새로운 힘을 기르는 **방법**에 대해서는 더 추가하지 않는다. 토너는 그 이유를 이 규칙 10이 놓인 맥락이 설명한다고 말한다. 앞선 다섯 개의 규칙(규칙 5-9)에서 이냐시오는 **영적 실망 중에 있을 때** 저항하는 방법을 가르쳤다. 우리가 **영적 위로 중에 있을 때** 미래에 올 실망에 저항하는 "새로운 힘을 마련"하는 방법에 대한 이냐시오의 조언은 이제,

"실망이 다가올 때 방황하지 않도록 규칙 5-9에서 제시한 방법을 우리 머릿속에서 분명히 기억하는 것"[147]이라고 토너는 말한다.

토너는 영적 위로 중에 있는 동안 미래에 올 영적 실망에 대비하여 "새로운 힘을 마련"하는 여러 방법을 나름대로 제안한다. 다음 문단부터 우리는 토너가 제안하는 방법을 살펴볼 것이다. 토너가 부연 설명을 붙이거나 내용을 추가한 것도 있다.[148] 토너가 이냐시오의 의중을 잘 정리했지만 그렇다고 모든 방법을 총망라한 것은 아니다.

미래에 영적 실망이 닥칠 때 견뎌 낼 힘을 청하는 청원 기도

규칙 6에서 이냐시오는 영적 실망의 시기 동안 **청원 기도**를 하라고 했다. 이 청원 기도는 저항하는 순간에 우리에게 필요한 하느님의 도우심을 요청하는 기도이다. 우리가 영적 위로에 있을 때 실망이 시작되기 **전에** 이 기도를 할 수도 있다. 영적 위로의 시기는 하느님께서 가까이 계심으로써 느끼는 따뜻함과 빛에 둘러싸인 시기이다. 이런 시기에 오히려 영적 실망이 다시 되돌아올 때 도와달라고 청하는 것이다. 이 기도는 아주 개인적인 형태일 수도 있다. 우리는 영적 실망이 우리를 공격하는 가장 흔한 수법들, 즉 우리를 괴롭힐 때 "악한 영이 쓰는 상투적" 전술들을 알아챌 수도 있다. 그러면 이겨 낼 힘을 이 기도로 청하면 된다.

---

147 Toner, *Commentary*, 195.
148 먼저 나오는 다섯 개 요점은 Toner, *Commentary*, 195-196에서 찾을 수 있다. 나는 토너가 다룬 다섯 개 요점을 어느 정도 확장하고자 하며, 마지막 두 개를 첨가했다.

영적 실망을 견디게 붙잡아 줄 진리들에 대한 묵상

이것 역시 이냐시오가 규칙 6에서 우리에게 해 준 조언이다. 영적 실망의 시기에 하느님의 사랑에 대한 우리의 확신을 강화하는 신앙의 진리들을 묵상하자. 이것 역시 영적 실망이 오기 **전에**, "그때를 위해서 새로운 힘을 마련하도록" 영적 위로의 시기에 할 수 있다. 사실 이런 묵상은 영적 위로의 시기에 더 쉽게 할 수 있다. 이 시기는 하느님의 사랑을 믿을 뿐만 아니라 그 사랑을 아주 따뜻하게 **느끼는** 시기이기 때문이다.

앨리스는 영적 실망의 시간을 보내는 동안 시편 23편을 묵상한다. "주님은 나의 목자, 나는 아쉬울 것 없어라"라는 말씀은 그녀의 마음을 회복시켜 주고 영적 어둠을 밝히는 빛이 된다. 이냐시오의 규칙 10을 상기하면서, 그녀는 실망이 시작되기 **전에** 영적 위로 속에서 이 말씀을 묵상할 수도 있다. 그러면 실망의 시기가 닥쳤을 때 이 말씀이 그녀를 지켜 준다는 것을 알게 될 것이고, 그녀가 겪는 실망은 그리 위협적이지 않을 것이며, 그리 오래 계속되지도 않을 것이다. 이런 방법으로 그녀는 미래의 실망에 저항할 수 있는 "새로운 힘을 마련하게" 된다.

영적 실망이 성장에 도움이 됨을 숙고

하느님의 사랑을 느끼는 위로의 시기에 영적 실망이 영적 성장에 도움이 된다고 하는 이냐시오의 가르침을 선택해서 생각한다면, 곧 올 영적 실망에 저항할 수 있다. 하느님께서 우리를 사랑하시기 때문에 영적 실망을 허락하시고, 이런 영적 실망 없이는 우리는 그냥 영적으로 어린아이에 머물러 있게 되며, 영적 실망이라는 시련의 시기를 통해 우리가 더 배우고, 복음적 겸손을 키우며, 영적 성장을 이루어 간다는 생각을 영적 위로 안에 하면 좋다. 이런 진리는 영적 실망의 시기보다는 영적 위로의 빛과 따뜻함 속에 있을 때 더 잘 이해되고 더 잘 받아들여진다. 영적 위로는 "선한 영이 더 많이 우리를 안내하고 더 많이 도와주는" 것이 분명한 시기이다. 하느님께서 주시는 빛 속에 머물러 있을 때 영적 실망에 굳건히 저항하여 성장의 열매를 거두리라는 생각을 한다면 이 생각은 영적 실망이 되돌아올 때 우리를 더 잘 지켜 줄 것이다.

과거 영적 실망을 통해 이룬 성장을 성찰

영적 실망은 그 본성상 참아 내기 힘들다. 그 황폐한 시기는 우리 곁에 너무나 가까이 있고 너무나 큰 피해를 주기 때문에, 이 시련의 시기를 보내면서 하느님께서 이 체험을 통해 우리를 성장시키신다는 생각을 할 겨를이 없을 수도 있다. 영적 실망을 통해 하느님께서 주신 선물은 종종 그 시간이 지나가고 난 뒤에야 비로소 발견하게 된다. 또한, 영적 실망의 시기에는 미처 깨닫지 못하다가 영적 위로가 다시 돌아오고 나서야 시련을 통한 성장의 열매를 깨닫기도 한다. 영적 실망의 시간을 보내면서 이 시련을 벗어나는 출구를 찾으려고 애썼던 많은 시도, 영적으로 더 강건한 사람들과 나누었던 대화, 기도와 봉사 면에서 취했던 변화, 나중에 성장의 열매를 맺었던 영적 행동 등의 가치를 영적 위로가 다시 돌아오고 나서야 더 잘 이해하게 된다. 또한, 우리는 이런 새로운 영적 움직임의 걸음걸이가 가져다주는 축복이 현재 우리에게 이미 내린다는 사실을 깨닫고 감사한 마음으로 가득해지기도 한다.

영적 위로의 시기에 우리는 지난 세월 동안 하느님께서 영적 실망을 통해 우리를 성장시키셨던 기억을 묵상하는 선택을 할 수 있다. 우리가 그렇게 한다면, 영적 실망이 되돌아올 때 우리는 시련 속에서도 더 굳건히 지탱할 수 있다. 지금 이 어둠의 시간에는 분명히 볼 수 없지만, 지난 세월 그때 그러셨던 것처럼 하느님께서 다시 한번 이 시련을 통해 우리에게 영적 성장을 선물해 주신다는 것을 더욱 믿어 의심치 않을 것이다. 지난 영적 실망의 시기에 이루어 낸 성장을 묵상하는 것이 미래의 영적 실망에 저항하는 데 얼마나 도움이 되는지는 수많은 체험 사례들이 증명하는 바이다.

영적 실망의 시기에는 변경하지 않겠다는 결심

이것은 이냐시오의 규칙 5이다. "실망에 빠졌을 때에는 결코 변경을 해서는 안 되며 그런 실망에 빠지기 전에 의도하였던 것들이나 결정한 것, 또는 전에 위로 중에 있을 때 결정한 것에 변함없이 항구하여야 한다." 우리는 앞장에서 영적 실망의 시기에 이전의 결심들을 바꾸어서 야기된 심각한 피해를 보았다. 우리는 미래에 올 영적 실망의 시기에 다시 비슷한 유혹에 빠질 수 있음을 예상할 수 있다. 만약 우리가 미래의 영적 실망을 먼저 예상하고 영적 위로의 시기에 변화의 유혹을 충분히 경계한다면 우리는 영적 실망의 시기가 닥쳐서 재발하는 변화의 유혹을 더 잘 피할 수 있을 것이다. 이런 유혹을 방어하는 한 가지 방법은 과거 영적 실망에 빠져서 했던 변화와 그 결과를 되새겨 보는 것이다. 이 방법이 미래의 영적 실망에 저항하는 데 얼마나 큰 도움이 되는지는 많은 체험 사례들이 입증해 준다.

이냐시오의 식별 규칙을 반복 숙지

글로 쓰는 이론이야 명쾌하게 정리할 수 있지만, 현실 생활에서 여러 사정과 변수들은 이론만큼 명쾌하게 될 수가 없다. 이냐시오의 규칙들을 항상 가까이 두고 있지 않으면, 숨 가쁘게 지나가는 매일의 일상 속에서 부딪치는 여러 상황에 대응하여 이 규칙들을 적재적소에 활용하기는 어려워진다. 이 규칙들이 덜 필요한 영적 위로의 시기에도 평소에 정기적으로 묵상하는 선택을 하는 게 중요하다. 왜냐하면 영적 위로의 시기에는 평화로운 마음으로 이 규칙을 **다급하지 않게, 절박하지 않게** 숙지할 수 있기 때문이다. 그렇게 하면 이 규칙이 **더 다급하게, 더 절박하게 필요한** 영적 실망의 시기에 우리는 이를 더 잘 기억해 내고 더 효과적으로 적용할 수 있다. 이 규칙을 평소에 숙지하는 방법은 개인에 따라 여러 가지일 것이다. 이냐시오의 글을 규칙적으로 읽는다든지, 규칙들에 대해 묵상하는 시간을 자주 갖는다든지, 다른 사람들과 대화를 통해 배운다든지 등 그 방법은 개인이 선택하기 나름이다.[149] 우리가 매일의 삶에서 이 규칙이 가지고 있는 효능을 활용하고 싶다면, **이 규칙이 그리 필요하지 않은 위로의 시기에** 숙지할 수 있는 방법을 선택하여 행하는 것

---

149 Gil, *Discernimiento*, 15-16에서 힐은 기본적인 이 내용을 기억하라고 조언한다. "영신수련을 지도하는 이로부터 지시와 설명받는 것에 더해서, 피정 참가자가 규칙의 내용을 손닿는 곳에 두고 마음으로 본질적인 내용을 배우는 것이 일반적으로 봤을 때 아주 바람직하다. 이 규칙을 기억하고 나면 피정 참가자에게 더 생생하게 다가올 것이며 그가 접하는 각기 다른 상황에 맞게 더 자주 적용할 수 있게 된다."

이 큰 도움이 된다.

영적 실망의 특정 상황에 대한 대비

　　신앙인은 누구나 영적 실망으로 유난히 쉽게 휘말려 들어가는 특정 상황, 특정 시간이 있다. 다른 사람들과 함께 살아야 하는 상황, 일터, 본당, 사목 현장, 기도하는 시간 등 어떤 특정한 장소나, 일 년 또는 하루 중 어떤 특정한 시간에, 아니면 어떤 특정 종류의 스트레스를 받을 때, 영적 실망에 쉽게 빠지기도 한다. 아주 오래된 명언, "너 자신을 알라"는 말씀이 또다시 중요해진다. 하느님의 사랑 안에 포근히 깃들어 있는 영적 위로의 시기에 자신의 취약한 특정 상황, 특정 시간에 어떻게 대응할 것인지 구체적으로 계획을 세워 본다면, 영적 실망이 다시 돌아올 때 "저항하는 새로운 힘을 가지게" 된다. 이렇게 특정한 대비를 구체적으로 갖추는 계획은 영적 실망의 상투적 수법들을 성장의 기회로 바꿀 수 있고, 우리의 영적 여정에서 새로운 지평을 열어 준다.[150]

규칙 10의 실제 사례

　　한 가지 예를 통해 우리는 이 장에서 말해 온 것을 잘 요약할 수 있겠다. 마르타 수녀는 최근에 수 주 동안의 심각한 영적 실망에서 평화를 되찾았다.

150　이냐시오의 규칙 14를 논할 때 다시 이 점을 살펴볼 것이다(14장).

기도는 다시 조용한 기쁨의 시간이 되고, 그녀는 이제 하루를 보내면서 자주 하느님께서 가까이 계심을 체험한다. 영적 위로가 되돌아온 것이다.

마르타 수녀는 그녀에게 영적 실망을 안긴 공동체의 삶과 사목에 관련된 일들이 다시 실망을 불러올 수도 있다는 것을 안다. 하느님의 도우심에 의지하며 영적 실망이 되돌아오는 데 최선을 다해 더 잘 대비해야겠다고 결심한다. 매일의 기도를 통해 미래에 올 영적 실망에 저항할 수 있는 더 큰 능력을 주시기를 하느님께 청한다.

그녀는 영적 실망에 대항한 싸움에서 이냐시오의 규칙이 도움이 된다는 것을 알게 되었고, 책상 위에 그 규칙을 적어 놓고 자주 보겠다는 결심을 한다. 자투리 시간을 활용하여 그 규칙을 반복해 본다는 계획도 세운다. 규칙 하나하나를 마음에 새기고, 만약 영적 실망이 닥치면 어떻게 활용할지 연상해 본다.

마르타 수녀가 가장 좋아하는 성경 구절이며 하느님의 충실하신 사랑을 느끼도록 도움을 주는 구절은 이사야서 43,1-7이다. "내가 너를 구원하였으니 두려워하지 마라. 내가 너를 지명하여 불렀으니 너는 나의 것이다. 네가 물 한가운데를 지난다 해도 나 너와 함께 있고 …… 네가 불 한가운데를 걷는다 해도 너는 타지 않고 …… 네가 나의 눈에 값지고 소중하며 내가 너를 사랑하기 때문이다." 그녀는 이 구절을 매일 읽겠다는 계획도 세운다.

일요일 오후는 보통 그녀에게 일주일 중 가장 조용한 시간이다. 그녀는 영적 투쟁과 이에 관련된 심리학을 다룬 책과 자료들을 찾아 영적 독서를 하자는 결심도 하면서, 적어도 수 주 동안 그녀는 이 시간을 그녀가 결심한 영적 독서에 할애한다. 더 나아가 그녀는 이렇게 대비하는 노력이 어떻게 진행되고 있는지에 대해 매달 정기적으로 영적 지도자와 이야기하기로 결심한다.

마르타 수녀는 자신에게 맞는 방식으로 영적 위로의 시기를 보내면서, "새로운 힘을 마련"하기 위해 우리가 지금까지 살펴보았던 조언을 실행하고 준비한다. 이렇게 함으로써 그녀는 정말로 **영적 실망이 되돌아올 때** 준비가 잘 되어 있고 더 큰 결단력으로 맞이할 수 있음을 우리는 알 수 있다. 앞선 규칙과 마찬가지로, 규칙 10은 사로잡힌 영혼들을 해방하는 데 일조한다.

11장

영적 위로와 영적 실망의 균형 잡기 (규칙 11)

이 길에서는, 아래로 내려가는 것이 올라가는 것이고,

올라가는 것이 내려가는 것이기 때문이다.

- 십자가의 성 요한

두 가지 영적 움직임, 하나의 규칙

영적 실망 중에 있는 사람들에게 주는 규칙(규칙 5-9)과 영적 위로 중에 있는 사람들에게 주는 규칙(규칙 10)을 끝내고, 이냐시오는 다음으로 위로와 실망이 **함께** 나타날 때를 위한 규칙을 제시한다. 규칙 11은 다음과 같다.

규칙 11. 아울러 위로 중에 있는 이는 그런 은총이나 위로가 없는 실망 중에 있을 때 자신이 얼마나 보잘것없었는지를 생각하며 되도록 자신을 겸손하게 낮추도록 애쓸 일이다. 이와 반대로 실망 중에 있는 이는 자신이 원수들에 대항하기에 충분한 은총을 받고 있으며 창조주 주님께 힘을 얻어 많은 것을 할 수 있음을 생각해야 한다.

앞선 규칙에서 이냐시오는 두 개의 상반된 영적 움직임을 따로따로 구분하여, 그에 대처하는 **생각**과 **행동**을 가르쳐 주었다. 규칙 11은 앞서 따로 구분하였던 영적 실망, 영적 위로 두 시기를 아우르는 큰 그림을 제시한다는 점에서 의의가 있다. 이미 식별을 제대로 할 수 있는 사람에게, 영적 실망과 영적 위로가 오고 가고 교차하는 여정에서 일관되게 영적 균형을 잡는 법을 진술한다.

이 규칙은 우리가 지금까지 일관되게 보아 온 것처럼, 상반된 것의 대조 패턴으로 설명되어 있다. 이 규칙의 앞부분 절반과 뒷부분 절반은 대조를 뜻하는 "이와 **반대로**"라는 단어로 나뉘어 있는데, 이 패턴은 이제 규칙을 보는 독자에게 친숙하다. 영적 위로와 영적 실망은 서로 반대이기 때문에, 이를 겪는 사람의 대응도 반대이기 마련이다. 규칙 11은 이 상반된 두 가지 대응 방식을 나란히 설명하고 있고, 궁극적으로 두 가지 대응 방식의 균형을 갖추라고 강조하고 있다. 나는 각각의 대응 방식을 설명하고, 다음에 구체적 영적 체험에서 **영적 균형**의 수립을 논할 것이다.

영적 위로의 시기: 겸손에 뿌리내리기를

이 규칙의 첫 문장에서 이냐시오는 영적 위로 중에 있는 사람이 추구해야 할 **태도**와 그 **태도를 추구하는 방식**을 제시한다. 첫 번째로, 영적 위로 중에 있는 사람은 겸손한 마음을 추구해야 한다. "아울러 위로 중에 있는 이는

…… 되도록 자신을 **겸손하게 낮추도록 애쓸 일이다.**" 하느님께서 우리에게 영적 실망을 허락하시는 이유 중 하나가, 복음적 겸손에 더욱 단단히 기반을 두게 하려는 것임을 이냐시오는 이미 가르쳤다(규칙 9 세 번째 이유). 이제 규칙 11에서 이냐시오는 다시 이 주제로 돌아가, 영적 위로 중에 있는 사람은 그가 할 수 있는 만큼 최대한 능동적으로 겸손의 태도를 추구하라고 초대한다. 이냐시오는 왜 이렇게 특별히 겸손의 마음을 중시하는가?

확실히 겸손은 그 자체로 축복이고 우리를 하느님의 은총으로 이끈다(1베드 5,5). 이냐시오에게 겸손한 마음은 모든 다른 미덕이 자라나는 비옥한 영적 토양이다(『영신수련』, 146번). 이 마음은 하느님의 부르심을 받아들이려고 하는 완전히 열린 마음이다(『영신수련』, 167번). 그런데 이냐시오는 내적 움직임에 대한 식별—감지하기, 파악하기, 행동하기—과 관련하여 겸손이 특히 필요하다고 말한다. 그는 겸손한 마음이 **영적 위로의 시간**에 특별한 방식으로 우리에게 도움을 줄 것이라고 한다.

앞에서 규칙 8을 설명할 때, 나는 영적 위로와 영적 실망이 교대로 다가오는 현상이 반복된다는 노리치의 줄리안의 묘사를 인용했다. "반복하여 스무 번 정도 그렇게 한 것 같다." 줄리안은 영적 위로의 시간 동안 하느님 안에서 완전히 보호받는 느낌을 강하게 받았다고 말한다. 이런 첫 번째 위로에 관해 그녀는 이렇게 묘사한다. "이 기쁨 속에서 나는 **영원한 확신**으로 가득 찼고, 이는 어떠한 고통스러운 두려움도 없이 **힘찬 확신**이었다. …… **지상에서는 아무것도** 나에게 고뇌를 일으킬 수 '없었다.'" 뒤따라오는 영적 위로의 시기에도 온전한 보호에 대한 같은 느낌이 되돌아온다. "하느님께서 다시 내 영혼에 위로와 평안을 주셨고, 기쁨과 보호가 주님께서 주시는 축복으로 **너무나도 힘 있게 다가와서, 나를 괴롭힐 수도 있는 그 어떠한 두려움도, 슬픔도, 육체적이든 영적이든 그 어떠한 고통도** 없어졌다."

사실, 줄리안은 영적 위로가 되돌아오는 것을 영적으로 보호받는 느낌이 다시 찾아오는 것으로 실감한다. "기쁠 때 나는 바오로 성인처럼 '**그 무엇도 그리스도의 사랑에서 나를 떼어 놓을 수 없으리라**'라는 말을 되뇔 수 있었고" 영적 위로를 받는 것은 하느님 안에서 보호받는 기쁜 느낌을 지니는 것이며, 이 느낌은 그런 위로를 받는 시기에 하느님께서 주시는 선물의 한 부분이다.

줄리안에게 있어서, 모든 두려움, 슬픔, 고통으로부터 완전히 보호받는 느낌과 그 무엇도 그리스도의 사랑으로부터 그녀를 떼어 놓을 수 없다는 깊은 느낌은 바로 이냐시오가 말하는 겸손과 굳게 연결되어 있다. 물론 그녀는 영적 위로의 시기에 충분히 기뻐하지만, 그러면서도 이냐시오가 의미하는 **겸손**을 고백한다. 이냐시오가 여기에서 말한 방식으로 그녀의 마음은 겸손하게 된다. "내가 이 넘치는 기쁨을 받을 만한 **자격이 있어서가 아니라, 주님께서 나에게 거저 주시겠다고** 원하셨기 때문이다. 어떨 때는 주님께서 슬픔을 주시기도 한다. 그 주님도 기쁨을 거저 퍼부어 주시는 주님과 같은 분이시며, 그 기쁨과 그 슬픔도 하나의 사랑이다."[151] 줄리안은 영적 실망이 끼어드는 것이 그녀의 죄 때문에 일어나는 것이 아님을 알고 있듯이 영적 위로의 기쁨도 그녀의 능력이나 성취 때문이 아니라 하느님의 은총이 그녀에게 내리고 있기 때문임을 겸손하게 인정한다. 복음적 **겸손**에 뿌리를 두고 영적 위로의 시

---

151   E. Colledge and J. Walsh, *Julian of Norwich: Showings* (New York: Paulist Press, 1978), 205.

기에 하느님께서 주시는 사랑의 선물을 **받아들인다면**, 크고 탄탄하게 성장할 수 있는 영적 에너지가 발휘될 것이다. 우리는 줄리안에게서 그런 에너지를 느낄 수 있다.

만약 영적 위로의 시기에 그렇게 축복을 받으면서도 "되도록 자신을 겸손하게 낮추도록 애쓸" 노력을 기울이지 **않는** 사람들이 하느님의 보호라는 선물을 **받아들인다면** 무슨 일이 일어나게 될까? 성 목요일 저녁 예수님을 세 번 부인한 베드로(마르 14,66-72) 같은 일이 벌어질 것이다. 마음은 주님을 향한 커다란 사랑으로 채워져서 풍부한 주님의 우정에 기뻐하지만, 안전한 느낌 자체는 자칫 그들의 영적 발걸음을 잘못 이끌어 금방 허물어질 위험이 크다(마르 14,27-31).[152] 베드로도 결국 겸손에 뿌리를 두는 사도가 되었지만 그것은 세 번 예수님을 부인한 끝에 비탄이 주님과 가까이 있을 때 생긴 과신을 박살 낸 후에나 비로소 시작된 일이었다(마르 14,66-72). 영적 위로의 은총을 기쁘게 받아들이고 그와 동시에 가능한 한 겸손을 유지하려 애쓰는 마음은, 베드로의 실패에서 본 바와 같이 주님과의 일치에 따른 영적 위로가 자신에 대한 과신이나 남다른 권위 의식으로 흐르는 것을 용납하지 않을 것이다. 그리고 세 번 예수님을 부인한 베드로에게 닥친 것 같은 비탄을 면하게 해 줄 것이다.

규칙 11 첫 문장에서 이냐시오가 우리에게 원하는 것은, 영적 위로의 시

---

152 "베드로가 예수님께 말하였다. '모두 떨어져 나갈지라도 저는 그러지 않을 것입니다.' …… 베드로가 더욱 힘주어 장담하였다. '스승님과 함께 죽는 한이 있더라도, 저는 결코 스승님을 모른다고 하지 않겠습니다.'" Toner, *Commentary*, 197와 Gil, *Discernimiento*, 215를 보라. 이 둘은 베드로와 관련된 이 내용을 마태오 14장에서 인용한다. 내가 다루는 베드로의 체험은 토너의 것을 따른다. 이냐시오는 『영신수련』 14번에서 비슷한 주장을 한다.

기에 자신에 대한 과신, 권위 의식에 빠지는 함정에 대해 따끔하게 경계하는 것이다. 영적 위로를 받는 시기에 겸손한 마음을 유지하도록 노력하라고 조언하면서, 그는 위로를 통해 받은 하느님의 은총을 자기 권위로 삼지 않고 보존하는 방법과 순박하게 적용한 영적 조치로 인해 빠지게 되는 함정을 효과적으로 피할 방법을 알려 준다.

겸손한 마음, 바로 이것이 영적 위로의 시기에 우리가 가져야 할 **태도**라고 이냐시오는 말한다. 영적 위로의 기쁨 속에서 우리는 **어떻게** 겸손을 갖출 수 있는가? "위로 중에 있는 이는 그런 은총이나 위로가 없는 실망 중에 있을 때 자신이 얼마나 보잘것없었는지를 **생각**하며 되도록 자신을 겸손하게 낮추도록 애쓸 일이다." 앞선 규칙에서처럼 여기서도 생각을 어떻게 가져가는지가 중요하다. 영적 위로 안에 겸손해지려는 **생각**을 자꾸 선택하는 것이 겸손의 태도를 얻는 비결이다.

영적 위로 중에 있는 사람은 "그런 은총이나 위로가 없는 **실망 중에** 있을 때 **자신이 얼마나 보잘것없었는지를**" 생각해야 한다. 만약 줄리안이 하느님에 대한 사랑이 넘치는 영적 위로의 시기에 죽음의 공포에 휩싸일 정도로 괴로웠던 **영적 실망**의 시기를 생각해 낼 수 있다면, 그녀는 현재의 영적 위로에 기쁨을 만끽하면서도 겸손함을 유지할 수 있을 것이다. 실제로 그녀는 영적 위로의 시기에 "바오로 성인처럼, 그 무엇도 그리스도의 사랑에서 나를 떼어 놓을 수 없으리라"라고 넘치는 기쁨을 표현했지만, 영적 실망의 시기를 보낼 때는 "베드로 성인처럼, 주님, 저를 구하여 주소서. 제가 죽게 되었나이다"라고 자신의 보잘것없음을 애원하기도 했다. 우리가 **영적 위로의 시기**에 들뜨지 말고, 지난 영적 실망의 시기에 했던 행적에 대해—영적 실망의 시기에 계속 충실하게 기도했는가? 아니면 기도를 포기했는가? 이전의 결심을 인내하며 행했는가? 아니면 바꾸려고 했는가? 머지않아 영적 위로가 돌아올 것을 믿고 인내하면서 저항의 수단들을 실천했는가? 아니면 이런 노력 없이 넋 놓고 당했는가?—곰곰 상기해 보는 것은 자신이 가진 영적 에너지를 측정할 수 있는 기준이 되고, 주님의 지속적 도움이 진정 필요함을 알려 주는 가르침이 된다. **영적 위로의 시기**에 우리는 이런 방법으로 마르코 복음 14,27-31, 베드로에게 나타난 과신과 권위 의식의 위험, 그것이 얼마나 사상누각인지 여실히 보여 주는 14,66-72, 베드로의 실패와 같은 위험으로부터 우리를 보호할 수 있다.

사실 영적으로 황폐해진 지난 시간의 어둠과 슬픔 속에서 우리가 얼마나 강할 수 있겠는가?[153] 앨리스처럼 우리도 "모든 것이 절망적이고 의미 없는 듯하다"라고 말하지 않았을까? 제인 수녀처럼 우리도 "점점 실망이 커진다", "혼돈, 혼란, 그리고 좌절감"을 느끼지 않았을까? 이냐시오가 풍부한 열매를 맺는 겸손에 우리를 뿌리내리게 하는 비결이라고 제시한 것은 다름 아닌 영적 위로의 시기에 지난 영적 실망의 시기를 되돌아보는 선택이다. "그런 은총이나 위로가 없는 실망 안에 있을 때 자신이 얼마나 보잘것없었는지를" 진지하게 생각하는 것이다.[154] 이런 겸손은 현재 누리는 영적 위로가 하느님에게

---

153 규칙 10에서 우리는 준비하려는 목적으로 **미래에 있을** 영적 실망을 다룬다. 규칙 11에서는 지금 영적 위로를 느끼는 동안 **과거에 겪은** 영적 실망에 대한 기억으로부터 겸손의 열매를 맺고자 한다. Gil, *Discernimiento*, 217을 참조하라.

154 힐은 영신수련에서 이냐시오가 제시한 예수 그리스도 탄생 사화를 기초하여 다른 것으로서 **감사**를 제안한다. 예수 그리스도 탄생 사화에서 마리아는 "**자신을 낮추고** 엄위하신 하느님께 **감사드리는** 방식으로" 하느님의 은총에 응답한다(『영신수련』, 108번). 이런 감사는 위로받는

서 선물 받은 은총임을 확인시켜 주고 안전하게 보호해 준다.

앞선 규칙에서도 마찬가지로 가르쳤지만, 이냐시오의 이런 **생각하기**는 능동적으로 선택해야 한다. "위로 중에 있는 이는 …… **되도록** 자신을 겸손하게 낮추도록 **애쓸 일이다**." 이런 생각은 규칙을 실천하려는 노력을 반복하면서 습관으로 붙는다.

영적 실망의 시기: 믿음에 항구하기를

만약 줄리안이 **영적 위로**의 시기에 겸손한 마음을 유지할 수 있다면 **영적 실망**의 시기에 믿음에 항구한 마음도 유지할 수 있을 것이다. 확실히 영적 실망은 암울하며 강렬하다. "나는 곧 변해서 **홀로 남겨진 채로, 억눌리고** 내 삶에 **지쳐** 나 자신에게 후회하면서, **계속 살아갈 인내도 거의 내지 못하게 되었다**. 믿음, 희망, 사랑을 제외하고는 내게는 **그 어떠한 편안함이나 위로도 없었고**, 심지어 이 믿음, 희망, 사랑도 거의 느끼지 못했다." 영적 실망의 시기가 반복되자, 줄리안은 "베드로 성인처럼 '주님, 저를 구하여 주소서. **제가 죽게 되었나이다**' 되뇌기도 했다"라고 적고 있다.

만약 영적 위로의 시기에 영적으로 보호받는다는 느낌이 있다면, 영적 실망의 시기에는 정확히 그 반대, 영적 **불안**에 시달린다. 줄리안은 "계속 살

이들의 마음을 열어서 자신을 넘어 그 이면을 바라보고, 영적 위로를 하느님과 연관해 바라보며, 영적 위로의 본질이 바로 하느님의 선물임을 깨닫게 한다(Gil, *Discernimiento*, 218).

아갈 인내도 거의 내지 못하게" 되었고, 베드로 사도처럼 "제가 죽게 되었나 이다"라고 울부짖는다. 홀로 남겨진 채로 억눌리고 내 삶에 지쳤다는 **느낌**은 결국 영적으로 피폐해지리라는 징조인데 이 느낌은 영적 실망에 시달리고 있는 사람들 모두에게 익숙하다.

그러나 줄리안은 "황폐함에 빠진 나를 바라보는 나"가 된다. 조용히 그리고 신앙의 빛 안에서 그녀는 영적 위로와 영적 실망 둘 다의 의미를 곰곰이 생각한다. 비록 영적 실망의 고통을 느끼지만 그녀는 평온한 마음을 회복하여 자신에 대한 책망을 거두고 영적 위로와 영적 실망을 그녀의 삶 안에서 이루어지는 하느님의 섭리로 다시 바라보게 된다.

이렇게 곰곰이 다시 돌아보면서 나는 어떤 **가르침**을 얻었다. 어떨 때는 위로를 받는 것이 영혼에 선익이 되기도 하고, 어떨 때는 추락하고 외톨이가 되는 것이 영혼에 선익이 되기도 한다. 영적 위로 중에 있든, 영적 실망 중에 있든 하느님께서는 항상 우리를 보호하신다는 사실을 **우리가 알기를 원하신다.** 어떨 때는 **자기 죄로 인해서가 아니어도** 버림받아 보는 것이 **그 영혼에 선익이 될 수 있다.** 이런 체험은 급작스럽게 닥치기 때문에 죄지을 겨를조차 없다. 반대로, 내가 이런 복을 누려도 되나 싶을 정도로 과분한 기쁨이 단지 하느님께서 원하시는 때 거저 선사되기도 한다. 물론 그런 하느님이 슬픔을 허락하시기도 한다. 과분한 축복이든, 슬픈 고통이든 **둘 다 하나의 같은 사랑이다.**[155]

---

155 Colledge and Walsh, *Julian of Norwich: Showings*, 205.

줄리안은 여기서 규칙 11 후반부에 쓰여 있는 영적 균형의 예를 보여 준다. 그녀는 신앙의 눈으로 실망 상태를 **생각**하고 용기 있게 견딜 수 있는 방향으로 **생각**한다. 비록 **감정**은 계속 살아갈 인내도 거의 내지 못하게 피폐하지만 이에 상관없이 이런 생각을 굳건하게 가져간다. 규칙 7과 규칙 8에서 강조하였듯이 이냐시오는 영적 실망의 시기에 이렇게 힘을 키우는 **생각**의 중요성을 다시 한번 촉구한다. "이와 반대로 실망 중에 있는 이는 …… 많은 것을 할 수 있음을 **생각해야 한다**."

규칙 11 후반부는 앞선 규칙 7과 규칙 8의 생각하기로 되돌아가지만 그의 문장은 희망으로 가득 차 있다. 이런 문체는 이냐시오가 영적 실망 중에 있는 사람에게 조언할 때의 특징이다.

영적 실망의 시기에 있는 사람은 "자신이 원수들에 **대항하기에 충분한 은총**을 받고 있으며 창조주 주님께 **힘을 얻어 많은 것**을 할 수 있음을 **생각해야 한다**." 영적 실망의 시기, 줄리안의 표현을 빌리자면, 주님께 "제가 죽게 되었나이다"라고 울부짖는 감정에 휩쓸릴 때, 할 수 있는 것은 거의 없다고 **느낄** 때, 바로 그때가 반대로 우리가 할 수 있는 것이 **많다는 생각**을 가져야 할 때이다. 비록 줄리안처럼 홀로 남겨졌다는 느낌이 들지라도 하느님의 **충분한 은총**이 항상 우리와 함께하시기 때문에 우리는 많은 것을 할 수 있다고 생각해야 한다. 우리는 이 시련의 시기에 **대항**하는 데 필요한 하느님의 모든 도우심을 충분히 받을 것이다. 하느님의 은총은 충분해서, 예외 없이 **모든** 원수에게 우리가 저항할 수 있다는 생각을 해야 한다. 이 모든 생각과 이런 생각에서 나오는 모든 행동을 통해 우리는 창조주이신 주님 안에서 **힘을 얻게**

될 것이고 하느님께로 향한 길을 힘차게 갈 수 있을 것이다.

철없이 "들뜨지도" 자포자기하듯이 "추락하지도" 않아야

규칙 11 앞 문장과 뒷 문장은 개별적으로도 풍부한 가르침을 담고 있지만 이 규칙의 진정한 묘미는 두 문장을 나란히 나열하여 하나의 규칙을 만들었다는 데 있다. "**위로 중에 있는** 이는 …… 자신이 얼마나 **보잘것없었는지를 생각**하며 …… 이와 반대로 **실망 중에 있는** 이는 …… **많은** 것을 할 수 있음을 생각해야 한다." 영적 위로가 주는 선물은 기쁘게 받아들이고 영적 실망에는 저항하고자 노력하는 이 두 가지 영적 자세를 유지하면서, 식별하는 사람은 영적 균형을 유지한다. 영적 위로의 시기에 **겸손**하고(영적 기쁨이 "고조될" 때 자신을 "낮추고") 영적 실망의 시기에 신앙에 **신뢰**하면서(영적으로 "추락할" 때 자신을 "일으켜 세우면서"), 식별하는 사람은 번갈아 나타나는 두 가지 상반된 시기를 영적 균형을 유지하면서 성숙하게 보낸다. 이런 균형 감각이 바로 두 가지 상반된 시기를 교대로 겪으면서 맺을 수 있는 열매이다. 영적 위로의 시기에 겸손하게 살고자 늘 새롭게 노력하고, 영적 실망의 시기는 신앙에 항구하고자 새로운 노력을 기울이면서 견딜 때 이 열매는 자라나서 수확할 수 있다. **이냐시오가 지금까지 규칙에 대해 가르쳤던 모든 것**은 바로 이 영적 균형의 육성으로 수렴된다. 이 균형 감각을 기르고자 모든 규칙을 가르쳤던 것이다.

테레사 레하델에게 한 이냐시오의 조언은 규칙 11에서 말하는 영적 균형의 적절한 사례이다.

> 만약 우리가 **위로**를 받고 있다면 우리 자신을 **낮추고 비워야** 하며, 곧
> 유혹의 시련이 다가올 것을 **생각**해야 합니다. 만약 **유혹, 어둠** 또는 슬
> 픔에 휩싸인다면 이것으로 야기된 불쾌한 느낌을 방치하지 말고, 어떤
> 식으로든 저항하는 **반대**의 행동을 해야 합니다. 그러면서 **인내심을 가**
> **지고**, 주님께서 **위로를 주시어** 이 유혹, 어둠 또는 슬픔을 물리칠 때를
> **기다려야** 합니다.[156]

이런 균형을 유지하는 데 없어서는 안 될 전제는 **매일매일 영적으로 깨**
어 있는 것이다. 열심한 신앙인 모두가 영적 위로와 영적 실망의 교차와 부
침을 계속 체험하면서 산다. 이 체험 자체만으로는 식별하는 사람으로 성장
하는 데 도움이 되지 않는다. 영적 균형을 키우는 비결은 영적 위로의 시기
와 실망의 시기에, 그냥 "실망에 빠진 나"에 머물러 있는 것이 아니라, "실망에
빠진 나를 바라보는 나"를 끊임없이 자각하고, 발전시켜 가는 훈련이다.[157] 처
음부터 누누이 강조해 왔듯이, 매일매일 살아가는 삶 속에서 이렇게 끊임없
이 영적으로 감지하는 것이 식별의 시작이요, 영적 자유로움으로 들어가는

---

156 1536년 6월 18일 편지. *San Ignacio de Loyola: Obras Completas*, ed. Ignacio Iparraguire and Candido de Dalmases (Madrid: Biblioteca de Autores Cristianos, 1982), 662에 실렸다.

157 "아빠스 포에멘이 말했다. '경계(깨어 있음), 자기인식, 식별, 이들은 영혼의 안내자다'[Benedicta Ward, trans., *The Sayings of the Desert Fathers* (Kalamazoo, Mich.: Cistercian Publications, 1975), 35. 베네딕다 워드 편, 『사막 교부들의 금언: 알파벳순 모음집』, 허성석 옮김, (서울: 분도출판사, 2017)].

문이다.[158]

영적 균형의 유지: 체험

4장에서 사례로 든 제인 수녀의 피정 이야기는 앞서 여러 번 언급했다. 그녀의 피정 이야기에서 영적 위로를 받은 피정 초기와 이후 영적 실망에 빠진 여섯째 날 두 측면을 다 살펴보았다. 이냐시오가 두 가지 상반된 영적 시기를 결합해서 하나의 완전한 규칙을 만든 이 시점에 그녀의 피정 이야기는 다시 한번 도움이 될 것이다. 규칙 11을 알고 나서 그녀의 8일 피정 전체 과정을 조망해 보면, 규칙 11이 영적 위로와 영적 실망이 교차하는 열심한 신앙인들을 어떻게 도울 수 있는지 이해될 것이다. 식별하는 사람들이 반드시 고려해야 할 생각 방식과 질문도 그녀의 사례를 통해 살펴볼 수 있을 것이다. 이 체험은 피정이라는 환경 속에서 발생하지만, 체험에 포함된 영적 움직임의 역동성은 열심한 이들의 신앙 여정에도 똑같이 유효할 수 있다.

피정은 희망 가득한 기대로 시작된다.

피정 1일: 제인 수녀는 **평화** 속에서 그리스도를 만나리라는 **차분한 기대** 속에서 피정을 시작한다. 지도받은 대로 이사야서 55장을 묵상하면서, 1

---

158 앞에서 살펴보았듯이 이냐시오는 자신이 모든 영성 생활의 핵심 훈련이라고 여기는 매일의 성찰에 대한 가르침을 통해 매일 영적으로 감지하는 훈련을 **어떻게** 하는지 설명한다.

절 "자, 목마른 자들아, 모두 물가로 오너라"와 12절 "정녕 너희는 기뻐하며 떠나고 평화로이 인도되리라"에 **마음이 끌린다.** 그녀는 주님께서 그녀가 맡은 소임을 위해 그녀를 키워 주시고 새롭게 해 주시리라 **확신한다.**[159]

제인 수녀는 위로를 받으며 피정을 시작한 듯 보인다. 식별에 대한 연습의 하나로 우리는 이런 질문을 할 수 있다. "이것이 영적 위로인가?, 아니면 비영적 위로인가?" **"그리스도를 만나리라는 차분한 기대,"** **성경 구절**에 끌리는 마음, 그리고 **주님**께서 그녀를 키우시고 새롭게 하시리라는 확신, 이 모든 것은 그녀가 영적 위로 중에 있다는 증거이다.

제인 수녀의 피정은 계속된다.

피정 2일: 그녀에게 주어진 "나에게 오너라. 내가 너희에게 안식을 주겠다"(마태11,28)라는 성경 구절을 가지고 기도하면서, 제인 수녀는 내적으로 깨끗해지고 새로워지는 체험을 한다. 그녀는 **경이**와 **기쁨**으로 가득 차 있다. 종일 **더없는 행복을 느끼며,** 주어진 다른 성경 구절을 묵상하면서 주님께서 그녀에게 하시는 말씀에 귀를 기울이고 **예수님께서 가까이 계심**을 체험한다.

우리는 다시 한번 거룩한 땅에 서 있다. 제인 수녀가 받은 영적 위로는 점점 더 강렬해지고, 위로를 통해 그녀는 "내적으로 깨끗해지고 새롭게 되는"

---

159 Toner, *Spirit of Light or Darkness*, 65. 이어 나오는 인용은 모두 이 자료에서 가져온다(65-66).

체험을 한다. 이 둘째 날에 대한 모든 묘사는 제인 수녀가 정말로 이 영적 위로를 은총으로 **받아들여** 만끽하고 있으며, 이 영적 위로가 그녀에게 좋은 영향을 풍부하게 미치고 있음을 보여 준다. 이 시기에 제인 수녀의 언행은 식별하는 사람이 행하는 행적을 유감없이 보여 준다.

하지만 "종일 더없는 행복을 느끼며" 영적 위로를 받는 사람들에게 이냐시오가 추천했던 규칙 10과 규칙 11의 **생각하기**를 제인 수녀가 지켰던 흔적이 없다. "**다음에 실망이 올 때 어떻게 처신할 것인지를 생각**"하기(규칙 10), 그리고 "은총이나 위로가 없는 **실망 중에 있을 때 자신이 얼마나 보잘것없었는지를 생각**"하기(규칙 11). 그녀가 이것을 잘했을까? 영적 위로의 시기에 이냐시오의 **생각하기**에 대한 가르침에서 계속 지적했던 요점을 여기에서 다시 환기하고자 한다. 즉, '이런 방식의 생각하기는 저절로 생기지 않는다.' 제인 수녀뿐만 아니라 하느님을 찾는 모든 사람은 이런 방식의 생각하기에 애를 써야 한다. 자신의 영적 상태를 진지하게 성찰해 보고, 그에 따라 일상생활에서 이냐시오의 규칙을 적용해 보는 노력을 기울여야 한다. 그래야 규칙 10과 규칙 11의 생각하기가 가능해진다.

제인 수녀는 지금까지의 피정 중에 은총을 충만하게 받고 있으며, 영적 위로의 체험을 통해 영적으로 성장하고 있다. 그러나 그녀의 생각은 위로받는 현재의 체험에만 몰두하고 있고, 이 위로의 시기에 앞서 무엇이 있었는지, 그리고 이 위로의 시기 이후에는 무엇이 따라올지는 생각하지 않고 있다.

피정 3일이 다가온다.

피정 3일: 그녀는 다음 날 아침 일찍 일어나서 차분히 주님을 느끼는 비슷한 체험을 하길 바란다. 아가서의 한 부분을 가지고 기도를 하고 그녀를 향한 주님의 사랑을 생각하면서 **달콤한 기쁨**을 느낀다. 그러고 나서 그녀는 그리스도 품에 더 푹 빠질 수 있도록 기도 시간을 한 시간에서 한 시간 반으로 늘리고자 결심한다. 피정 지도자에게 이 계획에 대해서는 알려 주지 않는다. 이날 기도하면서 일곱 시간을 보낸다. 점점 더 **신이 나서** 밤에 잠을 잘 수 없게 된다.

셋째 날 아침에 제인 수녀는 "그녀를 향한 주님의 사랑을 생각하면서 달콤한 기쁨"을 체험한다. 분명히 전날 보냈던 영적 위로의 시간이 지속되고 있다. 시간이 갈수록 "그녀는 점점 더 신이 난다." 이 지점에서 이런 질문을 제기하는 것은 지극히 당연하다. 그녀의 "점점 더 신이 난다"라는 느낌도 역시 **영적** 위로인가? 그렇다고 할 만한 증거는 없다. 오히려 반대로, 그녀에게서 지나친 감정 과잉과 무리수가 보이기 시작한다.

셋째 날에 제인 수녀는 일곱 시간이나 기도 시간을 보내면서 규칙 11을 잊어버렸다는 점이 더 분명하게 드러난다. "위로 중에 있는 이는 **그런 은총이나 위로가 없는 실망** 중에 있을 때 자신이 얼마나 **보잘것없었는지를** 생각하며 되도록 '자신을 겸손하게 낮추도록 애쓸' 일이다." 자신을 비우고 낮추는 마음 없이, 은총에 의지하지 않으면 할 수 있는 것이 거의 없다는 마음 없이, 신중한 자기반성 없이 제인 수녀는 오히려 그 반대로 행동한다. 그녀는 앞선 두 날보다 더 많은 힘을 쏟아붓는다. 그녀는 기도 시간에 자신이 감당할 수 없는 무리수를 두고 있다. 영적 위로를 확실히 느끼고 있을 시기에 흥분하지 말고 "되도록 자신을 겸손하게 낮추도록 애쓸 일"이라는 이냐시오의 가르침이 참 지혜로운 것임을 보여 주는 대목이다.

넷째 날에는 변화가 나타난다.

> 피정 4일: 제인 수녀가 일어나 보니 심한 두통이 있고 지치고 긴장한 상태에 빠져 있다. 기도를 잘할 수 없다. **모든 기쁨**은 **사라져 버렸다. 피곤하고 슬프며 침울하다.** 마침내 저녁에 그녀는 영적 지도자에게 전날 그녀의 행동과 그 결과를 이야기한다. 영적 지도자는 기도 시간을 줄이고 좀 더 쉬라고 조언한다.

영적이든 비영적이든 모든 위로는 이제 사라져 버렸다. 제인 수녀는 "피곤하고 슬프며 침울"한데, 이는 실망에 빠졌다는 분명한 신호이다. 이것이 영적 실망인가? 아니면 비영적 실망인가? 피곤하고 슬프며 침울한 증상이 제인 수녀의 영적 상태와 직접적으로 연관되어 있다는 분명한 증거는 없다. 제인 수녀는 우선 비영적 실망에 빠진 것으로 보인다. 분명히 꺼리다가 그 마음을 딛고 피정 지도자에게 모든 증상을 털어놓았는데, 이것은 현명한 선택이었다. 피정 지도자는 피정하는 동안 생활의 균형을 유지하는 데 더 신중하라고 조언한다.[160]

다섯째 날도 여전히 힘든 날이다.

---

160 제인 수녀는 이것으로 이냐시오의 규칙 13을 실행한다. 그녀는 영적으로 유능하고 능숙한 사람과 이야기를 나눈다.

피정 5일: 그녀는 조언을 따라서 기도 시간을 줄이지만 여전히 **그 어떠한 열정도 없고 우울함으로** 가득 차 있다.

제인 수녀는 피정 지도자가 조언한 대로 충실하게 따르면서 지난 며칠 동안 불균형해졌던 것을 고치려고 한다. 그런데도 그녀가 겪고 있는 비영적 실망은 즉시 그치지 않고 하루가 생기 없이 무겁게 지나간다.

이제 앞에서 언급했던 힘든 여섯째 날이 온다.

피정 6일: 아침 기도를 하면서 매우 **불안해지고 우울해진다**. 피정을 시작하면서 느꼈던 **하느님의 현존도 의심**하기 시작한다. 자신이 지금까지 지나친 상상에 빠져 있었다는 생각이 든다. **그녀가 도대체 뭔데 하느님께서 달콤한 맛을 주시겠는가? 기도가 깊어지는 생활은 그녀에게 어울리는 삶이 아니라는** 생각에 점점 **실망**이 커진다. 하느님을 향한 그녀의 열망은 그냥 **환상**일 뿐이다. 그날 남은 시간은 **혼돈, 혼란**, 그리고 **좌절감**으로 가득 찬 시간이 된다.

제인 수녀가 자초한 비영적 실망이 화근이 되어 강력한 영적 실망의 시기가 닥쳤고 그 파괴력은 과거와 미래로도 뻗친다. 그녀의 사례에서 우리는 두 가지를 주목하게 된다. 첫째, 영적 실망의 시기에 그녀는 **자연스럽게** 깊은 낙담에 빠지는 반응을 보인다. 둘째, 영적 실망에 맞서 저항하는 방법이라고 이냐시오가 가르쳐 준 규칙 5-9와 규칙 11 두 번째 문장 등을 그녀는 모두 **잊어버리고** 있다.

이제 영적 실망의 시기 중에 있는 제인 수녀에게 중요한 것은 규칙 11 두 번째 문장과 같은 균형의 회복을 위한 노력이다. 영적 실망의 마수에 휩싸여 있을 때 신속히 규칙 11 두 번째 문장을 실행에 옮길 필요가 있다. "실망 중에 있는 이는 자신이 원수들에 대항하기에 **충분한 은총**을 받고 있으며 창조주 주님께 **힘을 얻어 많은 것을 할** 수 있음을 **생각해야** 한다." 이런 생각이 영적 실망 중에는 저절로 될 리 만무하다. 그래서 그녀는 영적 실망에 끊임없이 시달리며 꾸역꾸역 이런 생각을 밀고 나가는 마음고생을 해야 할지도 모른다. 비록 그렇더라도, 규칙 11을 기억할 수 있고 규칙대로 생각하고자 노력할 수 있는 것만으로도 중요한 반전이다. 그녀는 꼼짝달싹할 수 없이 영적 실망에 눌려 있는 패닉 상태에서 서서히 일어날 것이다. 영적 실망의 시기에는 규칙 11 두 번째 문장과 같은 생각을 의식적으로 지탱해야 한다. 영적 실망은 내 맘대로 물리칠 수 있는 것이 아니라, 하느님께서 거두어 가시는 때 물러가겠지만("**머지않아** 위로를 받을 것으로 생각해야 한다." 규칙 8), 규칙 11 두 번째 문장과 같이 노력한다면 패닉 상태에서 일어서는 믿음의 마음을 되찾기 시작할 것이고 영적 실망 중에도 영적 균형의 회복을 향해 나아가는 데 도움이 될 것이다.

일곱째 날이 다가온다.

피정 7일: 피정 지도자는 그녀가 처음에 체험한 축복을 믿고, 이 시련의 시간을 통해서도 주님은 좋은 몫을 주시리라는 희망을 품으라고 강하게 초대한다. 그녀는 요한 복음 14장을 읽고, 특히 "너희 마음이 산란해지는 일이 없도록 하여라"로 시작하는 구절로 기도하려고 한다. 그녀는 차분히 이 구절로 기도를 하고, 더 많이 쉬며, 정원에서 산책하는 시간도 가진다.

제인 수녀는 비로소 고요한 마음을 새로이 회복한다. 이날이 영적 위로를 받는 날인지 아니면 여전히 영적 실망의 날인지에 대해서는 분명한 신호가 없다. 하지만 제인 수녀는 피정 지도자와 이야기를 하고, 지도자의 현명한 조언을 따르며, 하루하루 건강한 리듬으로 지내자, 어느새 영적 실망은 떠나갔다.

제인 수녀는 피정 마지막 날을 맞이한다.

피정 8일: 하루를 마감하면서 이사야서 55장을 다시 펼친다. "물가로 오너라 ……. 정녕 너희는 기뻐하며 떠나고……." 고요함이 그녀의 심리와 영혼에 내려앉는다. **하느님께서 그녀를 사랑하심을 안다**. 또한, 마음 깊은 곳에서 둘째 날에 체험한 축복이 가짜가 아니었음을 알게 된다. 이 시련의 시기를 통해 자신의 약점, 특히 걷잡을 수 없는 상상력과 격심한 감정의 기복을 더욱 잘 깨닫게 되었다. 이것이 하느님께서 이 시련의 시기를 통해 그녀에게 주시려던 은총이었다. 그녀는 이 약점을 잘 관리할 수 있는 지혜와 능력을 청하는 기도를 하며 정서적 균형을 잡아 간다. 그녀는 **차분히 감사**하는 마음으로 피정을 끝낸다. 이제 그녀는 **희망을 품**고 일터로 돌아간다. 더 지혜롭고 평화로운 사람이 된 기분이다.

영적 위로가 되돌아왔다. 제인 수녀가 피정에서 겪었던 영적 실망의 시기는 하느님께서 허락하신 배움의 시간이었음이 판명되었다. 그녀는 "자신의 약점을 더욱 잘 깨닫게 되었고" 규칙 9의 두 번째 이유의 목적이 이루어져 이제 "더 지혜롭다." 그녀는 미래를 생각하기 시작하고 더욱 성장할 수 있는 "지혜와 능력을 청하는 기도"를 바친다. 우리는 제인 수녀가 이제 겸손의 진수를 알고 자신의 인간적 능력에 덜 의존할 것이라고 예상할 수 있다. 만약 제인 수녀가 피정을 끝맺으면서 규칙 11을 적용한다면 이제 새롭게 맞이할 영적 위로의 시간은 자기 힘을 무리하게 남용하는 시간이 아닌 "되도록 자신을 겸손하게 낮추도록 애쓰는" 시간이 될 것이다. 이런 방식으로 그녀는 이냐시오가 규칙 11에서 말한 영적 균형을 든든히 다지면서 영적 성숙을 계속 이루어 나갈 것이다.

제인 수녀의 피정 사례에 나타난 영혼의 부침과 변화의 궤적은 매일의 삶에서 일어나는 영적 여정에도 똑같이 적용된다. 영적 위로의 시기와 영적 실망의 시기가 교차하고, 영적 위로의 시기에는 겸손에 노력하고 영적 실망의 시기에는 신앙을 항구히 지키는 데 노력하는 자세는 우리가 일상생활의 영적 여정에서 항상 겪는 도전이다. 우리는 앞에서 본당을 옮긴 후 어려움을 겪은 앨리스의 사례를 봤다. 만약 그녀가 이전 본당에서 몇 년간 누렸던 영적 위로의 시기 동안 **겸손한** 마음을 다졌다면, 그리고 마찬가지로, 새로운 본당에서 맞은 영적 실망의 시기 동안 **신앙을 항구히** 유지하려고 노력했다면, 그 결과로 얻는 영적 균형은 그녀의 영적 여정 전체를 발전시킬 것이다. 이상 사례에서 본 바와 같이, 열심한 신앙인들이 삶의 상황 속에서 영적 위로를 받을 때 겸손한 마음에 힘쓰고, 영적 실망에 빠질 때 신앙에 항구하고자 애쓰는 균형을 유지한다면, 흔들림 없이 하느님께로 나아가는 자신을 발견할 수 있을 것이다. 이 식별 규칙이 전부 그러하듯이, 이번 규칙으로 이냐시오가 우리를 안내하는 방향은 바로 영혼의 해방이다.

12장

시작부터 굳건히 서 있기 (규칙 12)

바로 지금, 이 순간에 …… 그의 내면의 균형이 깨져 흔들리는 것을 느꼈다.
아주 살짝만 건드려도 무게가 한쪽에서 다른 쪽으로 쏠려갈 수 있음을 느
꼈다. 하루 전날 그의 영혼에 울렸던 하느님의 현존을 애타게 부르자, 하느
님께서는 즉시 응답하셨다.

- 레프 톨스토이

달라진 화법

지금까지 살펴본 규칙을 보면 이냐시오는 영적 위로와 영적 실망에 초점
을 맞춰 왔고 특별히 영적 실망의 속박으로부터 영혼을 자유롭게 하는 데에
관심을 집중해 왔다. 마지막 세 개의 규칙 12-14에는 이냐시오의 화법이 바뀐
다. 영적 위로에 대한 것인지, 영적 실망에 대한 것인지 명확하게 언급하지 않
는다. 그러나 악한 영의 속임수를 명명백백히 밝혀내어 영적 속박으로부터
영혼을 자유롭게 해방하려는 목적은 변함없이 계속 유지되고 있다. 이냐시오
는 규칙 12에서 악한 영의 **유혹**에 대해 말한다. 규칙 13에서는 악한 영의 **속
임수**에 대해, 규칙 14에서는 악한 영의 **공격**에 대해 말한다.

영적 실망에 대해 논의하면서 이냐시오는 이미 규칙 4("여러 가지 심적인 동요와 유혹에서 오는 불안감")와 규칙 7("원수의 여러 가지 책동과 유혹에 저항하도록")에서 **유혹**에 관해 언급했다. 영적 실망과 유혹, 이 두 가지를 구분할 필요가 있는데, 영적 실망에 항상 **고통스러운 정감**(슬픔, 동요, 낙심, 불안, 이 비슷한 감정들)이 수반되는 데 반해 유혹은 이런 감정을 수반하지 않는다. 유혹은 그 본성상 악한 영이 조작하는 속임수이다. 유혹은 정감을 대동하지 않고 오기도 하고(제인 수녀의 피정에서 본 예처럼, "기도를 늦게까지 계속하는 게 어때?"), 거부하기 힘든 매력으로 다가오기도 한다.

하지만 동시에, 영적 실망과 유혹 사이의 구분이 지나치게 강조되어서는 안 된다. 규칙 4와 규칙 7에서 알려 주듯, 영적 실망에 빠질 때 일어나는 정감적 "불안"은 유혹이 자라나는 온상이 되고, 보통 영적 실망의 시기와 멀리 떨어져 있지 않다. 영적 실망과 유혹 모두 악한 영이 하는 일이고 둘 다 궁극적 목적은 하나다. 영혼에 손해를 끼쳐서 우리의 "하느님을 섬기는 일이 선에서 더 나은 선으로 나아가는" 것을 방해하려는 목적이다. 마지막 세 개의 규칙 12-14는 조금씩 다를지 몰라도 근본적으로 동일 선상에 있다.

규칙 12-14를 훑어보면, 앞선 규칙과 화법이 달라졌음을 알 수 있다. "원수는 ~같이(처럼) 행동한다"라는 비유법을 구사하는데, 이는 우리 안에서 **속이는 행동을 하는 원수의 속성**을 알려 주고자 채용한 비유이다. 규칙 12는 조금은 논쟁의 소지가 있는 비유인 악녀를, 규칙 13은 연애 사기꾼을, 규칙 14는 적장을 사용한다. 이 세 가지 인물로 비유한 목적은 세 가지로 정리할 수 있다. 첫째, 악한 영에게 **교묘한 은폐막과 온갖 속임수로 위장술을 부리는 속성**

이 있음을 알려 주기 위해서이다. 둘째, 악한 영의 교묘한 은폐막과 위장술이 **우리의 인간적 약점을 정확히 타격할 수 있음**을 알려주기 위해서이다. 셋째, 그러나 교묘한 은폐막과 위장술에 의존하는 악한 영은 겉보기와 달리 정체가 폭로되면 별것 아니라는 **악한 영의 본질적 취약성**을 알려 주기 위해서이다.

악한 영의 행동이 가진 속성을 비유법으로 명확히 한 이냐시오는 다음으로, 악한 영의 행동에 대한 우리의 **대응**이 무엇이어야 하는지를 구체화한다.[161] 이냐시오가 말하길, 악한 영의 유혹이나 속임수, 공격력은 우리가 어떻게 대응하느냐에 따라 앞으로 우리를 휘어잡을지, 아니면 퇴각할지 여부가 결정된다. 이 갈림길에 서 있을 때 규칙 12-14는 열심한 신앙인들에게 매우 큰 도움이 된다. 악한 영의 속임수가 가지는 세 가지 특징을 충분히 깨우치고 있다면 그들이 이런 속임수를 더 잘 알아차릴 수 있고 매일의 삶에서 더 효과적으로 맞대응할 수 있을 것이다.

규칙 12에 나오는 여자의 비유에 대한 논란

이냐시오가 규칙 12에서 채용한 비유는 여성 비하 논란의 여지가 있다. 나는 일단 이냐시오가 말한 그대로 문장을 쓰고 그다음에 여기에 포함된 논란들을 점검해 보겠다.

---

161 규칙 12와 규칙 13에서 이냐시오는 이 대응 방법을 분명하게 설명한다. 규칙 14에서는 단지 암시만 하고 있다.

규칙 12. 원수는 강한 자에게 약하고 약한 자에게 한껏 강한 것이 마치 여자와 같이 행동한다. 다시 말해서 여자가 어떤 남자와 다툴 때 남자가 단호한 모습을 보이면 기가 죽어서 피하지만, 반대로 남자가 기가 꺾여 피하기 시작하면 성내고 사납게 달려드는 기세가 더 심해지고 걷잡을 수 없이 되는 것과 같다. 원수도 영적인 수련을 하는 이가 유혹들에 저항하여 정반대의 행동과 단호한 태도를 취하면 기력을 잃어 유혹을 거두며 도망가고, 반대로 수련을 하는 이가 겁을 먹고 유혹을 견디지 못하여 기가 꺾이기 시작하면 인간 본성의 원수는 이 세상에 둘도 없는 사나운 짐승이 되어 온갖 교활한 방법으로 자신의 사악한 의도를 추진한다.

많은 저자가 여러 가지 방법으로 이 규칙을 논하였지만 그 누구도 이냐시오가 여기서 악한 영을 여자에 비유했다는 것을 보고 곤혹스러움을 피할 수는 없다. 토머스 그린은 "'마치 여자와 같이'라니? 이 여성 해방 운동의 시대에 사용하기에는 위험한 비유다"[162]라고 간단히 언급한다. 이에 대해 우리는 무슨 말을 할 수 있을까?

---

[162] Green, *Weeds among the Wheat*, 119. 그린은 계속해서 적는다. "하지만 이냐시오는 여기에서 분명히 모든 여자를 의미하지는 않는다. 내가 생각하기에 **오직** 여성들만 의미하는 것도 아니다." Toner, *Commentary*, 26에서 토너는 이냐시오가 말하는 시험에 수식어를 더하는 데 있어 비슷한 접근 방식을 취한다. "원수는 **성질이 더러운** 여성과 닮았다."(저자 강조) 이어 이렇게 말한다. "이냐시오가 가지고 있는 여성들에 대한 존중과 우정에 비추어 볼 때, 내가 생각하기에 이 본문은 그런 성질을 뜻하는 수식어가 있어야 한다."(26 n.7) Conroy, *The Discerning Heart*, 26에서 콘로이는 이 비유를 그냥 생략해 버린다. Fiorito, *Discernimiento y Lucha*, 211에서 피오리토는 이렇게 적는다. "이 비유는 빼 버리는 게 더 낫다. 하지만 이냐시오 성인은 그의 규칙에서 이것을 활용했고, 본문에서 우리가 이 점을 잘 고려하리라 믿었다."

다니엘 힐은 이냐시오의 비유가 일반 명사로 사용하는 여자가 아니라, **어떤 남자와 다투는 여자**임에 주목한다. 이 남녀 간의 상황은 **부자연스러운 상황**이다.[163] 사랑과 상호 봉사를 통해 삶을 나누게 하고자 하느님께서 창조하신 남자와 여자의 진정한 본성을 서술하는 상황이 아니다.[164]

"부자연스러운 상황"이 규칙 13과 14의 비유에도 분명하게 나타난다. 규칙 13의 남자는 그녀의 행복을 바라는 진실한 연인이 아니다. 오히려 그는 **거짓된** 연인[165]이며, 오직 순전히 이기적인 이유로 그 여자를 유혹하고자 한다. 규칙 14의 우두머리도 존경할 만한 대의를 위해서 병사들을 이끄는 지도자가 아니라, "약탈을 일삼는" **도적**일 뿐이다.

이냐시오가 비유에 채용한 이 세 가지 인물 유형은 **영혼을 해치는 것이 유일한 목적**인 **원수**의 속성을 비유한 것이다. 그러므로, "부자연스러운" 속성이 그가 그리고 있는 세 인물 각각에서 나타나는 것은 그리 놀랄 일이 아니다. 사실 마지막 세 개의 규칙에서 악한 영을 가리켜 "인간 본성의 원수"라고 부르는 것은 악한 영의 속성이 하느님께서 창조하신 인간의 **자연스러운 본성에 반한다**는 점을 강조한 것이다. 그러므로 이 세 개의 규칙에서 인물 유형은 여성의 진정한 본성이나 연인의 진정한 본성, 또는 지도자의 진정한 본성을 가리키는 것이 아니다. 오히려 이냐시오의 의도는 악한 영의 활동이 보여 주는 세 가지 반(反)인간적 특성을 비유를 들어 설명하는 것이다. 서로를 돕기보

---

163 하느님께서 창조하신 본연의 인간 본성을 '자연스러운'의 뜻으로 사용하여, 이 본성에 거스른다는 의미로 '부자연스러운'이다(역자 주).

164 Gil, *Discernimiento*, 230. 또한 231-232도 참조하라.

165 "vano enamorado."

다 서로 싸우는 여자와 남자, 연인을 이기적으로 이용하는 연애 사기꾼, 건설이 아닌 파괴와 약탈이 목적인 도적 우두머리의 비유는 하느님께서 의도하신 충만한 인간성을 포기해 버린 사람들이 처하는 세 가지 불행한 상황을 묘사하고 있다.

그래서, 이냐시오가 규칙 12-14에서 대상으로 삼는 사람들은 선한 사람들, 인간 본성에 따라 충만하게 사는 이들이 아님을 분명히 하자. 이들은 "인간 본성의 원수"의 특성을 묘사하기 위하여 이냐시오가 대상으로 삼는 인물들이다.

캐서린 딕크만, 메리 가빈, 엘리자베스 리버트 등은 규칙 12와 관련해서, "비유는 저자뿐만 아니라 그 비유를 읽는 독자에게도 진의가 잘 전달될 수 있도록 해야 한다"[166]는 의견을 제시한다. 그래서 어떤 이는 진의를 벗어나지 않는 범위에서 비유 인물을 바꿔 본다든지, 아니면 여자라는 비유는 완전히 빼고 나머지 두 인물만으로 충분히 진의를 가르치는 데 초점을 맞춘다든지 하는 방법을 사용한다.

비유를 바꾼 데이비드 플레밍의 예를 하나 들자면, 여자 대신 버릇없는 응석받이 아이의 비유를 채용하여 이냐시오의 진의를 살린다. 만약 버릇없는 응석받이에게 "어른이 단호하다면," 아이는 "버릇없는 행동을 포기"한다. 하지만 만약 어른이 "제멋대로 하게 놔두고 우유부단하면, 아이는 원하는 것을 얻으려고 날뛰고 속이려 든다."[167] 이 비유는 여자를 채용한 본래의 비유보

166　Katherine Dyckman, Mary Garvin, and Elizabeth Liebert, *The Spiritual Exercises Reclaimed: Uncovering Liberating Possibilities for Women* (New York: Paulist Press, 2001), 259.

167　David Fleming, *Draw Me into Your Friendship: A Literal Translation and a Contemporary*

다 거부감 없이 "이 비유를 바라보는 독자에게" 다가갈 수 있고 규칙 12의 요점을 잘 드러낼 수 있다. 그러면 이 요점은 무엇인가?

비유의 적용

이냐시오는 이 규칙을 시작하면서부터 그 요점을 분명히 했다. 원수는 **"강한 자에게 약하고 약한 자에게 한껏 강하다."** 플레밍은 앞에서 본 버릇없는 응석받이의 비유로 이것을 잘 표현했다. 만약 아이에게 책임이 있는 이가 응석받이 아이를 다루는 데 **단호**하다면 그런 응석받이는 "심술부리는 행동"을 그만둔다. 반대로 책임이 있는 이가 **약하고** 아이의 행동을 놔둔다면 이 아이는 "원하는 것을 얻으려고 인정사정없이 무자비해질" 수 있다. 이런 관계에서 결과가 어떻게 펼쳐질지는 악한 영의 공격을 받는 사람이 **어떻게 대응**하는지에 달려 있다. **단호한** 대응은 악한 영의 행동을 **멈추게** 하고, **허약한** 대응은 악한 영의 행동을 걷잡을 수 없이 **날뛰게** 만든다.

Reading of the Spiritual Exercises (St. Louis: Institute of Jesuit Sources, 1996), 257. [데이빗 플레밍, 『당신 벗으로 삼아 주소서: 영신수련 현대적 해석』, 김용운·손어진·정제천 옮김, (서울: 도서출판 이냐시오영성연구소, 2008)]. 이 비유 역시 잘 이해해야 한다. 이것을 적용할 때, 우리는 아이들을 책임지는 이들이 올바르고 능력이 있어서 진심으로 아이들의 선익을 추구한다고 전제한다. 아타나시오 성인의 *Life of St. Anthony*, 6장도 보라. 여기에서 원수는 "아이처럼 약한" 존재로 설명된다[알렉산드리아의 아타나시우스·안토니우스, 『사막의 안토니우스』, 허성석 옮김, (칠곡: 분도출판사, 2015)]. Philip Schaff and Henry Wace, eds., *Nicene and Post-Nicene Fathers*, Second Series, Volume 4, *Athanasius: Select Works and Letters* (Peabody, Mass.: Hendrikson, 1994), 197.

이냐시오는 열심한 신앙인들이 **단호하게** 원수의 유혹들에 맞설 때 어떤 결과가 뒤따라올지를 보여 주는 예로 이 비유를 우선 사용한다.

원수도 영적인 수련을 하는 이가 유혹들에 저항하여 **정반대의 행동과 단호한 태도를 취하면 기력을 잃어 유혹을 거두며 도망간다.**

열심한 신앙인들이 악한 영의 유혹에 **단호히** 맞서고, 유혹받는 것과 **정반대**로 행하면("기도를 나중으로 미루면 어때?" "아니, 나는 계획한 대로 지금 기도할 거야"), 이냐시오가 썼듯이 악한 영은 **약해지고 자신감을 잃으며 유혹을 멈춘다.** 빠르고 단호한 대응은 유혹의 속임수를 벗겨 버리고 악한 영의 모든 힘을 빼앗아 버린다.

그다음으로, 이냐시오는 열심한 신앙인들이 원수의 유혹에 **약하게** 대응할 때 이후에 무슨 일이 생기는지 설명한다.

반대로 수련을 하는 이가 **겁을 먹고** 유혹을 견디지 못하여 **기가 꺾이기** 시작하면 인간 본성의 원수는 이 세상에 둘도 없는 사나운 짐승이 되어 **온갖 교활한 방법으로** 자신의 사악한 의도를 추진한다.

열심한 신앙인들이 유혹에 맞서는 데 **약해지면서** 두려워하고 자신감을 잃기 시작할 때("기도를 나중으로 미루면 어때?" "맞아, 아마도 나중에 할 수 있을 듯해 ……. 지금은 너무 과한 듯 보이네……. 나중에 하자"), 악한 영은 힘을 얻고 술수가 늘어 점점 **강해지고** 유혹은 **커진다**. 저항이 약하고 대응에 망설이면 망설일수록 그 사람에 대한 유혹의 지배력은 더 강해진다.

악한 영의 본질적 약점

규칙 12에서 이냐시오가 비유법을 동원하여 설명하는 핵심 메시지는, 다른 규칙에서와 마찬가지로, 악한 영이 **본질적으로 약하다**는 점이다. 이 메시지는 유혹에 빠질까 봐 걱정하는 모든 이에게 희망의 메시지이다. 단호하고 결단력 있게 맞선다면 악한 영은 **약해지고 무력해진다**. 만약 열심한 신앙인들이 "겁을 먹고 기가 꺾이지" 않고 악한 영의 유혹에 "정반대의 행동"을 택한다면, "기력을 잃어 유혹을 거두며 도망"가는 것이 악한 영에게 상책이다. 우리가 결연히 맞설 때 악한 영의 가장 근본적인 약점이 드러난다. 악한 영의 근본적 약점이 무엇인가? 다니엘 힐이 단언하듯이 악한 영은 본질적으로 겁쟁이다. 겁쟁이처럼, 악한 영은 약한 이들을 만날 때만 공격하고 우리가 단호히 저항할 때는 도망간다.[168]

악한 영은 본질적으로 약하다. 이것은 하느님을 찾는 모든 열심한 신앙인에게 매우 가치 있는 가르침이다. 종종 신앙인들은 악한 영과 그 유혹에 대해 정확히 반대되는 느낌을 받을 수 있다. 악한 영의 유혹이 참아 낼 수 없을 정도로 강해서, 자신이 약하고 무기력하다고 느낄 수 있다. 이렇게 된 사람들

---

168 Gil, *Discernimiento*, 231.

은 거의 예외 없이 악한 영의 술수에 굴복할 수밖에 없다고 느낄 수도 있다("너는 할 수 없어! 너는 단호하게 맞설 수도 저항할 수도 없어. 너는 지난 시간 동안 너무나 자주 실패했었고, 이번에도 실패할 거야. 너는 너무 약하니까……"). 이냐시오는 굳건한 영적 진리에 바탕을 둔 희망의 말을 한다. 즉, **악한 영은 본질적으로 약하고,** 만약 열심한 신앙인들이 겸손한 마음으로 하느님의 은총에 대한 믿음을 가지고 단호히 저항하는 노력을 한다면, 그들은 악한 영이 **"기력을 잃어 유혹을 거두며 도망"**가는 것을 보게 될 것이다.

정신을 차리고 살펴보면 두 가지 사실을 파악할 수 있다. 첫 번째는, 우리가 "눈덩이 효과"라고 부르는 현상을 악한 영의 유혹에서 볼 수 있다. 눈덩이가 처음 산비탈에서 구르기 시작할 때는 작아서 손가락 하나만으로도 멈춰 세울 수 있다. 하지만 이 눈덩이가 산비탈을 계속 굴러가 덩치가 커지고 속도도 빨라지면, 이것을 멈춰 세우기란 정말 어려워질 것이다. 악한 영에 대한 대응 방식도 같은 식으로 생각하면 된다. 만약 악한 영의 유혹이 처음 시작될 때 단호히 저항한다면 유혹은 시작하다가 그냥 끝날 것이다. 이냐시오가 규칙 12에서 즉각 단호한 대응을 강조하는 배경에는 이 통찰이 깔려 있다. **유혹이 시작될 때** 단호히 저항하면 유혹이 더는 힘을 키우지 못하고, 유혹받는 사람들에 대한 지배력을 더는 키우지 못한다. 그러나 유혹받는 사람이 우유부단하게 반응하면서 유혹들이 계속될 수 있는 시간과 빌미를 허용한다면, 유혹은 자라나서 커다란 눈덩이가 되고 커다란 지배력으로 덮칠 수 있다. 악한 영의 계속되는 유혹을 내버려 둘수록 나중에 그 유혹에 저항하기가 점점 더 힘들어질 것이다.

두 번째 사실은 첫 번째 사실로부터 도출되어 나오는데, 실용적 영양가가 아주 높다. 악한 영의 유혹에 저항할 때 **가장 중요한 순간**은 이 유혹이 **처음으로 시작되는 순간**이다. **뒤따라오는 모든 결과**는 이 시작되는 순간에 어떻게 대응하느냐에 달려 있다. 유혹이 처음 생겨날 때 단호하게 대응하면서 이냐시오가 가르치듯 유혹에 거슬러 정반대로 행동한다면("기도를 나중으로 미루면 어때?" "아니, 계획한 대로 지금 기도할 거야"), 눈덩이 효과는 절대 생겨나지 않을 것이다. 영적으로 "손가락 하나로" 멈춰 세울 수 있을 만큼 쉽게 유혹을 극복할 수 있을 것이다. 반대로, 해로운 유혹이 마음에 파고들 만큼 우유부단하게 방치한다면("기도를 나중으로 미루면 어때?" "그래, 아마 나중에 기도할 수 있을 거야……. 지금은 너무 과한 듯 보이네……. 나중에 할 거야……"), 유혹은 점점 더 힘을 얻어서 유혹받는 이를 굴복시키고 만다.[169]

누구나 언제든 유혹이 다가오고 있음을 느낄 때 이냐시오의 규칙 12에 있는 영적 지혜에 따라, 바로 그 시작되는 순간에 **악한 영은 본질적으로 약하다**는 사실을 상기하기 바란다. 그리고 속임수가 **처음으로 시작되는** 바로 이 순간이 가장 중요한 순간임을 깨달아, 즉시, 그리고 단호하게 유혹받는 것들에 거슬러 **정반대**되는 것을 하고자 노력하기 바란다. 그러면 유혹은 전혀 해를 끼치지 못하고 도망갈 것이다. 악한 영의 속임수에서 벗어나 자유로워질 것이고, 한 치의 오차도 없이 하느님을 향해 계속 진보할 수 있다.

---

169 이것은 유혹자의 제안에 대한 여자의 대답(창세 3,1-6)과 예수님의 대답(마태 4,1-11) 사이의 차이점이다. 여자는 주저하면서 대응하고, 뱀과 대화를 해 나간다. 그리고 유혹의 과정이 진행되면서 유혹이 그 힘을 가지게 되고 여자는 결국 유혹에 굴복한다. 예수님은 유혹이 처음 제시되는 순간 바로 굳건하게 유혹자의 제안을 거부한다.

"유혹을 이겨 내고 평안을 되찾았다"

이 장에서 지금까지 논의한 이냐시오의 가르침을 잘 보여 주는 사례를 보자. 테레사 레하델에게 보낸 이냐시오의 편지에 보면, 그는 악한 영의 행동에 단호하게 저항하지 않을 때 일어나는 눈덩이 효과를 묘사한다. 악한 영이 "들어선 길에서 우리를 벗어나게 하려고 온갖 장애물을 놓을 때," 앞으로의 향배는 우리가 **초기** 대응을 어떻게 하느냐에 달려 있다.

> 그뿐만 아니라, 만약 악한 영이 **우리가 약해지고** 해로운 생각에 맥없이
> 지는 걸 **보게 되면**, 그는 한술 더 떠, 하느님이 우리를 완전히 버렸다고
> **계속해서** 위협합니다. 그래서 우리가 하느님에게서 완전히 떨어져 나갔
> 으며, 신앙인으로서 우리가 지금까지 해 온 모든 것, 지금까지 희망하는
> 모든 것이 헛되다는 생각으로 **이끕니다**. 그래서 우리가 모든 것에 좌절
> 한 상태에 있도록 악한 영은 **온갖 수를 다합니다**.[170]

"약해지고 맥없이 지는,"[171] 즉 열심한 신앙인들이 처음부터 단호하게 대응하지 않으면, 이냐시오가 규칙 12에서 말하듯, 악한 영은 첫 번째 행동을 하는 것으로 끝내지 않는다. "그는 우리를 …… **계속해서** 위협하고 …… **생**

---

170 Young, *Letters of St. Ignatius*, 22.

171 "y mucho humillados." 분명히 "맥없이 지는humbled"이라는 단어는 앞에 나온 규칙에서 보았
던 풍부하고 좋은 의미를 지니기보다 여기에서는 뿌리가 없고(굳건하지 않고) 해롭다는 의미에
서의 영적인 무력함을 드러내는 단어임이 분명해 보인다.

각으로 이끌고 …… 그래서 우리가 모든 것에 좌절한 상태에 있도록 **온갖 수를 다 합니다.**" 이것이 눈덩이 효과이다. 악한 영의 행동이 **시작될 때** 단호하게 대응하지 못하면 악한 영은 계속 공격하고 그 힘은 점점 더 커진다. 이런 식으로 저항하지 못하고 눈덩이처럼 커지도록 놔두면 결국 악한 영은 "모든 것에 좌절한 상태"로 만든다. 이런 내적 상태는 분명히 우리 영혼이 크게 다치는 것이다. 그러므로, 이냐시오는 테레사에게 보내는 편지에서 이렇게 계속 써 내려간다.

> 우리에게 두려움을 불러일으키고 우리를 약하게 만드는 원인은 이것입니다. 우리의 불행에 너무 오랜 시간 몰두해 있는 것. 이것은 악한 영의 속임수입니다. 우리를 쓰러뜨리려고 쓰는 속임수에 넘어가 우리가 굴복해 버리는 것입니다. 이런 이유로 우리는 적을 똑똑히 알아야 합니다.

"우리를 쓰러뜨리려고 쓰는 속임수에 넘어가 우리가 **굴복해 버리는 것입니다.**" 바로 이 상태가 이냐시오의 가르침이 정조준하는 과녁이다. 이 상태는 어디까지나 악한 영의 속임수이다. 이냐시오는 이 상태를 정확히 타격하여 속임수를 깬다. 악한 영은 **본질적으로 약함**을 일깨워 테레사와 모든 유혹받는 사람들을 속임수가 옭아맨 속박으로부터 자유롭게 한다. 이냐시오는 유혹받는 이들이 "악한 영의 온갖 속임수"에 **시작부터** 단호히 저항하려 노력한다면 그 속박으로부터 자유로워지리라는 점을 힘껏 일깨워 주고 있다.

아래 이야기는 매일 기도 중에 일어난 눈덩이 효과가 어떻게 되는지 잘

보어 준다.[172]

스티브는 7년 동안의 신학교 양성과정을 잘 끝냈고 이제 부제품을 앞두고 있다. 성직 생활에 대한 최종 결정의 순간에 이른 것이다. 부제품 전에 몇 주의 준비 기간이 있고, 이 기간에 이냐시오식 8일 피정이 포함되어 있다. 스티브는 그의 삶에서 이렇게 중요한 순간이 다가오는 데에 감사하며, 기쁘게 침묵과 묵상의 시간을 가지면서 더 깊이 기도하고자 다짐한다. 스티브는 가끔 담배를 피우는데, 8일 피정 동안 담배를 피우지 않겠다고 결심한다.

피정이 시작되면서 스티브는 다른 신학생들과 함께 정해진 시간에 규칙적으로 성무일도를 바치고, 성경을 읽으면서 개인 기도를 하며, 피정 지도자와의 개별 만남에도 열심히 참여한다. 그는 침묵이 도움이 된다는 것을 알게 되고 피정집을 둘러싸고 있는 바깥 자연환경의 아름다움도 즐긴다. 그는 기도 안에서 영적 위로를 체험하고 전반적으로 피정을 잘해 나가고 있다는 느낌도 얻는다.

넷째 날 저녁 식사 후에 스티브는 이전의 평화를 잃어버린 느낌이 든다. 그는 산책하러 가지만 뭔지 모를 내적 동요가 집요하게 계속된다. 스티브는 담배 생각이 나서 한 대를 피운다. 그러고는 그날 저녁 기도를 하러 방으로 가지만 피정 기간 동안 금연하겠다는 결심을 깬 것이 마음에 걸려 기분이 나빠진다. 기도를 시작하자 그의 몸은 가만있지 못하고

172　이 이야기는 본인의 허락을 받아서 적었다. 실명은 밝히지 않았다.

기분은 계속 언짢다.

기도는 산만해지고 무미건조해서 스티브는 기도를 계속하기 어려워 45분 만에 끝낸다. 그는 그다음 날 아침 늦게까지 잠들지 못하고 다른 신학생들과 함께 하는 아침 기도 시간을 겨우 맞추게 된다. 그는 계속해서 계획한 대로 성무일도를 바치지만, 기도에 무언가 비어 있고 짐스러운 느낌도 든다. 하느님은 멀리 계신 듯하고 기도하려고 노력할수록 스티브는 점점 더 당혹스러워진다. 한 가지 생각이 머리에 떠오른다. "너는 곧 부제품 받고 평생을 사제로 살기를 원하고 있어. 그런데 네 꼴을 보라고! 8일 피정 동안 금연하겠다는 아주 간단한 결심조차 지키지 못하고 있어. 너는 계획한 대로 한 시간 기도하는 것조차 지키지 못하고 있어. 7년의 양성을 받았음에도 불구하고, 기도의 열매를 전혀 맺지 못하고 있네. 이렇게 간단한 것조차 지키지 못하는 주제에, 뭘 믿고 평생 사제직이라는 책임을 지려고 하나?"

이른 오후에 스티브는 평소처럼 피정 지도자를 만나서 솔직하게 하루 전부터 지금까지 체험한 모든 것을 털어놓는다. 이렇게 이야기를 나누고 나니 당혹감과 의심이 사라지게 되고, 피정 지도자는 스티브가 자기 안에서 일어나고 있는 영적 움직임을 잘 식별할 수 있도록 도와준다. 스티브는 평화를 되찾고, 종래의 선의(善意)에 따라 피정을 계속하고 나서 몇 주 뒤에 부제품을 받는다. 그의 부제품은 부제로서 보낸 보람찬 한 해의 시작이었으며, 훗날 풍요로운 사제 생활로 이어진다.

스티브는 분명히 열심한 신앙인이며 주님을 사랑하고 주님께 봉사하고자 한다. 하지만 피정 넷째 날 저녁에 적어도 비영적 실망을 체험한다. "이전의 평화를 잃어버린 느낌이 든다. …… 뭔지 모를 내적 동요가 집요하게 계속된다. …… 그의 몸은 가만있지 못하고 기분은 계속 언짢다." 보아하니 스티브는 이때 영적 식별에 깨어 있지 못했음이 명백하다. 그에게 일어난 변화가 영적 실망인지도 감지하지 못했고, 그전에, 이것이 영적 실망인지 비영적 실망인지도 식별하지 못했다. 영적 실망에 빠지면서 스티브는 이전에 했던 계획 중에 두 가지를 변경했다. 피정이 시작되기 전에 했던 금연 결심을 버렸고 기도 시간을 줄였다. 이것은 이냐시오 성인이 영적 실망 중에 바꾸지 말라고 조언했던 것이다(『영신수련』, 13번).

다음 날, "뭔지 모를 내적 동요"는 영적 실망임이 명백해질 정도로 커졌고, 전반적 생활 정서가 '좌절'로 바뀌었다. 스티브는 매일 하던 기도조차 제대로 할 수 없게 되면서 좌절은 눈덩이처럼 커진다. 마침내 **부제품을 코앞에 두고** 자신의 **성소 자체**에 의심을 품기 시작한다. "네가 이런 간단한 일조차 할 수 없다면, 어떻게 평생 사제직의 책임을 감당할 수 있겠는가?" 이 상태는 이냐시오가 테레사 레하델에게 말한 "모든 것에 좌절한 상태"에서 크게 벗어나지 않는다. 이런 단계를 거쳐 악한 영의 행동이 가져오는 **눈덩이 효과**는 시간이 갈수록 분명해진다. 스티브의 사례를 통해 볼 때, 눈덩이 효과는 긴 시간이 걸리지 않는다. 단지 몇 분 만에 이 효과가 생기기도 하고, 스티브의 경우처럼 몇 시간 만에 발달하기도 하며, 몇 주 또는 몇 달에 걸쳐 자라기도 한다. 그러나 얼마 만에 눈덩이처럼 커지는지, 눈덩이 효과가 어떤 단계로 발달하는지는 핵심이 아니다. 핵심은 언제나, 악한 영의 속임수가 시작되는 순간부터 가능한 한 빨리 저항하는 노력을 기울이는 것이다. 규칙 12에 비추어 볼 때, 식별 능력의 성장은 다른 데 있지 않고, 악한 영이 행동하기 시작하는 바로 그 **처음 순간**부터 식별—감지하고, 파악하여, 행동하기—할 수 있는 능력의 성장을 의미한다.

스티브의 사례는 성공 스토리이다. 스티브는 자신에게 닥친 성소의 위기에 굴복하지 않고 피정 기간 동안 충실하게 인내하면서 부제품을 받고, "부제로서 보낸 보람찬 한 해를 시작"하며 "훗날 풍요로운 사제 생활"로 나아간다. 그가 피정 동반자에게 자신의 몸부림에 대해 기꺼이 털어놓고 이야기하면서, 영적 실망의 마수와 악한 영의 속임수를 물리칠 수 있었다. 그렇지만 피정 넷째 날 저녁, **첫 번째** 유혹이 시작되었을 때 두 가지(금연, 기도 시간)를 바꾸지 말고 단호히 애초의 결심을 밀고 나갔더라면, 뒤이어 겪는 눈덩이 효과는 절대 일어나지 않았을지도 모른다. 왜냐하면 "원수도 영적인 수련을 하는 이가 유혹들에 저항하여 **정반대의 행동**과 **단호한 태도**를 취하면 **기력을 잃어 유혹을 거두며 도망**"가기 때문이다. 스티브는 피정 동반자의 도움을 받고 나서야 비로소 새롭고 명확하게 "자신 안에서 일어나는 영적 움직임을 식별"할 수 있게 된다. 그의 시련은 일종의 "가르침"이었고, 이제 그는 영적 식별을 제대로 할 줄 아는 사람이 되는 데 중요한 진보의 걸음을 내딛게 되었다.

규칙 12는 이냐시오가 만레사 시절 초기에 한 체험을 쓴 것이다. 그의 『자서전』에서 해당 부분을 한번 보자.

그때까지만 해도 그는 …… 아무것도 모른 채 흔들리지 않는 행복을 느끼는 마음 상태를 늘 누리고 있었다. 그 환상이 계속되는 동안 …… 그는 돌연 자기의 생활이 얼마나 가혹한 것인가를 깨우쳐 주는 듯한 고약한 생각이 떠올라 어쩔 줄 모르게 되었다. 마음속에서 "앞으로 남은 칠십 평생을 어떻게 이런 고된 생활을 해 나가겠느냐?" 하고 누군가가 질문을 던져 오는 듯했다. 그 생각이 원수에게서 오는 것이라 믿으며 그는 마음속으로 맹렬한 격분을 가지고 대답했다. "이 불쌍한 존재야, 네가 나에게 한 시간의 목숨이나마 보장해 줄 수 있을 것 같으냐!" 이렇게 유혹을 이겨 내고 그는 평안을 되찾았다.[173]

"고약한 생각"이 그를 "어쩔 줄 모르게" 괴롭히기 **시작하자마자**, 이냐시오는 "맹렬히" 응수한다. 그의 저항은 즉각적이고, 열정적이며, 단호하다. 그리고 **유혹이 멈춘다.** 눈덩이 효과도 없으며, "모든 것에 좌절한 상태"도 없다. 반대로 이냐시오는 "평안하다." 악한 영은 본질적으로 겁쟁이 약골이라는 것이 여기서 분명히 드러난다. 앞선 다른 규칙과 마찬가지로, 규칙 12도 사색에서 나온 것이 아니라 이냐시오의 직접 체험에서 나왔다. 열심한 신앙인이 이처럼 악한 영의 속임수에 단호한 방식으로 대응하는 노력을 기울인다면, 이냐시오처럼 속임수로부터 자유로워질 것이고 이냐시오와 같이 "평안"할 것이다.

아시시의 프란치스코 성인전 가운데 어느 초기 작품에는 이런 내용이 있다.

173　『자서전』, 20번.

그래서 성인은 기쁜 마음으로 지내고자 했고 성령의 도유와 "기쁨의 기름"(시편 45,8)을 보존하고자 했다. 그는 아주 조심스럽게 낙담이 가져다 주는 비참한 아픔을 피하면서, **아주 작은 정도라 해도** 그의 마음에 낙담의 아픔이 살금살금 다가오는 것을 느끼면 **바로** 기도에 의탁했다. 그는 이렇게 말했을 것이다. "하느님의 종이 어떤 방식으로든 불안해한다면, 그 종은 즉시 일어나 기도를 해야 하고 그가 '구원의 기쁨'(시편 51,14)을 되찾을 때까지 하늘에 계신 아버지의 현존 안에 머물러야 한다."[174]

프란치스코 역시 작은 동요가 일기 시작하는 처음에 재빨리 그리고 단호하게 대응했다. "**아주 작은 정도라 해도** 그의 마음에 낙담의 아픔이 살금살금 다가오는 것을 느끼면 **바로** 기도에 의탁했다." "강한 자에게 약한" 악한 영에게 이렇게 즉시, 기도에 의탁하며 단호하게 대응하면, 눈덩이 효과가 일어날 가능성은 거의 없다. 이렇게 대응하면서 프란치스코는 우리를 속박하는 악한 영의 능력을 처부술 수 있는 실천을 정확하게 행하는데, 그것은 이냐시오가 규칙 12에서 가르치는 바와 같다. 이 가르침을 통해, 우리도 프란치스코처럼 "기쁜 마음"으로 살면서 우리 안에 "성령의 도유와 기쁨의 기름"을 보존하게 된다.

---

174 Thomas of Celano, *Second Life*, 125, in *St. Francis of Assisi: Writings and Early Biographies. English Omnibus of the Sources for the Life of St. Francis*, ed. Marion Habig (Chicago: Franciscan Herald Press, 1973) 465-466. 성경 구절을 따옴표로 표시한 것은 이 책을 따른 것이다. 베네딕도 성인은 『수도 규칙』에 나오는 "선행의 수단"에 다음의 지시도 포함한다. "그리스도에 맞서려는 악한 생각을 **즉시** 내버려라. 그리고 이 생각을 영적 지도자에게 드러내 말하여라."(저자 강조) [Anthony Meisel and M. L. del Mastro, trans. and eds., *The Rule of St. Benedict* (New York: Image, Doubleday, 1975), 53. 베네딕도, 『수도 규칙』, 이형우 옮김, (칠곡: 분도출판사, 2000)]. 베네딕도 성인이 말하는 "수단"에 이냐시오의 규칙 12와 규칙 13의 조언이 합쳐져 있다.

13장

영적인 태평무사 깨뜨리기 (규칙 13)

자신의 마음속에 있는 그리스도는 형제들의 말 속에 계신 그리스도보다

약하다. 자신의 마음은 불확실하지만, 형제들의 말은 확실하다.

- 디트리히 본회퍼

소통과 영적 자유

"사람이 혼자 있는 것이 좋지 않으니"(창세 2,18). 우리 인간 본성에 보편적으로 적용할 수 있는 성경의 이 말씀은 영성 생활에도 적용이 되며, 영을 식별할 때도 적용이 된다. 이냐시오가 영의 식별을 잘 아는 다른 사람과 하는 소통을 항상 영의 식별에서 필수 요소로 여겼다는 것을 우리는 이미 살펴보았다. 식별할 때 그런 사람의 가르침과 도움을 통해 우리는 성장하고 우리의 식별 능력도 향상하게 된다. 그렇기에, 영적으로 식별 능력이 있는 사람과 영적 체험에 대해 소통하는 것은 영의 식별에서 중요한 부분이 된다. 왜냐하면, 하느님께서 우리는 혼자가 아니게끔 창조하셨기 때문이다.

이 부분을 이냐시오는 규칙 13에서 분명하게 논의한다. 규칙 12의 연장 선상에서 규칙 13에서도 여전히 악한 영의 속임수와 그 속임수를 극복하는

방법에 대해 말한다. 이 규칙에서 이냐시오는 사악한 속임수에 대해 **우리를 함구하게 만들려는** 악한 영의 의도를 묘사하고 있다. 그래서 우리가 알 수 있듯이, 이냐시오는 우리가 정확하게 반대로 행동해야 한다고 충고한다. 이전 규칙에서처럼 여기에서도 비유법을 구사하고, 이 비유를 어떻게 적용하는지도 나온다. 나는 먼저 이 규칙의 문장을 살펴보고 이어서 이 문장이 전하는 가르침을 구체적으로 자세히 살펴보고자 한다.

> 규칙 13. 또한 원수는 비밀에 부쳐져 발각되지 않으려고 하는 점에서 마치 연애 사기꾼과 같이 행동한다. 마치 사기꾼이 못된 속임수를 써서 훌륭한 아버지의 딸이나 선량한 남편의 부인을 유혹하면서 자기의 말과 거짓 약속들이 비밀에 부쳐지기를 바라는 것과 같다. 반대로 원수는 딸이 아버지에게, 혹은 부인이 남편에게 자기의 허황된 말과 사악한 의도를 밝히는 것을 대단히 불쾌하게 여긴다. 그렇게 되면 자기가 시작한 일이 제대로 되지 않을 것이 뻔하기 때문이다. 이와 마찬가지로 인간 본성의 원수가 자신의 흉계와 거짓 약속들을 올바른 사람에게 제시할 때에는 이것들이 받아들여져서 비밀리에 간직되기를 원하고 바란다. 그러나 이들이 훌륭한 고해 사제, 또는 원수의 속임수와 사악함을 아는 다른 영적인 사람에게 그것들을 밝히면 무척 원통해 한다. 이로써 그의 명백한 속임수들이 드러나게 되어 자신의 흉계대로 이루어지지 않을 것이기 때문이다.

이냐시오가 여기서 주목하는 악한 영의 특성은 "**비밀**에 부쳐져 **발각되**

지 **않으려고** 하는" 것이다. 규칙 12와 마찬가지로, 규칙 13의 비유법도 인간 본성에 부자연스러운 상황을 그리고 있다. 진실한 사랑이 아닌 **거짓 사랑**이며, 이 거짓 사랑은 오직 이기적인 목적으로 다른 사람을 이용하고자 하는 사랑이다. 이것은 규칙 13의 비유법에 분명히 나타나 있다. 거짓 연인은 희생제물이 되는 이가 유혹받아서 겪는 피해에 대해 침묵하기를 바란다. 침묵해 주어야 앞으로도 더 유혹해서 이용할 수 있기 때문이다. 그러나 희생제물이 되는 이가 다른 훌륭한 사람에게 이런 유혹에 관해 이야기하면 거짓 연인은 "자기가 시작한 일이 제대로 되지 않을 것이 뻔하다"는 것을 안다. 일단 침묵이 깨어지면 악한 영은 완전히 패배한 것이다.[175]

이냐시오는 이어서 이 비유를 적용한다. "인간 본성의 원수가" "올바른 사람"을 "흉계와 거짓 약속"으로 괴롭힐 때(제인 수녀: "기도가 깊어지는 생활은 그녀에게 어울리는 삶이 아닌가 보다", "하느님을 향한 그녀의 열망은 그냥 환상일 뿐이다." 스티브: "이렇게 간단한 것조차 지키지 못하는 주제에, 뭘 믿고 평생 사제직이라는 책임을 지려고 하나?"), 원수는 이런 흉계와 거짓 약속이 **"받아들여져서** 비밀리에 **간직되기를** 원하고 바란다." 원수는 흉계와 거짓 약속을 열심한 신앙인들의 마음에 주입하는 초기 단계에 그가 벌이는 일들이 **받아들여지도록** 괴롭히고, 흉계와 거짓 약속이 더 커져서 영혼을 잡아먹는 동안 **비밀리에 간직되기를** 원하고 바란다. 그들이 계속 함구한다면, 원수는 "자기가 시작한 일"을 마음대

---

175 현대 여성의 관점에서 이 비유를 어떻게 바라보는지 알고 싶다면, Katherine Dyckman, Mary Garvin, and Elizabeth Liebert, *The Spiritual Exercises Reclaimed: Uncovering Liberating Possibilities for Women* (New York: Paulist Press, 2001), 259를 참조하라.

로 커지게 할 수 있다(제인은 좌절로 가득 차서 기도 생활을 포기할 수도 있다. 스티브는 성소에 대한 의심으로 가득 차 신학교와 서품을 포기할 수도 있다).

악한 영이 "흉계와 거짓 약속"으로 공격할 때 그 악한 영이 **원하지 않는 것**과 "무척 원통해"하는 것이 무엇이냐 하면, "훌륭한 고해 사제, 또는 원수의 속임수와 사악함을 아는 다른 영적인 사람에게 그것들을 밝히는" 것이다. 이렇게 악한 영의 흉계와 괴롭힘을 밝히면, "시작한 일이 제대로 되지 않을 것"임을 악한 영이 알아차리는데, 그 이유는 "그의 명백한 속임수들이 **드러나게** 되어 자신의 흉계대로 이루어지지 않을 것이기 **때문이다**"(제인 수녀는 그녀의 괴로움을 피정 동반자에게 털어놓고, 낙심한 마음을 이겨 내며, 기도 안에서 성장한다. 스티브도 자신의 괴로움을 피정 동반자에게 털어놓고, 의심을 떨쳐 버리며, 부제품을 받는다). 이것이 바로 이냐시오가 규칙 13에서 강조하는 영적 행동이다. 즉 열심한 신앙인들은 악한 영의 속임수 때문에 괴로워질 때 침묵해서는 안 되고 혼자 고립되어서도 안 된다. 자신의 내적 고통을 적절한 다른 사람에게 털어놓고 도움을 받아야 한다. 그렇게 행동하면 악한 영의 속임수로부터 자유로워질 것이다.

매우 중요한 지침

영성 생활에서 규칙 13의 **중요성**은 아무리 강조해도 지나침이 없고, 이 규칙이 오랫동안 낙심과 의심에 시달렸던 열심한 신앙인들을 해방해 준 놀라운 효능 또한 아무리 강조해도 지나침이 없다. 열심한 신앙인들이 이냐시오가 여기서 묘사한 대로 악한 영의 특성을 파악하고, 어떻게 대응해야 하는지를 아는 게 얼마나 필요한 일인지는 체험 사례들이 되풀이해서, 분명하게 증명해 준다. 신앙인들은 악한 영이 "속임수와 사악함"으로 괴롭힌다는 것을, 그리고 그 괴로움을 혼자 숨기고 **함구하라고** 꾄다는 것을 똑똑히 깨달을 필요가 있다. 그 괴로움을 다른 사람에게 털어놓으라는 지침은 내면의 가장 은밀한 부분을 건드리는 것이기 때문에, 신중하게 이해하여야 한다. 이제부터 악한 영이 행동할 때 일어나는 징후들을 살펴볼 것이고, **어떤 사람**에게 털어놓고 영적 상담을 받는 것이 좋은지, 그리고 그 사람과 영적 상담을 할 때 **어떤 내용**을 말해야 하는지 등을 살펴볼 것이다.

악한 영의 **징후**는 어떨까? 앨리스, 제인 수녀, 스티브, 안젤라, 그리고 우리가 살펴본 다른 이들과 같이, 그 징후는 영적 실망의 시기에 나타난다. 제인 수녀와 스티브처럼, 좌절, 불안, 의심에 빠져서 무언가 계속 바꾸려고 한다. 그런 내면의 상태일 때 아래와 같은 속임수가 정답인 것처럼 여겨진다.

너는 내적인 괴로움에 대해 **말할 수 없다.** 너는 다른 것들에 관해서는 말할 수 있지만, 이것에 대해서는 말할 수 없다. 너는 이 괴로움에 대해서 **말해서는 안 된다.** 네가 말한다면, 듣는 사람은 결코 네 말을 이해할 수 없을 것이다. 네가 그렇게 약하다는 데 대해 또는 마음속으로 그런 감정을 가진다는 데에 오히려 충격을 받을 것이고, 그가 지금 너에게 가지고 있던 존경심마저 잃어버리게 될 것이며 더는 너와 함께하려 하지 않을 것이다. 그 사람은 너를 비난할 것이고 비웃을 것이다. 그리고 그 비난과 비웃음은 네 영적 무능함에 대해 네가 품고 있는 두려움을 계속 찌를 것이다. 이 고통까지 가중되면 너는 견딜 수 없다. …… 그러므로 아무 말도 하지 않는 것이 최선이며, 그저 이 고통을 짊어지고 묵묵히 참는 것이 최선이다.

이 속임수에 말려든 사람은 "너무 바빠서" 다른 사람과 이야기할 시간을 잡기 어렵다거나, "그렇게 중요하지도 않은" 문제인데 "다른 사람의 시간을 빼앗고" 싶지 않다는 생각을 할 수 있다. 왠지 다른 사람의 이해를 얻지도 못할 거라고 생각할 수도 있다……. 당연히, 적당한 때 적당한 사람을 만나기를 힘들게 만드는 객관적인 이유도 있을 것이다. 그러나 두 가지 요소가 동시에 작용하면, 즉 영적 괴로움이 큰데, 이 괴로움을 적당한 다른 이에게 털어놓는 것에 저항이 심하면, 이때는 악한 영의 흉계와 거짓 약속에 말려들고 있는 것은 아닌지 반드시 점검해 봐야 한다. 악한 영은, 이냐시오의 말에 따르면, "**비밀에 부쳐져 발각되지 않으려고**" 한다.

영적 괴로움을 당하는 사람들이 이야기를 나눠야 할 **적당한 사람**은 어떤 사람이어야 할까? 이야기를 나누지 **않아야 할** 사람도 있는가? 이는 아주 중요한 질문이며, 이냐시오는 규칙 13 후반부에서 이 질문에 답하고 있다. 첫째는 "**훌륭한 고해 사제**"라고 구체적으로 기술하고, 둘째는 "원수의 속임수와 사악함을 아는 **다른 영적인 사람**"이라고 좀 더 일반적으로 기술한다.[176]

이냐시오는 우선 "**훌륭한 고해 사제**"를 언급한다. 영적 괴로움을 겪는 사

---

176 나는 이야기를 나누기에 적절한 영적인 사람에 대해 이냐시오가 설명한 것을 분석하는 데 있어 Fiorito, *Discernimiento y Lucha*, 232-233을 따른다.

람이 개인적으로 만나면서 훌륭함을 알아본 사제다. 이냐시오는 "그의 훌륭한 고해 사제"[177]라고 칭하는데, 영적 괴로움을 겪는 사람이 이 사제를 전에 만난 적이 있으며 그 경험 덕분에 "훌륭한" 사제임을 안다는 의미를 담은 것이다. 이냐시오는 바로 이어서 "**다른** 영적인 사람"이라고 쓴다. 이는 앞서 말한 고해 사제가 **영적인** 사람이기도 하다는 의미다. 이 문맥에서 "영적인 사람"이라는 뜻은 단순히 기도와 봉사에 충실한 사람에 그치지 않는다. 단순히 기도와 봉사에 충실한 사람 중에는 **그런 지식과 경험**이 없는 사람도 있다. 그런 사람은 악한 영의 책동에 말려든 사람을 현명하게 돕기 어렵다. **원수의 활동에 정통**해야, 즉 "원수의 **속임수와 사악함을 알고**" 있는 고해 사제라야 영적이다.

여기서 첫 번째로 언급된 **고해 사제**가 어떤 사람이어야 하는지가 드러난다. **좋은** 고해 사제는 영적 괴로움을 당하는 사람이 이미 **알고 있는** 사제이고, 그 사제가 영적으로 훌륭한 사제라고 신뢰하기 때문에 이전에 고해 사제로 선택했던 사람이며, 악한 영의 속임수에 정통한 **영적인** 사제이다. 영적 실망의 시기에 이런 사제에게 털어놓고 이야기한다면 분명 커다란 도움이 될 것이다.

첫 번째로 적당한 사람이 고해 사제라고 구체적으로 언급되었다면, 두 번째로 언급된 사람은 비교적 일반적이다. 전자는 고해성사와 연결되어 있고, 후자는 악한 영의 행동에 정통한 모든 영적인 사람을 포함한다. 여기서 이냐시오가 꼽는 가장 중요한 요소 단 한 가지는 바로 "악한 영의 속임수와 사악함에 정통한 **영적인 사람**"이라는 점이다. 그러므로 경청하는 능력이 뛰어나고, 속임수와 사악함에 시달리는 사람을 영적으로 도와주는 데 능숙한 사람이어야 한다.

---

177 "*su* buen confessor."

이런 사람의 상담과 도움으로, 이냐시오가 규칙 13의 끝에 썼듯이, 속임수와 사악함이 드러나 악한 영의 흉계가 무산될 것이다. 전문적으로 양성받은 영적 지도자, 피정 동반자, 체험 많은 성직자, 수도자, 평신도, 영적인 친구 등이 이 범주에 포함될 수 있겠다. 가장 중요한 자격은 악한 영의 행동이 취하는 속임수와 그 방식을 잘 아는 지식이다. 이냐시오가 규칙 13을 결론지으며 말하듯, 이런 사람들에게는 원수가 취하는 속임수와 그 방식이 "명백하게 드러날" 것이다.

악한 영의 "속임수와 사악함"에 **아주 익숙하지 않은** 모든 사람은 이 역할을 맡기에 적당한 후보자들이 아니다.[178] 선하고 참되며 신앙심이 깊은 사람들은 많다. 하지만 이들이 악한 영의 방식에 대해 충분한 지식과 체험을 지니고 있지 않으면, 비록 좋은 뜻이 있어도 영적으로 괴로워하는 사람들을 돕지 못하거나, 오히려 괴로움을 더 가중시킬 수도 있다. 만약 제인 수녀나 스티브 부제가 영적 실망의 시기에 있을 때, 영적으로 준비되지 않은 채 사람 좋기만 한 이에게 그들의 고통을 이야기했다면, 그들은 노련한 영적 지도자가 주는 도움과 똑같은 도움을 받지 못할 수도 있고 영적 실망은 계속될지도 모른다. 제인 수녀와 스티브 부제는 노련한 영적 지도자에게 상담했기 때문에 영적 실망에서 해방될 수 있었다.[179]

---

178 Gil, *Discernimiento*, 246을 참조하라.

179 영적으로 유능하고 능숙한 사람을 찾는 것과 관련해서, 피오리토는 이렇게 적는다. "그렇지만 …… 이상적인 사람을 찾는 게 때로는 불가능하기도 하고, 적어도 즉시 찾긴 어려우리라고 생각한다. 이 같은 경우라면 우리는 이런 사람을 찾을 때까지 계속해서 노력해야 한다. …… 우리가 받은 유혹을 드러내는 행동 그 자체가 유혹의 손아귀 힘을 약하게 하고, 유혹을 드러내려고 하는 사람이 그 유혹을 더 잘 이해할 수 있게 된다. …… 우리는 그런 사람을 찾는 노력을 결코 그만두어서는 안 되며, 주님께서 우리에게 '(악한 영의) 속임수와 악의를 아는' 좋은 고해자와 영적 지도자를 찾아 주시기를 기도하고, 주님의 약속인 '청하여라, 너희에게 주실 것이

마지막으로, 적당한 영적 지도자를 찾았다 치자. 그 사람에게 이야기할 **내용**은 무엇인가? 그것은 이냐시오가 규칙 13에서 쓴 단어 속에 있다. 영적 고통에 시달리는 사람은 원수의 "**흉계와 거짓 약속**", "**속임수와 사악함**", "**명백한 속임수**"를 털어놓고 이야기해야 한다. 제인 수녀는 기도가 깊어지는 생활은 그녀에게 어울리지 않는다는 좌절감과 하느님을 향한 그녀의 열망은 그냥 환상일 뿐이라는 슬픈 생각을 피정 지도자에게 털어놓아야 한다. 스티브는 계획대로 부제품을 받아야 하는지 어떤지, 즉 사제성소에 대해 새롭게 커지고 있는 의심을 영적 지도자에게 털어놓아야 한다. 열심한 신앙인이 "원수의 흉계와 거짓 약속" 때문에 영적으로 고통받는다면, 바로 그것들에 대해 적당한 영적 지도자와 솔직히 대화해야 한다.[180]

규칙 전반이 다 그러하듯이 규칙 13도 신앙생활과 하느님의 뜻을 따르는 길을 **영**의 식별을 통하여 직접적으로 지도하고 가르친다. 이냐시오의 가르침은 아주 분명하다. 열심한 신앙인이 "**원수**의 흉계와 거짓 약속" 때문에 **영적으로** 고통받는다면, 적당한 **영적** 지도자에게 말해야 한다. 그렇게 하면서 악한 영의 흉계와 거짓 약속으로부터 해방될 수 있다는 진리를 명심해야 한다.

도움을 주는 영적 지도자가 명심할 것은, 도우려는 사람의 정신적 고통 중에 **비영적**(심리적) 실망이 있는지 분별하고 가려내는 것이다. 비영적 고통도 다른 사람에게 털어놓으면 확실히 괴로움을 덜고 홀가분해지기는 한다. 그러

다. 찾아라, 너희가 얻을 것이다. …… 누구든지 청하는 이는 받고, 찾는 이는 얻고……'(마태 7,7)라는 약속을 기억해야 한다."(*Discernimiento y Lucha*, 234-235)
180 『영신수련』 17번을 참조하라.

나 비영적(심리적)으로 괴로운 사람이 말할 정서적 준비가 되어 있는지를 결정하는 데에는 때로 복잡한 정감적 문제들이 관련되기도 한다. 그런 결정은 영의 식별 영역이 아니다. 비영적 원인으로 인한 심리적 고통은 영적 지도자가 아니라 심리학, 정신의학 전문가에게 맡기는 것이 최선이다. 심리적 고통과 다른 사람과의 대화를 통한 그 고통의 치유는 물론 가장 중요한 인간적 문제이다. 그러나 이냐시오의 규칙 13이 다룰 문제는 아니다.

"고백을 끝내자마자 의심은 완전히 사라졌다"

다음 두 사례는 규칙 13의 가르침을 더 잘 보여 줄 수 있는 구체적인 상황이다. 우선 성녀 소화 데레사의 체험담을 볼 텐데, 이는 규칙 13 적용의 아주 좋은 예이다. 소화 데레사는 종신 서원하기 전날 밤, 갑자기 "폭풍"을 체험한다.[181] 아주 어린 시절부터 종신 서원 준비에 이르기까지 그녀의 성소에 대한 확신은 끄떡도 하지 않았다. 그런데 갑자기 그날 밤에 자신의 성소에 대해서 혼란스러워졌다. 이 성소 위기에 대응하는 그녀의 모습은 날카로운 영적 감지, 현명한 파악, 단호한 행동 등을 잘 보여 준다.

소화 데레사는 이렇게 썼다.

---

181 Fiorito, *Discernimiento y Lucha*, 143-144와 239-240에서, 피오리토는 이 사건을 이냐시오의 규칙 4와 규칙 5에 대한 예로 사용한다.

드디어 내 결혼식[종신 서원]의 **아름다운 날**이 다가왔다. 구름 한 점 없이 맑은 날이었다. 그러나 그 전날 저녁, 일찍이 본 적 없던 **폭풍이 내 영혼에 몰아쳤다.**[182]

"폭풍이 내 영혼에 몰아쳤다." 영적 감지가 필요하다는 것을 우리는 벌써 느낀다. 영적 혼란, 본질상 특히 아주 강렬한 영적 혼란, "일찍이 본 적 없던 폭풍"이 수도 생활에 헌신하겠다는 최종 결심을 하는 순간에 소화 데레사에게 나타난다.

소화 데레사는 계속 적어 내려간다.

이때까지 나의 성소에 대해 그 어떤 의심도 가져 본 적이 없었는데, 마치 예정된 순서처럼 나는 시험에 들었다. 그날 저녁, 십자가의 길을 하는 동안 나의 성소는 **일장춘몽**, 불가능한 환상으로 다가왔다. 수도회에서 삶이 아주 아름다웠다는 생각은 변함없었다. 그러나 악마는 이 길이 내 길이 아니며, 내 길이 아닌데 굳이 지금까지 여기서 살았다는 이유로 하릴없이 장상들이 잘못된 결정을 내렸다는 **확신**을 불어넣었다. **어둠**은 너무나도 깊은데, 오직 한 가지 생각만 또렷했다. 나는 부르심을 받

---

182 John Clarke, trans., *Story of a Soul: The Autobiography of Saint Thérèse of Lisieux* (Washington, D.C.: ICS Publications, 1996), 166. 이 인용문에서 "아름다운 날"과 그다음 인용문의 "일장춘몽"은 원문을 따라 강조 표시했다. 이어 나오는 데레사 이야기 인용문은 모두 이 자료에서 가져 왔다. [성녀 소화 데레사, 『성녀 소화 데레사 자서전: 작은 꽃, 작은 붓, 작은 길의 영성』, 안응렬 옮김, (서울: 가톨릭출판사, 2011)].

지 않았구나. 아! 내 영혼의 이 **비통함**을 어떻게 표현할 수 있겠는가!

"**어둠 …… 내 영혼의 이 비통함**" 이것은 딱 영적 실망에 쓰는 언어이다. 그리고 실망의 느낌은 엄청나게 깊다. "어둠은 **너무나도 깊은데** …… 아! 내 영혼의 이 비통함을 **어떻게 표현할 수 있겠는가!**" 극심한 영적 실망 중에 있는 소화 데레사에게 오직 한 가지 **생각**만 **또렷하다**. 가르멜 수도회 **성소가 없다**는 생각이다. "나의 성소는 일장춘몽, 불가능한 환상으로 다가왔다." "이 길이 내 길이 아니며, **내 길이 아닌데** 굳이 오랜 세월 여기서 살았다는 이유로 하릴없이 원장 수녀님이 잘못된 결정을 내렸다는 **확신**"에 대해서도 소화 데레사는 글에 남긴다.

이냐시오는 "**실망에서 나오는 생각**"(규칙 4)에 주의하라고 가르치고 있고, "위로 중에 주로 선한 영이 우리를 인도하고 권고하는 것과 같이 **실망 중에는 악한 영이 똑같이**"(규칙 5) 한다고 가르치고 있다. 우리는 영적 실망에 빠진 소화 데레사에게 악한 영이 평생에 걸쳐 일관되었던 결정[183]을 **변경하고**, 수도 생활을 포기하라고 유혹하는 상황을 볼 수 있다. 영적 감각이 날카로웠던 그녀는 "이 길이 내 길이 아니며 …… 잘못된 결정을 내렸다는 확신"이 어디에서 왔는지를 즉시 깨닫고 악한 영을 그 근원으로 지목한다.

이제 "폭풍"의 참모습이 서서히 드러난다.

만약 내가 지금 내면의 이 어둠을 있는 그대로 수련장 수녀님께 고백한

---

183 가르멜 수도회 성소를 택함(역자 주).

다면 그분은 내 종신 서원을 막으실 거란 생각, 그리고 내가 수도회에 남는 것은 내 고집대로 하는 일이고, 환속이 내 고집을 버리고 하느님의 뜻에 내어 드리는 일이라는 생각이 계속 나를 흔들었다(이런 생각은 터무니없는 것이었고, 악마에게서 오는 유혹의 증상이었다).

여기서 소화 데레사는 이냐시오가 규칙 13에서 강조하는 악한 영의 특징을 정확하게 기술하고 있다. 영적 실망 상태에서 소화 데레사에게 일어나는 "생각"은 수도 성소가 없다는 확신을 부채질한다. 그뿐만 아니라, 적당한 영적 지도자인 수련장 수녀에게 **이야기하기를 주저하게** 만드는 저항을 체험케 한다. **"내가 지금 내면의 이 어둠을 있는 그대로 수련장 수녀님께 고백한다면** 수련장 수녀님은 내 종신 서원을 막으실 거란 생각이 들었다."

영적 실망의 시기를 보내며 소화 데레사는 한 가지 시나리오에 빠진다. 그녀는 수련장과 이야기하면서, 수도 성소 없음을 새롭게 확신하게 되었다고 이 나이든 수녀님께 말하는 모습을 그려 본다. 그리고 수련장 수녀님이 주의 깊고 친절하게 이야기를 다 듣고 나서는 다음 날 종신 서원을 하지 않아야 한다는 그녀의 말에 동의하시는 모습을 그려 본다. 더 나아가, 소화 데레사는 수련장 수녀님이 그녀에게 "하느님의 뜻을 행하기 위해 수도회를 떠나 환속하라고" 촉구하시는 모습도 그려 본다. 소화 데레사는 수련장에게 자신의 성소 위기를 털어놓는 것이 곧 가르멜 수도자로 평생을 사는 희망, 그녀 인생에 가장 크고 유일했던 희망이 끝남을 의미한다는 생각에 지배되어 고통스러워한다.

이런 고통스러운 시나리오가 진짜처럼 보여도, 소화 데레사는 이 시나리오 속에 사실은 악한 영의 "유혹"이 작용하고 있음을 예리하게 감지한다. 그녀에게 일어나는 상상은 "터무니없고" 비현실적인 것으로 가득 차 있다. **영적 실망 한가운데서** 그녀가 발휘하는 영적 감지와 파악은 놀랍다. 그녀는 영적 실망의 시기 와중에도 "실망에 빠진 나를 바라보는 나"로 자신을 바라본다. 그 결과, 영적 실망 중에 일어나는 내적 움직임을 아주 분명하게 이해한다.

이 분명한 감지와 파악에 따라 그녀는 행동한다.

나는 공동 기도실에 계시던 수련장 수녀님을 불러내 면담을 청했고, 혼란으로 가득 찬 내 영혼의 상태를 털어놓았다. 다행스럽게도 수련장 수녀님은 나보다 더 선명하게 내 영혼의 상태를 보셨고, 나를 완전히 안심시켰다. 악마는 내가 그의 모든 유혹을 자백하리라고는 생각하지 못했나 보다. 이렇게 낮추고 비우는 행동을 하는 순간, 악마는 도망가 버렸다. **내가 고백을 끝내자마자 의심은 완전히 사라졌다.**

"혼란으로 **가득 찬,"** 이 말은 비밀을 유지하라는 악한 영의 술책이 얼마나 강력한지, 그리고 그런 악한 영의 술책을 이겨 내는 데 얼마나 큰 용기가 필요한지 드러낸다. 분명히 그 순간에 소화 데레사는 커다란 용기가 필요했고, 정확하게 그런 용기 있는 **행동을 택했다.** 식별의 관점에서 보면, 그녀는 영적으로 **감지**하고 **파악**하여 **행동**하는 과정[184]을 정확하고 단호하게 실천했다. 소화 데레사가 그렇게 하면서 모든 것이 변하게 된다.

---

184 『영신수련』, 313번(역자 주).

공동 기도를 하고 있던 수련장 수녀에게 염치 불고하고 개인 면담을 청하는 것도 큰 용기가 필요한 일이다. 비록 "혼란으로 가득 찬" 상태지만 소화 데레사는 주저 없이 그렇게 한다. 수련장은 따라나서고, 그들은 둘만 있을 수 있는 사적인 장소로 가서 이야기를 나눈다.

소화 데레사는 수련장에게 숨김없이 모든 것을 말하는데, "내 영혼의 상태를 털어놓았다"라고 간단히 표현한다. 그녀에 따르면 수련장 수녀는 "나보다 더 선명하게 내 영혼의 상태를 보셨고, 나를 완전히 안심시켰다." 수련장 수녀에게는 악한 영의 "명백한 속임수"가 소화 데레사보다 말 그대로 **더욱 분명하게 보였기** 때문이다. 이렇게 더욱 선명하게 꿰뚫어 보면서 소화 데레사는 악한 영으로부터 해방되었다. "수련장 수녀님은 **나를 완전히 안심시켰다.**"

소화 데레사의 마지막 문장, "내가 **고백을 끝내자마자 나의 의심은 완전히 사라졌다**"는 이냐시오의 규칙 13에 대한 증언이다. "**끝내자마자**" 이 짧은 단어는 엄청난 영적 힘을 발휘한다. 사실, 자신의 영적 고통을 악한 영의 "속임수와 사악함"을 아는 다른 사람에게 "밝히면", 악한 영은 "무척 원통해 한다. 이로써 **그의 명백한 속임수들이 드러나게 되어** 자신의 흉계대로 **이루어지지 않을 것이기 때문이다.**"

영적 고통을 혼자 숨기고 앓던 시기에 소화 데레사가 **상상한** 시나리오와 영적 고통을 고백한 후 **실제** 현실을 대조해 보면 도움이 될 것이다. **상상한** 시나리오는 슬픔과 절망으로 가득 차 있다. 이 시나리오에 따르면, 수련장에게 자신의 고통을 고백하는 것은 가르멜 수도회를 떠나야만 하는 결과가 된다. 그러나 정반대로, **실제** 결과는 기쁨과 새로운 희망으로 가득 차 있다. 소화 데레사는 수련장 수녀에게 솔직히 고백하고 나서 두려움으로부터 해방되고 가르멜 수도 생활에 대한 확신을 얻는다. 이 두 시나리오 사이의 **격차**는 악한 영의 속임수를 폭로하는 표시이자, 적당한 영적 지도자에게 털어놓는 일은 재앙이 되리라는 악한 영의 끊임없는 세뇌가 허위임을 폭로하는 표시이다. 바로 이것이 영적 실망의 시기에 있는 사람이 반드시 상기해야 할 점이다. 영적 실망에 빠진 사람에게 악한 영은 고통에 대해 함구하고 참는 것이 더 낫다고 끊임없이 유혹한다. 이것이 속임수요 허위라는 점을 신앙인은 명심해야 한다.

소화 데레사의 악한 영에 대한 조치는 그 정도에 그치지 않는다.

> 내가 고백을 끝내자마자 의심은 완전히 사라졌다. 그런데도 나는 이 겸손의 행동을 더 완전하게 만들기 위해서 원장 수녀님께도 내가 느낀 이상한 유혹을 털어놓고 싶어 말씀드렸지만, 원장 수녀님은 그냥 웃어넘기셨다.
> 9월 8일 아침에 나는 "사람의 모든 이해를 뛰어넘는 하느님의 **평화**"(필리 4,7)가 강물처럼 넘실대는 속에서 종신 서원을 했다.

우리는 이냐시오가 『영신수련』 13번에서 피정자에게 어떤 조언을 했는지 살펴봤는데, 영적 실망의 시기에 있는 피정자는 기도시간을 줄이라는 유혹을 받으면 오히려 조금 더 기도시간을 늘려서 "단지 역경을 **견딜 뿐 아니라** 거뜬히 **이겨 내게**" 하라고 조언했다. 소화 데레사는 정확히 이 전술을 따른다. 그녀는 수련장 수녀와 함께 영적 실망으로부터 이미 벗어났으나, 그에 그치지 않고 더 진격한다. 이제 그녀는 악한 영에게 저항하는 데 그치지 않고,

악한 영을 완전히 타도하고자 한다. 소화 데레사는 가르멜 수도회의 책임자이며 악한 영의 속임수에 대해 더 잘 알고, 더 성덕이 높은 원장 수녀에게 한 번 더 상담하고자 한다. 소화 데레사가 겪은 두려움에 티끌만 한 무게도 더 얹지 않는 원장 수녀의 행동은 두려움이 재발할 여지를 완전히 없애 버린다. 어둠은 완전히 사라지고, 이윽고 다음 날, 넘치는 영적 위로 속에서 종신 서원을 한다. "나는 '사람의 모든 이해를 뛰어넘는' 하느님의 **평화가 강물처럼 넘실대는** 속에서 종신 서원을 했다."

여기서 우리가 주목할 질문이 두 개 있다. 첫 번째 질문: 소화 데레사가 악한 영의 유혹에 굴복해서 성소 위기를 비밀로 숨기고 수련장 수녀에게 **말하지 않았다면** 무슨 일이 생겼을까? 다음 날 종신 서원을 할 수 있었을까? 만약 종신 서원했다손 치더라도, "사람의 모든 이해를 뛰어넘는 하느님의 평화(필리 4,7)가 강물처럼 넘실대는 속에서" 종신 서원을 할 수 있었을까? 만약 그녀가 끝내 이야기하지 않고 종신 서원을 했다면, 그 이후 세월 동안 성소와 관련된 결정을 할 때 어떤 상태에서 행했을까? 그 이후 세월 동안 분명히 다시 돌아올 힘든 고비에 어떤 악영향을 끼쳤을까? 이런 끔찍한 가능성은 그녀가 즉각적으로, 단호하게 적당한 영적 지도자를 찾아 솔직히 고백하면서, 흔적도 없이 사라져 버린다.

두 번째 질문: 만약 소화 데레사가 **이야기를 하긴 했지만, 수련장이 아닌 다른 사람에게** 했다면? "수련장 수녀님께 고백한다면 그분은 내 종신 서원을 막으실 거란" 두려움 때문에, 그녀가 시달리고 있는 혼란과 두려움에 맞설 역량이 없는 다른 수녀에게 이야기했다면? 어떤 응답을 들었을까? 더 선명하게 그녀 영혼의 상태를 보고, 완전히 안심시켜 줄 수 있었을까? 그 이후 세월 동

안 이 순간을 어떻게 기억하게 되었을까? 역량이 없는 사람에게 이야기했다면 영적 실망은 더 가중되었을 것이 분명하다. 감당할 자격이 있는 사람을 찾아 이야기한 소화 데레사의 용기가 심각한 위기를 극복하여 이 모든 것에서 자유롭게 해 주었다.

"나의 모든 걱정, 모든 망설임이 끝났다"

두 번째 사례는 토머스 머튼의 글에서 가져왔다. 이냐시오의 규칙 13을 실제로 행하려 할 때 상반된 방향의 내적 움직임이 오락가락하는 특징을 잘 보여 주고 있다. 토머스 머튼이 젊었을 때 켄터키주에 있는 겟세마니 트라피스트 수도원을 방문했다. 그곳에 있는 동안, 그리고 그 이후에도 한 가지 질문이 그의 머리를 떠나지 않았다. "주님께서는 이곳 겟세마니에서 트라피스트 수사가 되라고 나를 부르시고 계신가?" 토머스 머튼은 뉴욕 북부 지역에 있는 성 보나벤투라 대학에서 계속 가르치면서 결정 여부를 심사숙고했다.

성소에 대한 질문은 매력과 걱정이 뒤섞인 채로 토머스 머튼을 점점 더 강하게 사로잡았다. 그는 영적 지도자와 이야기를 나눌 필요가 있다는 것을 알았지만 주저했고, 아무런 진척 없이 수개월이 지나갔다. 그는 이렇게 썼다.

내 마음에서 싸움은 계속되었다. 나의 질문은 이제 한 가지 실제적 문제로 수렴되었다. "이 모든 질문에 대해 누군가와 상담을 하는 것이 어떨까?" 여기 성 보나벤투라 대학에 해결 방법이 있는데, 내가 지난해부터 잘 알고 지내는 사제였다. 현명하고 인품 좋으신 철학자 필로테우스 신부님이신데, 그분께는 가장 영적인 문제를 맡겨도 될 것이라는 믿음이 간다. 그런데 왜 그분에게 가지 않는 걸까?

이상하고도 미친 장벽이 나를 막았다. 그것은 맹목적이고 말도 안 되는 충동 같은 것이었다. …… 내가 최후통첩을 받을 것이라는 두려움이었다. 내 잠재의식에는 내가 어쩌면 수도자, 성직자로서 성소가 없다는 최종적, 결정적 통보를 받을 것이라는 두려움이 팽배했다.[185]

토머스 머튼은 그의 삶에서 가장 중요한 영적 문제에 직면하게 된다. 그는 이 문제와 관련해서 영적으로 노련한 사람과 이야기를 나누어야 할 필요가 있다는 점도 알았다. 소화 데레사처럼, 머튼도 그가 성소에 대해 가지고 있는 희망과 의심을 이야기 나눈다면 어떤 일이 일어날지에 대해 상상했다. 소화 데레사처럼, 그 결말은 성소에 대한 모든 희망의 끝일 것이라는 상상도 했다. 그가 쓴 대로, "어쩌면 수도자, 성직자로서 성소가 없다는 최종적, 결정적 통보를 받을 것이라는 두려움"을 느꼈다. 이 암울한 상상은 장벽처럼 머튼을 막아 세웠다.

수개월이 지났지만, 여전히 그는 결정하지 못했다. 이윽고 11월 어느 저

Thomas Merton, *The Seven Storey Mountain* (London: Sheldon Press, 1975), 333. 뒤이어 나오는 인용문은 333과 363-366에서 가져왔다. 머튼은 자신의 일기에 이 사건들을 적어 놓았다. [토머스 머튼, 『칠층산』, 정진석 옮김, (서울: 바오로딸, 2009)]. P. Hart, ed., *Run to the Mountain: The Story of a Vocation* (San Francisco: HarperCollins, 1995) 특히 457-459를 보라.

녁, 성소에 관한 문제를 더는 미룰 수 없는 때가 왔다.

마침내, 그 주 목요일 저녁에, 나는 갑자기 생생하고 강렬한 확신으로
가득 찼다.

"이때가 트라피스트 수사가 될 때이다."

물론 오랫동안 남아 있던 망설임이 내가 가는 길을 막고 있었다. 하지
만 이제 더는 지체할 수 없었다. 나는 이 문제를 끝내고 최종적 답을 얻
어야만 한다. 이 문제의 답을 도와줄 누군가와 이야기를 해야 한다. 5분
만에 끝날 수도 있지만, 지금이 바로 그때다. 지금이!

누구에게 물어봐야 하나? 필로테우스 신부님께서는 아마도 아래층
당신 방에 계시겠지. 나는 아래층으로 내려가서 뜰로 나갔다. 옳지, 필
로테우스 신부님 방에서 불빛이 새어 나왔다. 좋아. 방으로 들어가서 그
분이 말하는 것을 들어야겠다.

하지만 이렇게 하는 대신에, 나는 돌연 어둠 속으로 뛰쳐나갔고 숲으
로 향했다.

조용한 숲속에서 자갈을 밟는 내 발소리가 크게 들렸다. 나는 걸으면
서 기도했다. 소화 데레사 경당 주위는 너무나도 깜깜했다. "제발, 저를
도와주소서!" 나는 울부짖었다.

대학 건물로 돌아가려 발길을 옮기기 시작했다. "좋아. 이제 나는 정
말 신부님 방에 가서 신부님께 여쭈어봐야지. 신부님, 이런 상황입니다.
어떻게 생각하십니까? 제가 가서 트라피스트 수사가 되어야 할까요?"

필로테우스 신부님 방에는 여전히 불빛이 새어 나왔다. 나는 용감하게 복도를 걸어갔지만, 신부님 방을 여섯 발 정도 앞두고서는 마치 누군가가 나를 멈춰 세우며 나를 붙잡는 듯했다. 무언가 내 의지대로 움직이지 못하게 했다.

계속 걸으려 했지만, 나는 한 걸음도 더 내디딜 수가 없었다. 나는 나를 가로막고 있는 방해물에다 대고 용을 쓰다가 …… 되돌아서서 다시 건물 밖으로 나왔다.

다시 숲을 향해 걸었다. 자갈을 밟는 내 발걸음이 유난히 크게 들렸다. 조용한 숲속, 젖은 나무가 가득한 숲속에 혼자 있게 되었다.

지금까지 살아오면서, 내 영혼이 그렇게 긴박하고 그렇게 아팠던 적은 없었던 것 같다.

저녁을 덮는 어둠 속에서 혼자 치열하게 기도를 하고 난 후, 머튼은 "루르드의 성모 경당과 저 끝 미식축구장을 지나 길게 늘어진 길을 돌아서" 다시 건물로 되돌아갈 용기가 생겼고, 다시 한 번 더 시도했다.

정원 뜰로 들어와서 필로테우스 신부님 방에 불이 꺼진 것을 보았다. …… 가슴이 내려앉았다. 하지만 하나의 희망이 있었다. 나는 건물로 들어가 복도를 걸었고 수사님들 휴게실로 향했다. 유리 창문을 두드리고 문을 열어 안쪽을 바라보았다. 거기에는 다른 수사님들은 없었고 오직 필로테우스 신부님 한 분만 계셨다.

나는 신부님께 말씀을 나눠도 되는지 물어보았고, 우리는 신부님 방으로 갔다. 이것이 최종 결말이었다. 내가 가진 모든 걱정이 끝났고, 모든 망설임이 끝났다.

내가 가진 모든 망설임과 질문을 신부님께 말하자마자, 필로테우스 신부님은 내가 수도회에 들어가서 신부가 되지 못할 그 어떠한 이유도 찾을 수 없다고 말씀하셨다. 비이성적으로 보일지 모르지만, 그 순간만큼은 마치 내 눈에서 비늘이 벗겨진 듯, 내가 가졌던 모든 걱정과 의문이 얼마나 무의미하고 쓸데없는 것들이었는지 선명하게 볼 수 있었다. 사건이나 상황들에 신경 쓰면서 내 마음속에 있던 모든 것들이 과장되고 왜곡되었다. 하지만 이제는 모든 모습이 명확해졌고 다시 올곧게 되었다. 그리고 나는 이미 평화와 안심을 만끽한다. 모든 것이 괜찮아졌고, 곧게 뻗은 길이 분명하고 부드럽게 내 눈앞에 펼쳐졌다. 나는 마치 죽음에서 부활한 사람처럼 위층으로 올라갔다. 이전에 내가 체험하지 못했던 고요, 평화, 확신이 내 마음을 가득 채웠다.

머튼의 글은 이냐시오의 규칙 13을 분명하게 보여 주는 사례이다. 마무리하며, 조금만 더 덧붙이겠다. 소화 데레사의 경우처럼, **상상한** 시나리오와 **실제** 사이에는 격차가 있다. 전자가 희망의 종언을 보여 준다면 후자는 희망을 확인해 주고 새로운 삶을 열어 준다. 이 **격차**는 비밀로 덮어 두라고 계속 설득하는 악한 영의 목소리가 속임수임을 분명하게 드러내는 표시이다. 악한 영은 비밀로 덮어 두라고 계속 설득하는 것이 **너에게 도움이 되기** 때문에 그런다고 말한다. 그러나 실상은 사람을 악용하는 **원수의** "속임수와 사악함"에 도움이 되기만 할 뿐이다. 머튼이 이야기를 털어놓기 시작하자, 즉시 악한 영의 속임수는 완전히 없어진다. "모든 걱정과 의문"이 물러가고 그 자리는 "이전에 내가 체험하지 못했던 고요, 평화, 확신"이 가득 찬다.

머튼의 **마음**에서 상반된 방향으로 "오락가락하는" 내적 움직임("이야기해야 한다"-"말하기가 너무 두렵다")과, 외적으로 **장소**와 관련해서 일어나는 움직임(정원 뜰-숲-복도-숲-휴게실)의 역동에 주목하는 것도 의미 있는 일이다. 이런 연속적인 동작을 묘사하면서, 머튼은 열심한 신앙인들이 적당한 영적 지도자에게 마음을 열고 상담하려 할 때, 그들이 느끼는 것을 생생하게 묘사한다. 그들은 머튼처럼 털어놓고 말하고 싶은 욕구와 말하는 것에 대해 느끼는 두려움 사이에 갇혀 있는지도 모른다. 소화 데레사와 토머스 머튼처럼, 적당한 사람에게 말을 하게 되면 고통스러운 결과만 나올 것이라고 상상할지도 모른다. 머튼처럼 수개월이나 아니면 더 긴 시간 동안 실제로 이야기를 하지 않은 채 시간을 흘러보낼 수도 있다. 이런 심정은 모두 내적 고통을 털어놓고 싶은 어느 신앙인에게나 일어날 수 있다. 그리고 머튼처럼 용기를 내어 이야기할 때, 그들도 두려움에서 자유로워질 것이고 그들의 영적 여정을 이끌어 나갈 수 있는 "고요, 평화, 확신"을 새로이 되찾을 것이다. 열심한 신앙인이 이렇게 상반된 방향으로 오락가락하는 내적 움직임, 털어놓고 말하고 싶은 욕구와 말하기를 주저하는 망설임 사이를 오가는 역동을 체험한다면, 그때는 이냐시오의 규칙 13을 되새겨야 할 때이다. 솔직하게 고백하는 선택을 하는 데서부터 해방이 시작될 것이다.

"마음에 새로운 희망을 안고"

평범한 신자의 생활에서 마지막 사례를 들어 보겠다.

샐리는 신앙심이 깊고 하느님을 섬기는 일에 매우 열정적인 사람이다. 그녀는 봉사의 삶을 살아가면서 행복감을 느끼고, 많은 사람이 그녀가 본당 공동체나 가정에서 보여 주는 신앙심과 사랑에 감사한다. 그녀는 영의 식별에 관한 이냐시오의 가르침을 잘 알고 있다. 그녀는 온 정성을 바쳐 봉사하고, 그러다 보니 때때로 지치기도 한다. 최근에 그녀는 다시 한번 그녀가 책임으로 맡은 많은 일을 열심히 하면서 어느 정도 소진되었다. 그녀는 힘을 새롭게 하고자 며칠간 봉사활동을 줄이려 한다. 그러자마자 그녀는 외로움을 느끼고 마음이 무겁다. 기도가 산란해지면서 이제는 주님을 섬기는 봉사 자체의 가치까지 의심이 든다. 그녀가 지금까지 해 왔던 것처럼 봉사를 계속해야 하는지에 대해 의문을 가지기 시작한다.

몇 주 전에 그녀는 가까운 친구인 조안 수녀와 저녁을 함께 먹기로 약속했다. 샐리는 지난 며칠 동안 마음을 짓누르는 무거운 느낌에 대해 수녀에게 이야기한다. 조안 수녀는 가만히 듣고서는 간단명료하게 응답한다. "들어 보니 영적 실망의 시기에 있는 것 같네요." 샐리는 이 말을 듣자마자, 마치 잠에서 깨어난 듯 조안 수녀의 말이 옳다는 생각이 들었고, 영적 실망을 각성하지 못한 채 지난주 동안 영적으로 황폐했다는 것을 의식하게 된다. 새롭게 의식하게 되자, 그녀가 느꼈던 무거운 상실감이 상당히 해소되었다. 그녀는 이제 그녀가 처한 영적인 상황을 분명히 파악하게 되고 어떻게 대응할지 생각하기 시작한다. 저녁 식사 후에 그녀는 마음에 새로운 희망을 안고 집으로 돌아온다.[186]

이 사례에서는 이야기한 상대방이 악한 영의 "속임수와 사악함"을 충분히 알고 있는 친구이기 때문에 괴로워하던 샐리를 도울 수 있었다. 조안 수녀와 이야기를 나누면서, 샐리는 자신을 움켜쥐었던 악한 영의 손아귀에서 떨쳐 나온다. 조안 수녀의 도움을 통해, 샐리는 혼자서는 할 수 없었던 변화를 이루어 낸다. "영적 실망에 빠진 나"에 그쳤던 그녀가, "영적 실망에 빠진 나를 바라보는 나"로 나아간다. 이 과정에서 새로운 희망을 찾는다. 하느님께서 영적 실망에 괴로워하는 사람에게 창조적 방법으로 악한 영의 "속임수와 사악함"에 정통한 "또 다른 영적인 사람"을 보내어 도와주시는 사례는 이것 말고도 많다. 만약 괴로운 시간을 보내고 있는 사람들이 혼자 괴로워하지 말고, 적당한 영적 지도자를 찾아 대화를 나눈다면, 샐리처럼 새로운 희망을 되찾을 수 있을 것이다.

---

186 이 이야기는 본인의 허락을 받고 사용한다. 실명 대신 '샐리'라는 가명을 썼으며 몇몇 세부적인 부분은 내용을 바꿨다.

14장

약점의 보강 (규칙 14)

아빠스 포에멘은 아빠스 아모나스가 이렇게 말했다고 전했다. "어떤 사람
은 도끼를 가지고 있기는 한데, 나무를 베는 데 쓰지 않고 평생을 지낸다.
반면 에, 도끼질해서 나무를 베어 본 경험이 많은 사람은 도끼를 몇 번만
내리쳐도 나무를 벨 수 있다. 식별이란 바로 이 도끼질 경험 같은 것이다."

- 사막 교부들의 금언

영악한 공격

마지막 규칙에서 이냐시오는 또 다른 차원에서 악한 영의 공격을 물리치
는 법에 대해 가르친다. 규칙 12에서는 악한 영의 속임수가 **시작되는 시점**에
초점을 맞추고서 이 시작되는 초기에 단호히 저항해야 한다고 말했다. 속임
수가 막 시작될 때 단호하게 저항한다면 속임수가 눈덩이처럼 더 커지기 전에
악한 영을 물리칠 수 있다. 이 **시작점**이야말로 악한 영이 본질적으로 약하다
는 사실이 가장 쉽게 분명해지는 때이며 또한 악한 영을 가장 손쉽게 무너뜨
릴 수 있는 때이다.

하지만 굳이 시작될 때까지 기다려 저항할 필요는 없다. 식별 능력이 있

는 사람들은 **속임수가 시작되기 전에** 저항할 준비를 할 수 있다. 그들은 자신의 영성 생활 중 **어디가** 악한 영의 공격을 받을 수 있는 취약점인지 알아내어 미리 대비할 수 있다. 만약 이것이 가능하다면 악한 영이 공격을 시작하기 전에 차단할 수도 있다. 이 경지가 이냐시오식 영의 식별인 감지하고 파악하여 저항하는 가장 고급 단계이다. 규칙 14는 이 고급 경지에 이르는 데 도움이 되는 규칙이다.

규칙 14도 비유법으로 시작한다.

규칙 14. 또한 원수는 적을 쳐부수어 자기가 원하는 것을 약탈하고자 하는 적장처럼 행동한다. 즉, 전쟁터의 최고 사령관이 진을 치고 상대방의 병력과 성의 배치를 살핀 다음 가장 취약한 부분을 공격하는 것과 같이 인간 본성의 원수도 우리 주위를 맴돌며 향주덕과 사추덕 및 윤리덕을 살펴보아 가장 취약한 곳, 우리의 영원한 구원에 가장 필요한 곳을 틈타서 우리를 공략하고 정복하려 한다.

규칙 12에서 이냐시오는 초기에 단호히 저항하면 원수는 **본질적으로 약하다**는 점에 초점을 맞춘다. 규칙 13에서는 원수는 그의 속임수가 **비밀**로 부쳐지기를 바란다는 점에 초점을 맞춘다. 이제 규칙 14에서는 우리 영성 생활에서 **가장 취약한 곳을 파고드는** 원수의 영악함과 가장 취약한 곳을 정확하게 타격한다는 점에 초점을 맞춘다.

앞선 규칙 12, 13과 같이, 이 규칙에서도 이냐시오는 **자연스러운 본성에**

반하는 인간의 상황을 비유법으로 묘사하고 있다.[187] 여기 최고 사령관[188]은 존경할 만한 인물이 아니며, 현명하게 그의 부하들을 고귀한 뜻으로 이끄는 이가 아니다. 그는 도적 떼의 영악한 우두머리일 뿐이며, 오로지 **약탈과 도둑질** 생각뿐이다. 우리는 좀 더 상상력을 가미해서 이 규칙의 비유를 살펴보고, 이어서 열심한 신앙인들의 실제 체험에 적용해 보자.

비유법이 묘사하는 풍경을 상상해 보면 이냐시오가 살았던 스페인의 한 풍경이 그려진다. 넓은 들판과 숲이 펼쳐져 있고, 높은 언덕에 성채가 자리 잡고 있다. 이 성채는 바위벽과 탑으로 방어벽을 구축한 곳이며 벽에 난 성문을 통해서만 접근할 수 있다. 어느 날 성채 안에 사는 사람들은 무장한 한 무리의 도적 떼가 접근하고 있는 것을 보게 된다. 도적 떼는 점점 가까이 다가와, 성채의 무기들이 닿지 않는 사정권 밖에 진지를 구축한다.

성채의 백성들이 살펴보니, 이 도적 떼 무리의 우두머리가 부하들을 이끌고 말을 달려 지형과 성곽의 방어 체계와 성문의 위치 등을 정찰하고 돌아간다. 우두머리는 방어 체계에서 **가장 취약한 지점을 철저히 확인**한다. 그는 부하들을 불러 모아 가장 준비가 덜 된 취약 지점을 정확하게 공격한다. 사실, 성곽의 방어 능력은 가장 취약한 지점의 방어 능력과 같다. 성곽이 아무리 튼튼하고 잘 방어된다 한들, 문이나 탑, 또는 벽의 한 부분이 무너져 뚫린다면, 그 성채 안에 있는 군사와 백성을 구할 수 없기 때문이다.

---

187 Gil, *Discernimiento*, 252-253.

188 "caudillo"라는 단어는 이냐시오가 『영신수련』 138-140번에서 두 개의 깃발 묵상을 말할 때 부정적 의미로 사용된다. Gil, *Discernimiento*, 252를 참조하라.

이냐시오가 비유법으로 전하는 요점이 바로 이것이다. 악한 영이 열심한 신앙인의 영혼을 공격하는 것도 "상대방의 병력과 성의 배치를 살핀 다음 '가장 취약한 부분'을 공격하는 것과 같이" 한다고 이냐시오는 단언한다. 악한 영은 노리는 먹잇감의 주변을 배회하며 인간성을 둘러보고는 차례로 **향주덕과 사추덕 및 윤리덕**을 탐색한다.[189] 그리고 정확하게 그 사람의 가장 취약한 지점(곧, 그가 가장 공격받고 싶어 하지 않는 지점)을 공격하여, "우리를 정복하려한다." 비유에서 보듯, 악한 영은 영적으로 **가장 취약한 지점**을 찾아내고 여지없이 공격하는 데 매우 영악하고 실수가 없다. 그리고 다시 비유에서 보듯, 열심한 신앙인의 전체적인 영적 "방어 체계"의 방어 능력은 취약점이 공격받을 때 그 사람의 대항 능력과 같다.

13장에서 보았던 샐리의 사례는 규칙 14가 어떻게 적용되는지 잘 드러내는 사례도 된다. 샐리의 사례를 여기서 다시 한번 인용해 보자.

> 샐리는 신앙심이 깊고 하느님을 섬기는 일에 매우 열정적인 사람이다.
> …… 많은 사람이 그녀가 본당 공동체나 가정에서 보여 주는 신앙심과
> 사랑에 감사한다. 샐리는 온 정성을 바쳐 봉사하고, 그러다 보니 **때때**
> **로 지치기도** 한다. 최근에 그녀는 다시 한번 그녀가 책임을 맡은 많은
> 일을 열심히 하면서 **어느 정도 소진되었다.**

---

189 **향주덕**은 믿음, 희망 사랑이며, **사추덕**은 지혜, 정의, 용기, 절제이다. **윤리덕**은 종교(신앙), 헌신, 순명, 정결, 온화, 겸손 등이다. Gil, *Discernimiento*, 255.

이냐시오가 사용하는 용어로 살펴보자면, 샐리는 분명히 "우리 주 하느님을 섬기는 데 선에서 더욱 큰 선으로 나아가는" 사람이다. 전반적으로 샐리는 "향주덕과 사추덕 및 윤리덕"이 풍성하고 많은 열매를 맺는 삶을 살아가고 있다. 영성 생활을 지키는 방어 체계 또한 전반적으로 활기가 넘치며 튼튼하다.

하지만 샐리에게도 역시 "가장 취약한 곳, 우리의 영원한 구원에 가장 필요한 곳"이 드러난다. 바로 "때때로 지치기도 한다. …… 많은 일을 열심히 하면서 어느 정도 소진되었다." 이 지점이다. 이 지점을 악한 영은 "공략하고 정복하려 한다." 그녀가 지쳐서 비영적 실망에 빠지면서, 이것이 발판이 되어 영적 실망도 그녀에게 다가온다. 우리가 앞에서 익히 보았듯이 "기도가 산만해지면서 이제는 주님을 섬기는 봉사 자체의 가치까지 의심이 든다. 그녀가 지금까지 해 왔던 것처럼 봉사를 계속해야 하는지에 대해 의문을 가지기 시작한다."

샐리는 친구 조안 수녀의 도움을 받아서, 영적 실망에 빠졌음을 감지하고 저항하며 극복한다. 그러나 샐리가 자신의 영적 취약점을 묵상하지 않고 보강하지 않는다면, 미래에 과로와 소진 상태가 될 때마다 여전히 영적 실망 앞에 취약할 것이다. 그래서는 악한 영의 교묘한 공격을 도저히 견뎌 낼 수 없다. 지금의 영적 실망에서도 그녀는 쉽게 "지금까지 해 왔던 것처럼 봉사를 계속해야 하는지에 대해 의문을 가지기 시작한다." 열심한 신앙인들이 자신의 영적 취약점을 찾아내어 보강하는 대비가 중요하다는 점이 분명해진다.

대비책

규칙 12, 13에서 이냐시오는 악한 영의 특성을 명확히 기술하고(강한 자에게 약하고 약한 자에게 한껏 강하다, 자기의 말과 거짓 약속들이 비밀에 부쳐지기를 바란다), 열심한 신앙인들이 이 특성에 **어떻게 대응해야** 하는지도 명확히 기술했다(유혹들에 저항하는 정반대의 행동과 단호한 태도, 훌륭한 고해 사제, 또는 원수의 속임수와 사악함을 아는 다른 영적인 사람에게 그것들을 밝힌다). 이 두 규칙에서 이냐시오가 가진 목적은, 악한 영의 전술에 **효과적으로 대응**하는 법을 가르쳐서, 악한 영의 전술을 무력화하고 피해자가 될 뻔한 사람을 구하는 것이다. 이를 위하여 악한 영이 유혹하는 특성을 비유법으로 기술했고, 유혹에 대응하는 법도 구체적으로 기술했다.

규칙 14에서도 이 목적은 같다. 다만 앞선 두 규칙에서 답을 명확하게 기술했다면 여기서는 암시적으로 넌지시 답을 제시한다.[190] 만약 악한 영의 특성

---

190 Gil, *Discernimiento*, 223-224. 여기서 힐은 그가 규칙 12, 13, 14의 "점점 불충분해지는 실명"이라고 부르는 특성을 언급한다. 이 세 규칙에서 이냐시오는 원수의 세 가지 전술을 논한다. 이냐시오는 규칙 12에서 비유와 그 비유의 적용에 있어 **두 가지 가능한 대응법**(단호함-약함)을 분명히 묘사한다. 규칙 13에서 비유나 그 적용에서는 **오직 첫 번째** 대응법만 분명하게 설명한다(곤란에 빠진 이가 말하기를 선택한다). 두 번째로 가능한 대응법(곤란에 빠진 이가 말하지 않기로 선택한다)과 그 결과(원수의 속임수가 계속되고 해를 끼친다)는 분명히 이해가 되지만 암시적으로 나타난다. 규칙 14에서 비유와 그 적용에서는, 이냐시오는 오직 원수의 전술(가장 약한 지점을 공격한다)만 적고 있으며, **가능한 대응법에 대해서는 분명하게 밝히지는 않는다**. **첫 번째** 대응법(미리 준비한다)과 **두 번째**(미리 준비하지 못한다)도 적혀 있지 않고, 첫 번째의 결과와 그 다른 결과(원수의 공격이 실패로 돌아간다, 원수가 그 사람을 굴복시킨다)도 적혀 있지 않다. 이 모두가 비록 분명히 의도되었다 해도, 다만 앞선 두 개의 규칙과 같이 규칙 14도 그 유사점이 있어서 암시되어 있을 뿐이다. 힐은 "이냐시오 성인은 자신이 강조하고자 하는 부분은 분명하게 설명하지만, 나머지 부분은 암시할 뿐이다"라고 말한다(224).

이 가장 약한 부분을 공격하여 가장 해로운 손해를 끼치는 것이라면, 열심한 신앙인은 당연히 자신의 가장 약한 부분을 **감지하고 공격받기 전에** 약점을 고치고 **보강해야** 한다. 그러면 악한 영이 아무리 취약점을 찾아내는 술책을 영악하게 발휘하더라도, 속임수를 써서 **공격해 오기 전에** 물리칠 수 있을 것이다.

우리는 상상력을 발휘하여, 이냐시오가 규칙 14에서 묘사한 비유법을 취약점을 미리 대비하는 모습에 빗대어 활용할 수 있다. 그렇게 함으로써 이냐시오가 암시한 메시지를 더 분명하게 이해할 수 있다. 높은 언덕에 성채가 자리 잡고 있는 풍경을 상상하자. 시기는 아직 도적 떼가 다가오기 이전이다. 하지만 성채 안에 사는 백성은 방랑하는 도적 떼가 때때로 그들의 성채를 공격한다는 것을 오랜 경험을 통해 알고 있다. 그래서 성채의 지도자들은 그와 같은 공격이 미래에 올 것에 대비해서 요새의 시설과 방어 체계를 점검한다. 그렇게 하면서, 지도자들은 가장 취약한 부분을 분명히 확인한다. 이제 그들은 과거에 왜 그렇게 자주 그 지점에서 공격을 받았는지를 파악하게 된다. 평화가 유지되는 시기에, 그들은 방어 체계에서 가장 약한 부분을 강화하고, 돌을 쌓아 넓히고 높이면서 보수한다.

몇 주 뒤 어느 날 무장한 한 무리의 도적 떼가 접근한다. 그들은 성채 가까이 진지를 구축하고 그 우두머리가 성채 주위를 돌면서 구석구석 약한 부분을 탐색한다. 그러나 이번에는 결과가 사뭇 다르다. **가장 약했던 지점이 더는 약하지 않다.** 이제 도적 떼는 그냥 공격을 포기하거나 계획대로 공격한다면 훨씬 강력한 저항을 맞닥뜨려야 한다. 가장 약한 지점을 찾아내는 우두머리의 영악한 감각은 더는 소용이 없으며, 도적 떼의 전술은 그들이 성채에 접근하기 훨씬 전에 이미 파악되었고 효력을 잃었다.

이렇게 상상한 비유법을 이제 규칙 14에서 가르치는 영의 식별에 실제로 적용해 보자. 성채의 현명한 백성들처럼, 열심한 신앙인들도 자신의 "향주덕과 사추덕 및 윤리덕", 즉 영적 방어 체계의 모든 부분을 악한 영이 다시 공격하기 **전에 미리 성찰**해야 한다. 어느 지점이 "가장 취약한 곳, 신앙인의 영원한 구원에 가장 필요한 곳"인지를 분명하게 포착하고 확인해야 한다.[191] 자신의 취약점을 확인했다면, 평소 영성 생활에서 이 취약점을 **보강**하는 노력을 기울여야 한다. 만약 그렇게 한다면, 악한 영이 다시 공격해 와서 특히 이 취약점을 괴롭힐 때 더는 무기력하게 패배하지 않을 것이다. 악한 영이 다시 돌아오기 전에 신앙인은 미리 평소 영성 생활에서 현명하게 묵상하고 영적 노력을 기울이면서, 아킬레스건이 되는 취약점을 보강하기 때문에, 유사시 영적 투쟁을 벌여야 할 시기에 흔들림 없이 굳세게 저항하여 이길 수 있게 된다.[192]

친구인 조안 수녀의 도움으로 영적 실망에서 벗어난 샐리의 사례를 가정하여, 자신의 취약점에 대해 미리 대비하는 법을 예시하자면 다음과 같이 될

---

191 여기에 있는 역동성은 규칙 10과 비슷하다. 영적 위로와 영적 실망의 맥락에서, 이냐시오는 결국 되돌아오는 영적 실망을 **영적 위로의 시기에** 준비하라고 조언한다. 여기에 있는 좀 더 구체적인 맥락인 열심한 신앙인의 가장 약한 부분에 대해, 이냐시오는 필요의 시기 **전에 미리** 준비하라고 다시 한번 조언한다.

192 식별하는 이가 그렇게 섬세하게 감지하고 준비할 수 있을 때, 그 사람은 제2주간 식별 규칙에 묘사된 영적 상황으로 들어가기 일보 직전에 있다(『영신수련』, 328-336번). 이 새로운 영적 상황 속에서 원수는 다른 전술을 사용하는데, 식별하는 이는 그 전술에 맞게 적절히 저항해야 한다. 『영신수련』 9-10번을 참조하라.

것이다. 샐리는 지난 몇 년 동안 자신의 기도와 봉사의 삶을 되돌아보기로 결심한다. 그렇게 하면서, 그녀는 두 가지 부분에 주목한다. 하나는 긍정적 측면으로서, 하느님께서 진정으로 그녀 삶의 중심이셨다는 것을 새삼 실감하고 기뻐한다. 그리고 기도는 그녀에게 축복임을, 그녀의 봉사하는 능력이 계속 성장해 왔음을 느끼며 즐거워한다. 그러나 다른 하나는 부정적 측면으로서, 자신이 과로에 이를 정도로 기진맥진할 때까지 봉사하는 **경향을 되풀이**하면서, 영적 실망에 빠지는 것도 분명히 보게 된다. 그녀의 봉사와 헌신이 이런 식으로 흐를 때마다, 그녀는 비영적 실망을 극복하기 위하여, 또한 비영적 실망에 따라오는 영적 실망을 극복하기 위하여 많은 시간과 노력을 들였다는 것을 깨닫는다. 그녀는 봉사와 헌신을 하는 중에 과로, 기진맥진할 정도로 무리한 열정이 되풀이되는 경향이 악한 영의 공격을 받기 가장 쉬운 자신의 **취약점**임을 똑똑히 깨닫는다.

샐리는 더 나아가 이 약점을 고치고 보강하기로 결심한다. 부정적 측면이 되풀이되는 경향이 있다는 것을 새롭게 깨달은 그녀는 이 성찰 결과에 대해 영적 지도자와 상담한다(규칙 13). 노련한 영적 지도자와 이야기를 나누는 것만으로도 자신의 취약점이 종합 정리된다. 샐리는 영적 지도자와 함께, 왜 그렇게 지나칠 정도로 일하는 경향을 보이는지 살펴보며, 이 각도에서 자신에 대해 더 깊이 이해한다. 두 사람은 가정생활, 본당 활동에서 샐리가 무리하지 않고 건강하게 활동할 수 있는 한도가 어느 정도인지에 대해 이야기를 나눈다.

샐리는 새롭게 깨닫게 된 자신의 취약점에 대해 매일 몇 분 동안 성찰하고 일기를 쓰겠다고 결심한다. 이런 성찰과 영적 일기를 통해 그녀는 자신의 방식과 습관에 대해 더 깊은 통찰력을 가지기를 희망한다.[193] 또한, 이렇게 매일 영적 감지를 키워 가면서, 자신의 취약점이 공격받기 시작하는 초기에 유혹이 시작됨을 알아차리고, 더 위협적으로 커지기 **전에 미리** 유혹에 효과적으로 대응할 수 있기를 희망한다. 샐리와 그녀의 영적 지도자는 다음 몇 달 동안 만날 때마다 이 특정한 주제에 대해 상담하기로 의견을 모은다. 샐리는 친구 조안 수녀와도 이 주제에 대해 의논할 계획을 세운다.

　이제는 분명히, 과로할 정도로 열심히 일하라고 악한 영이 속임수를 부려도, 샐리는 호락호락 말려들지 않을 것이다. 성채를 지킨 현명한 백성들처럼, 그녀도 악한 영의 다음 공격이 있기 **전에 미리** "방어 체계"를 재검토해 보았고, 앞으로 공격이 있을 거라고 예견하면서 효과적으로 이 방어 체계를 **강화시켜** 왔다. 가장 약한 부분을 튼튼하게 보강하면서, 샐리는 영적인 삶 **전체를** 튼튼하게 했다. 이제 그녀의 영성 생활은 하나의 "아킬레스건"에 구멍이 뚫려 성벽이 무너지는 피해를 더는 보지 않는다. 그렇게 그녀의 영성 생활은 더욱 굳건하게 유지되고 성장하게 될 것이다. 규칙 14에 들어 있는 지혜를 실제로 적용함으로써, 샐리는 그녀의 가장 큰 약점을 영적 성장의 활력소로 반전시켰다.

　샐리처럼 열심한 신앙인들이 자신의 약점을 정직하게 확인하고 강화하는 노력을 기울일 때, 전체 영성 생활이 풍성한 축복을 받게 된다. 그러면 이 취약한 부분들이 뚫려서 영적 "방어 체계" 전체를 뒤흔드는 일은 없을 것이다. 반대로 이 취약한 부분이 영적 성장을 이루어 가는 반전의 계기가 된다.

193　이는 이냐시오식 성찰의 전형적 방식이다(『영신수련』, 24-31번).

이냐시오의 규칙 14가 바로 반전의 계기를 열어 주는 비결이다.

개인 특유의 약점

다니엘 힐이 지적했듯이, 악한 영은 열심한 신앙인의 일반적인 "향주덕과 사추덕 및 윤리덕" 어느 곳이든 공격할 수 있다.[194] 이냐시오가 『영신수련』에서 기술하고 있는 악한 영의 일반적인 공격 패턴은 소유욕을 부채질해서 결국 이기적인 사람으로 변질하게 만드는 것(『영신수련』, 142), 하느님에 대한 신뢰를 잃어버리게 만드는 것(규칙 4), 이전의 올바른 계획과 결심을 영적 실망의 시기에 바꾸도록 만드는 것(규칙 5) 등이다. 하지만 **모든** 열심한 신앙인에게 있을 수 있는 일반적 약점 이외에, 이냐시오는 샐리의 경우와 같이, **개인마다** 자기만의 취약점도 있을 것이므로 이런 개인 특유의 약점이 **정밀 타격**을 받을 수 있다고 생각한다. "영원한 구원에 가장 필요한 곳을 틈타서 우리를 공략하고 정복하려 한다."

열심한 신앙인들이 일반적으로 가지고 있는 "향주덕과 사추덕 및 윤리덕"을 점검하고 나서, 그 외에 개인 특유의 필요한 부분은 구체적으로 무엇일까? 샐리의 경우에는 봉사활동을 하면서 과로하고 지쳐 버리는 경향이 특유의 개인적 약점이었다. 우리는 몇 가지 예를 더 살펴보면서 규칙 14를 더 잘

---

194 Gil, *Discernimiento*, 257. 『영신수련』에서 인용한 글과 이 문단의 나머지 부분은 힐이 p.257에서 드러낸 방식을 잘 따르고 있다.

이해하고 우리 삶에 이 규칙을 적용해 보고자 한다.

우리는 4장에서 8일 피정 동안 영적 위로와 영적 실망이 교차했던 제인 수녀의 사례를 보았다. 여기서 그 사례의 다른 부분을 인용하여, 개인적 약점과 그것을 보강하는 노력에 관한 설명을 이어가도록 하겠다.

제인 수녀는 30대 후반이다. 그녀는 내성적이지만 정감적이고 상상력이 풍부하다. 또한, 다방면에 감성이 풍부해서 이상주의와 열정에 쉽게 감동하기도 하고, 실패나 외로움에 쉽게 가라앉는 등 감정 기복이 있다. 그녀는 그리스도를 사랑하고 있으며 하느님께 가까이 가고자 하는 열망과 다른 이들에게 봉사하고자 하는 열망도 가지고 있다. 지난 일 년 반 동안 그녀는 영적 지도를 받아 왔고, 매일 기도와 매달 피정을 꼬박꼬박 지켜 영성을 심화해 왔다.[195]

제인 수녀는 "정감적이고 상상력이 풍부"한 사람이며, "감성이 풍부"한 사람으로 보인다. 그녀의 영성 생활에는 많은 장점이 보인다. 그녀의 영적 방어 체계는 군건해 보인다. 제인 수녀에게도 영적으로 "가장 취약한 곳, 영원한 구원에 가장 필요한 곳"이 있을까? 취약점이 될 수 있는 한 가지 잠재 요소는 "다방면에 감성이 풍부해서 **이상주의와 열정에 쉽게 감동**하기도 하고 **실패나 외로움에 쉽게 가라앉는** 등 감정 기복이 있다"는 점이다. 사실 그녀는 영적 위로가 찾아오면 이미 충분한데도 무리하게 에너지를 더 쏟아 내고, 반면 영

---

195 Toner, *Spirit of Light or Darkness*, 65.

적 실망이 찾아오면 지나치게 가라앉아 침체하곤 한다.

이냐시오의 규칙 14의 관점에서 보면, 제인 수녀는 이 경향에 대해서 성찰해 보아야 한다. 혼자서 할 수도 있고, 샐리처럼 노련한 영적 지도자나 적당한 친구의 도움을 받아서 자기 자신을 더 잘 이해할 수도 있다. 또한, 그녀의 영적 방어 체계를 보강하는 데 도움이 되는 다른 수단을 강구할 수도 있다. 만약 제인 수녀가 자신의 취약점에 대해 더 깊이 자기를 이해하고, 앞으로 이 취약점이 공격받을 경우를 대비해 대항 수단을 능동적으로 **준비한다면**, 그 후에 어떤 일이 벌어진다고 가정할 수 있을까? 장차 영적 위로의 시기와 영적 실망의 시기가 교차할 때 예전과 같이 심한 기복을 보일까? 다시 악한 영이 놓은 덫에 쉽게 걸리게 될까? 만약 제인 수녀가 사전 대비책을 아무것도 취하지 **않는다면**, 다시 취약점이 공격받을 때 무슨 일이 일어나게 될까? 계속해서 같은 덫에 걸려 쓰러지게 되지 않을까?

이런 질문이 이냐시오가 규칙 14에서 의도하는 요점이다. 자신의 취약점을 정직하게 확인하고 보강하는 노력을 하라는 것이다. 만약 그렇게 하지 않으면, 취약점이 그대로 방치되었다는 원인 때문에 여전히 악한 영의 공격을 쉽게 허용한다. 그 결과로 이런 사람은 악한 영이 가하는 피해에 계속해서 노출되어 있을 것이다. 반면에, 정성껏 자신의 취약점을 확인하고 보강하는 사람은 어떨까? 그들은 특정한 부분이 공격받아 피해 보는 일이 없어질 것이고, 영적 방어 체계 전체가 더 튼튼해져서, 가장 성장이 필요한 부분이 실로 성장을 이룩하는 영적 축복을 받을 것이다. 우리는 제인 수녀가 "감성이 풍부해서 이상주의와 열정에 쉽게 감동하기도 하고, 실패나 외로움에 쉽게 가라앉는" 기복을 자신의 개인적 취약점으로 인정하고, 이 특정한 취약점을 잘 성찰하여 보강하는 노력을 단단하게 해 가는 모습을 상상해 볼 수 있다. 그렇다면, 우리는 그녀가 풍요로움 속에서 그녀의 마음이 바라는 대로 주님을 향해 나아가는 모습도 흐뭇하게 바라볼 수 있다.

아래는 규칙 14를 적용한 또 다른 사례이다.

짐 수사는 몇 년 동안 소속 수도회에서 잘 살아왔다. 그는 분명 자기 수도회를 사랑하며 사도직에 열정을 가지고 있다. 그런데 최근에 한 가지 매우 어려운 일에 부딪혔고, 자신의 선의와 노력과 기도에도 불구하고 그 일이 나아지기는커녕 더 악화되었다. 그는 수도회 지도자들을 향해 억울한 심정, 믿지 못하겠다는 마음이 점점 쌓인다. 그러다 보니, 장상들로부터 어떤 지시나 제안이 오면 저도 모르게 반항하는 반응이 나온다. 그는 마음을 열고 순명하려고 노력하지만, 오히려 그럴수록 내적 긴장만 더해진다. 더 심각한 사실은, 하느님을 향한 그의 태도마저 두려움과 불신에 물들고 있다는 것이다. 그는 이 모든 것 때문에 불안해지고 혼란스러워지며, 자신이 과연 그리스도를 닮으려는 수도자가 맞나 싶은 죄책감과 절망이 깊어진다.[196]

짐 수사는 분명히 주님을 사랑하고 섬기고자 하는 사람이다. 그는 수도회에 입회하였고, "자기 수도회를 사랑하며 사도직에 열정을 가지고 있다." 또한

---

196 위의 책, 48-49.

'선의를 가지고 노력과 기도를 하는' 사람이다. 짐은 그 안에 선이 가득하며, 우리가 이미 살펴본 다른 사람들처럼, 영적 방어 체계가 잘 갖춰진 사람이다.

하지만 위의 글에 나오듯이, "한 가지 매우 어려운 일"에 봉착하여 짐 수사는 공동체 생활도, 하느님과의 관계도 심각할 정도로 방해를 받는다. 그는 수도회 지도자들을 향해 "억울한 심정, 믿지 못하겠다는 마음"이 쌓이고 있으며, "장상들로부터 어떤 지시나 제안이 오면 저도 모르게 반항하는 반응이 나온다." 그는 마음을 열려고 노력하지만 성공하지 못하고, 실제로는 "그 일이 나아지기는커녕 더 악화되었다." 하느님과의 관계 또한 영향을 받아서 "두려움과 불신에 물들고," "죄책감과 절망이 깊어진다."[197]

이 사례의 특징은, 수도 생활뿐만 아니라 하느님과 관계에서도 짐 수사의 어려움에는 감정적 격동이 작용하고 있다는 점이다. 이 감정적 격동의 정체는 무엇인가? 어떻게 이런 감정적 격동이 자라 왔는가? 이 감정적 격동이 짐 수사와 수도회 장상들과의 관계, 기도 생활에 어떤 영향을 끼치고 있나? 위의 글에서 짐 수사가 이런 내적 움직임에 대해 파악했다거나, 공동체 생활과 영성 생활에 끼친 영향에 대해 파악했다고 진술한 부분이 없다. 짐 수사가 자신의 괴로움에 대해 다른 누군가와 이야기를 나누었다거나, 노련한 지도자를 찾아가서 도움을 받았다는 진술도 없다(규칙 13). 그는 자신의 "구원에 가장 필요한 곳"에 대해 감지하고 있고, 기꺼이 노력할 용기가 있어 보인다. 하지

---

197 위의 책, 80에 이렇게 적혀 있다. "짐은 정서적인 문제, 권위에 대한 콤플렉스가 있어서 심리치료가 필요해 보인다. 그는 권위자에 대한 자신의 감정적 응답 방식을 탓하면서, 이것을 도덕적 실패로 보고 자신의 책임이라고 여기며 단지 선한 의지로 극복 가능한 것처럼 여긴다. ('거짓의 아버지'가 작용한) 그 결과로 그는 영적 실망에 빠진다."

만 그는 혼자서 분투하고 있을 뿐이다. 그 외로운 분투에는 눈에 보이는 진척도 없고 나아질 가망도 없어 보인다.

다른 여러 미덕을 갖추고 있지만, 짐 수사는 "한 가지 매우 어려운 일"의 덫에 걸려 감정적, 영적으로 실망의 시간을 보내고 있다. 바로 이 "한 가지 매우 어려운 일"이 그에게 있어서 "가장 취약한 곳, 우리의 영원한 구원에 가장 필요한 곳"으로 보이며, 그의 다른 약점이 발생하는 온상 같아 보인다. 만약 짐 수사가 적당한 영적 지도자를 찾아 도움을 요청한다면, 그의 감정적, 영적 투쟁은 새로운 국면을 맞이할 것이다. 그의 내적 동요는 좀 더 진정되는 가운데, 더 새롭고, 건강한 접근법으로 자신이 지금 겪고 있는 영적 실망을 파악하고, 대응할 수 있을 것이다. 짐 수사가 지금 부딪친 이 "한 가지 매우 어려운 일"에 대응하여 어떻게 영적 방어 체계를 보강하느냐 하는 것이 그의 삶을 좌우할 것이라는 점은 분명하다.

마지막 사례는, 한 신심 깊은 여성이 지나간 영적 실망의 시기를 되돌아보면서 쓴 글이다.

내게 지금 분명한 것은, 내가 겪었던 괴로움의 핵심이 **과거에도 똑같이 되풀이되었던 문제**, 하느님이 과연 나를 사랑하시는가 하는 의심이라는 점이다. 겉으로 드러나는 모습은 여러 가지로 다를지언정 문제의 핵심은 같았다. 하느님이 더는 나를 사랑하지 않는다, 나를 버렸다는 부정의 늪에 빠져 허우적대는 것이었다.[198]

---

198 글쓴이의 허락을 구해 싣는다.

규칙 14는 이 **과거에도 똑같이 되풀이되었던 문제**"에 대해 특별한 경각심을 일깨운다. 이 여성의 글은 악한 영의 공격이 "하느님이 과연 나를 사랑하시는가 하는 의심"과, 이 의심이 유발하는 "부정의 늪에 빠져 허우적대는 것"에 초점을 맞추어 들어온다는 점을 진술한다. 이냐시오의 규칙 14는 하느님에 대한 의심과 부정의 늪이 생겨나는 **그 지점**에 영적 방어 체계를 보강하라고 격려한다. 그 취약한 부분을 보강한다면, 하느님에 대한 의심과 부정을 유도하여 해를 끼치려는 악한 영의 술책은 무산될 것이며, 하느님을 사랑하고 봉사하는 영적 에너지는 더욱 증강될 것이다.

너 자신을 알라!

"너 자신을 알라!" 이 고전 격언은 이냐시오의 규칙 14가 포함하고 있는 중요한 메시지이기도 하다. 샐리, 제인 수녀, 짐 수사, 그리고 마지막 한 여성 등 모두는 제각기 다른 취약점을 가지고 있다. 모든 열심한 신앙인은 자기 자신에 대해 명확히 이해하도록 노력해야 한다. 그래야 영적 보강이 필요한 **개인적** 취약점이 어디인지 확인할 수 있다.

다음과 같은 질문을 자신에게 던져 보면 개인적 취약점을 찾는 데 도움이 된다.

① 나를 좌절시키는 특정 상황이 자주 있는가?

② ①의 상황에 빠지면 영적 에너지가 많이 빼앗기는 증상이 자주 있는가?

③ 나를 자주 두려움에 빠뜨리는 특정 환경이 있는가?

④ 많이 고단한가?

⑤ 영적으로 무기력한 상황이 있는가?

⑥ 영적 에너지를 약화하는 어떤 반복적 방식이 있는가?

⑦ 사랑하고, 봉사하고 싶은 에너지를 약화하는 원인, 콕 집어서 한 가지 원인이 있는가?

⑧ 기도 중에 습관적으로 낙심시키는 어떤 것이 있는가?

⑨ 종종 나를 향한 하느님의 사랑을 의심하게 만드는 것이 있는가?

⑩ ①-⑨ 체험 중에 **반복되는 패턴**이 있는가?

자주 반복되는 자신의 패턴을 찾아낼 수 있다면, 악한 영의 공격에 취약한 부분을 확인한 거나 다름없다. 결과적으로, 반복되는 악한 영의 공격 패턴을 성찰해서, **가장 효과적으로** 영적 성장을 이룰 **급소**를 찾아낼 수 있다. 이 말은, 자기 이해를 정확히 해 가면 악한 영의 공격 패턴을 역이용할 수 있다는 뜻이다. 한 가지 덧붙일 것은, 여기서 제안하고 있는 개인적 노력 이외에, 13장에서 설명한 것처럼, ①-⑩에 대해 적당한 다른 사람과 이야기를 나누는 것도 자신의 취약점을 정확히 찾아내는 데 큰 도움이 된다.

이렇게 취약한 특정 부분을 **찾아낸** 다음에야 이 취약점을 **보강**하는 노력을 시작할 수 있다. 취약점을 보강하는 대표적 방법은 기도, 취약점 보강의 진척 상황을 점검하는 매일 특별 성찰, 영적 일기, 영적 지도자와 지속적인 상담, 영적 독서 등이 있다.[199] 규칙 14를 매일의 삶에서 잘 실천한다면, 영혼

---

199 여기에 언급된 매일의 성찰은 이냐시오의 전형적 성찰 방식이다(『영신수련』, 24-31번). 이 방식

이 녹슬거나 진부해지지 않고, 젊음과 싱싱함을 유지하는 가운데 계속 영적으로 진보하는 행복을 누릴 수 있을 것이다.[200]

규칙 14와 앞선 규칙들의 관계

규칙 14와 앞선 규칙 12, 13 간에 한 가지 우리가 주목할 만한 요점이 있고, 앞선 13개 규칙의 전체적 흐름과 규칙 14의 연관성에 대해서 우리가 주목할 만한 요점이 또 한 가지 있다.

규칙 12에서 이냐시오는 악한 영의 유혹이 **처음 시작되는** 단계에서 이에 확실히 저항한다면, 악한 영은 완전히 패배할 것이라고 가르친다. 악한 영은 유혹당하는 자가 겁에 질려 제대로 저항하지 못하는 경우를 제외하고는 전혀 힘을 쓸 수 없다. 악한 영은 **본질적으로 약하다**고 이냐시오는 정의한다. 규칙 13에서도, 영적으로 적당한 다른 사람에게 **말하는 순간**, 악한 영은 완전히 패한다. 악한 영은 **본질적으로 약하다**는 정의를 다시 한번 명백히 진술

과 관련해서 아센브레너는 이렇게 적는다. "우리가 하느님의 사랑에 대해 충분히 섬세하고 진지해질 때 비로소 어떤 변화가 필요하다는 사실을 깨닫기 시작한다. …… 하지만 주님은 우리가 이 모든 변화를 한꺼번에 이루길 바라시지는 않는다. 늘 새로운 삶의 시작인 회개를 특히 요청하는 한 부분이 우리 마음에 있다. 주님은 내면에서 이 부분을 건드려서 우리가 정말로 주님을 진지하게 받아들인다면 우리 자신의 이 부분이 변화되어야 한다는 점을 상기시켜 주신다." ["Consciousness Examen," *Review for Religious* 31 (1972): 19].

200 "하나의 미덕을 행한다면 다른 모든 미덕이 자라난다." [John of the Cross, *The Ascent of Mount Carmel*, book I, chapter 12, 5, in *The Collected Work of St. John of the Cross*, trans. Kieran Kavanaugh and Otilio Rodriguez (Washington, D.C.: Institute of Carmelite Studies, 1973), 100. 십자가의 요한, 『가르멜의 산길』, 방효익 옮김, (서울: 기쁜소식, 2012)].

한다.

이처럼 악한 영은 본질적으로 약하다는 공통점은 규칙 14의 비유법에서도 분명히 드러난다. 문장을 유의해서 보면, 도적 떼와 우두머리의 **위력**에 초점을 맞추고 있는 것이 아니라, 성채의 **방어 체계의 취약점**에 초점을 맞추고 있다.[201] 도적 떼와 우두머리가 지닌 능력을 보여 주는 진술은 전혀 없다. 사실 요새의 백성이 진작 방어 체계를 보강만 했어도, 도적 떼는 별 뾰족한 수 없이 공격을 포기해야 한다.

이 세 규칙에 일관되게 흐르는 공통의 가르침, 우리가 악한 영을 두려워 할 필요 없고, 능히 물리칠 수 있다는 희망의 메시지이다. 만약 우리가 용기를 내어 저항한다면, 두려워 보이는 악한 영의 위세는 겉멋 들린 가짜일 뿐이라는 진실을 당장 파악할 것이다. 그 순간, 악한 영은 허물어져 버린다. 이냐시오가 간단명료하고도 강하게 역설하고 있는 가르침은 이것이다. 우리는 경이로움을 느끼며 바오로처럼 고백할 수 있다. "나에게 힘을 주시는 분 안에서 나는 모든 것을 할 수 있습니다"(필리 4,13). 이 책에서 누차 강조하였듯이 영의 식별 규칙에 대한 이냐시오의 모든 가르침은 희망으로 가득 차 있다. 마지막 부분인 세 개의 규칙 역시 희망을 불어넣고 힘찬 기운이 나게 하는 메시지를 전한다.

마지막으로, 규칙 14를 앞선 13개 규칙의 전체적 흐름과 관련해서 보면,

---

201 Fiorito, *Discernimiento y Lucha*, 249에서 피오리토는 이렇게 덧붙인다. "우리가 보듯이, 이냐시오 성인은 모든 기회를 살려 원수의 본질적 취약성을 우리에게 보여 준다(『영신수련』, 7번 및 여러 곳)."

영의 식별을 계속해서 가다듬고 정제하는 과정이 어떻게 진행되는지 드러난다.[202] 이냐시오는 맨 처음 하느님에게서 멀어져 죄에 빠지는 사람으로부터 시작하면서, 그에게서 영의 활동이 어떠한지를 묘사한다(규칙 1). 그리고 나서, 이냐시오는 열심한 신앙인들, 규칙 2의 표현을 빌자면 "우리 주 하느님을 섬기는 데 선에서 더욱 큰 선으로 나아가는 사람들" 경우에는 죄인의 경우와 달리, 영의 활동이 어떻게 뒤바뀌는지 설명한다(규칙 2).

규칙 3과 규칙 4에서는 두 종류의 영적 움직임(영적 위로와 영적 실망)을 설명한다. 규칙 5-9에서는 열심한 신앙인들이 영적 실망의 시기에 **있는 동안에**, 그 시련의 시기를 어떻게 저항하며 이겨 넬지에 대해 가르침을 준다. 이어서 이냐시오는 영적 실망이 닥치기 **전에 미리** 대비하는 법을 가르친다. 영적 위로의 시기에 있을 때 신앙인은 미래에 대비하는 힘을 길러야 한다(규칙 10). 이를 위해서 이냐시오는 영적 균형 감각과 성숙함을 중시한다. 영적 위로의 시기에 있다고 지각없이 마냥 '들뜨지' 말고, 영적 위로의 시기에 있다고 마냥 '가라앉지도 말아야 한다(규칙 11).

마지막으로 이냐시오는 악한 영이 부리는 유혹의 특성에 초점을 맞추고, 유혹이 **시작되는 초기에** 이겨 나가는 법을 가르친다(규칙 12). 이어서 유혹을 받을 때 용기 내어 "흉계와 거짓 약속"을 현명한 다른 사람에게 솔직히 털어놓는 것이 유혹을 물리치는 데 큰 도움이 된다고 조언한다(규칙 13). 영의 식별 규칙의 첫째 세트에서 식별을 가다듬고 정제하는 과정은 규칙 14로서 완

---

202 Gil, *Discernimiento*, 53-54, 277-278을 참조하라. 힐은 이 규칙에 대한 언급 전반에 걸쳐 이 점을 밝혀 보여 준다.

성에 이른다. 악한 영의 **공격이 시작되기 전에** 자신의 특유한 개인적 취약점을 보강하면, 악한 영은 공격을 시작해 보지도 못하고 물러갈 것이다(규칙 14). 이 일련의 과정은 대단한 영적 성장의 과정을 의미한다. **하느님에게서 멀어지는** 사람에서 시작했지만 일련의 과정을 거치면서, 악한 영이 **공격할 때** 대비되어 있을 뿐 아니라, 악한 영이 **공격을 시작하기 전에도** 이길 수 있는 신앙인, 규칙 2의 표현을 빌리자면 "우리 주 하느님을 섬기는 데 선에서 더욱 큰 선으로 나아가는 사람들"의 완성형에 이르는 피날레로 끝난다.

이 14개 규칙은 영의 식별 능력을 점진적으로 성장시켜 주는 발전 프로그램이다. 겸손과 인내를 가지고 이 규칙을 배워 보시라. 언제나 충분히 부어 주시는 하느님의 은총을 믿고, 현명한 영적 지도자의 도움을 받으면 좋을 것이다. 그렇게 이 규칙이 가진 풍성한 지혜를 습득해 가면, 영적으로 성숙한 사람으로 점점 변화되어 가고, 악한 영의 속임수를 식별하고 극복하는 능력을 갖추며, 하느님의 뜻을 충실히 이루어 가고, 하느님의 사랑 안에서 성장해 갈 것이다. 이것이 모든 영의 식별이 이루고자 하는 목표이다.

결론

잡혀간 이들에게 해방을

주님께서 나에게 기름을 부어 주시니

주님의 영이 내 위에 내리셨다.

주님께서 나를 보내시어

가난한 이들에게 기쁜 소식을 전하고

잡혀간 이들에게 해방을 선포하며……

억압받는 이들을 해방시켜 내보내며

- 루카 4,18

이냐시오의 첫 동료 중 한 명인 피에르 파브르는 그의 저서 『메모리알레 Memoriale』에서 그들이 파리 대학의 학생으로 만났을 때 이냐시오에게서 받은 충격을 회고한다. 파브르는 심오한 지성, 온화함, 거룩함으로 사도직에서 많은 사람의 마음을 얻었던 인물이다. 그는 대학 시절에 주님께서 이냐시오를 통해 그에게 베푸신 커다란 은총에 감사하며 이렇게 쓴다.

자비로우신 하느님께서 이냐시오를 통해 저에게 허락하신 은총을 제가 분명히 기억하고 묵상할 수 있게 하소서. 무엇보다도 먼저, 이냐시오는 제가 양심을 파악하고, 양심의 가책을 파악하고, 유혹들을 파악할 수 있게 이끌어 주었습니다. 이 문제들은 제가 오랜 세월 동안 품고 있었으나 해결하지 못했고, 평화를 얻을 수 있는 길도 알지 못한 채로 품고 있던 것들이었습니다.[203]

피에르 파브르는 이냐시오의 도움으로 오랜 세월 계속되었던 영적 속박으로부터 자유를 찾게 된 많은 사람 중 첫 번째에 속했다. 그에게는 "해결하지 못했고, 평화를 얻을 수 있는 길도 알지 못한 채로" 오랜 세월 속박당했던 유혹과 양심의 가책이 주제였다. 그처럼 믿음이 깊은 사람도 파악하지 못했고, 극복하는 방법도 몰라서 무기력하기만 했던 영적 투쟁에 대해 구구절절하게 묘사했다. 하물며 파브르가 그 정도였으면, 세대에 세대를 거쳐 내려오면서 열심한 신앙인들이 겪었던 같은 종류의 괴로움과 무기력함이 얼마나 컸을지는 말하지 않아도 불을 보듯 뻔한 것이었다.

그래서 파브르는 자신뿐만 아니라 셀 수 없이 많은 열심한 신앙인들이 이냐시오의 가르침에서 마침내 광명을 찾고, 해방의 출구를 찾았다고 증언한다. 셀 수 없이 많은 신자들이 이냐시오의 가르침을 만나면서 자신의 내적 동요를 **파악하는** 법을 발견했고, 영적 어둠과 두려움에서 **벗어나는 길**을 발견했다. 파브르처럼 그들도 "평화를 얻을 수 있는" **길을 찾았고**, 이냐시오의 가르침을 통해 해방해 주신 하느님을 찬양하였다.

14개의 규칙은 해방을 향한 이냐시오의 선언이다. 그는 모든 열심한 신

---

203 Edmond Murphy and Martin Palmer, trans., *The Spiritual Writings of Pierre Favre* (Saint Louis: Institute of Jesuit Sources, 1996), 65.

앙인이 14개의 규칙을 따라 겸손한 마음으로 인내심을 가지고 영의 식별, 즉 영적으로 감지하고 파악하여 행동하는 과정을 훈련한다면, 영적 실망과 악한 영의 속임수에 속박당한 노예 상태에서 **해방**되리라고 선언한다. 이냐시오의 14개 규칙에서 울려 퍼지는 주님의 말씀은 이것이다. "너희 마음이 산란해지는 일이 없도록 하여라"(요한 14,1).

도입부에서 나는 요한 카시아노의 영적 투쟁에 대한 글을 인용했다. 이냐시오의 식별 규칙을 더 깊이 이해한 이 시점에서 다시 한번 음미하면서, 이 책의 결론을 맺고자 한다.

> 정욕의 원인은 원로들의 가르침에 이미 다 나와 있어서 모든 이들이 알아볼 수 있다. 그런데도, 우리 중에 많은 이를 해치고 모든 이에게 만연한 지경에 이르렀어도, 드러나기 전까지는 도대체 원인이 뭔지 제대로 아는 사람이 아무도 없다.[204]

이 가르침은 영의 식별과 이냐시오의 14개 규칙에 대해서도 지당한 말씀이다. 영적 위로와 영적 실망은 신앙인이면 누구나 체험한다. 때로는 영적 실망이 가져다주는 무거운 근심과 악한 영의 속임수도 체험한다. 이런 상태에 빠졌을 때 전형적인 증상은 다음과 같다. 기도나 봉사를 하면서 낙심한다. 장애물, 억측, 슬픔 때문에 정감적 힘겨움을 겪는다. 영적 실망의 시기에 무언가 자꾸 바꾸려고 한다. 자기는 보잘것없고 악한 영은 강하다고 생각한다. 악한

---

204 *Institutes*, V.2(저자 번역).

영에 의해 당하는 괴롭힘을 함구하려고 한다. 악한 영에 붙잡힌 사람들은 이런 그릇된 충동에 사로잡혀 있다.

이런 악한 영의 전술들은 "모든 이에게 만연한 지경"이지만, 영의 식별에 정통한 지도자가 선명하게 드러내기 전까지는 "뭔지 제대로 **아는 사람이 아무도 없다.**" 우리에게는 영의 식별에 정통한 지도자가 바로 이냐시오이다. 그는 그리스도교 영성 전통에서도 눈에 띄게 독특한 자신만의 방법과 언어로 "모든 이에게 만연한" 영적 체험에 관해 기술한다. 그의 언어는 분명하고 실용적이다. 누구나 영적 위로와 영적 실망을 체험하고, 누구에게나 영적 위로와 영적 실망은 교대로 찾아왔다가 흘러가며, 누구나 은총에 깊은 위로를 받기도 하고 속임수에 놀아나기도 한다. 이냐시오가 역사상 처음으로 이런 영적 움직임을 설명하자마자, 정말로 "모든 이들이 이 움직임을 알아볼 수 있었다." 이냐시오의 규칙이 발휘하는 힘은 바로 여기에 대부분 놓여 있다. 즉, 이냐시오는 **우리 자신의 영적 움직임을 우리 스스로 이해할 수 있도록 가르쳐 준다**는 점이다. 이 규칙을 소화하고 나면 피에르 파브르처럼, 모호하고 도무지 이해하기 힘들었던 내적 움직임을 파악하기 시작한다. 이 새로운 깨달음이 새로운 자유로 나아가는 관문이다.

영적 진보는 시간이 걸리고, 영의 식별의 진보도 예외는 아니다. 영의 식별이 성장해 가는 것은 끊임없는 기도와 노력, 영적 지도자와의 대화, 그리고 이냐시오가 그의 규칙들에서 제시한 모든 수단을 훈련하면서 이루어진다.[205]

---

205 Fiorito, *Discernimient o y Lucha*, 258-259에서 피오리토가 적듯이, 영의 식별은 두 가지 형태 중 하나로 얻어질 수 있다. 하나는 "성령의 선물이나 은사"로, 다른 하나는 "영의 식별 규칙

존 헨리 뉴먼 추기경이 기도에 관해서 쓴 글은 영의 식별에도 똑같이 맞는 말씀이다. "기도의 힘, 기도하는 습관도, 다른 모든 습관을 들이는 것과 마찬가지로, 꾸준히, 반복된 **연습**을 하면서 습득된다."[206] 아빌라의 성녀 데레사가 기도 생활을 발전시키는 필수 전제조건은 **인내**라고 거듭 강조하셨는데, 이것도 영의 식별에 똑같이 맞는 말씀이다.[207] 매일의 삶에서 영의 식별—영적으로 감지하고, 이해하여, 행동하기—을 **인내심을 갖고 꾸준히 연습**한다면, 이것이 하느님의 은총에 힘입어 식별하는 삶을 발전시키는 지름길이다.

하루는 예수님께서 나자렛 고향으로 돌아오셨다. 요르단 강에 이르러 성령께서 그분 위에 내리셨고, 성부께서 선포하셨다. "너는 내가 사랑하는 아들이다"(루카 3,22). 예수님은 "성령에 이끌려" 광야로 가셨고, 악마의 유혹과 싸우시며 이겨 내셨다(루카 4,1-13). 그리고 "성령의 힘을 지니고" 갈릴래아로 돌아가셨고 나자렛으로 가셨다(루카 4,14-30). 예수님께서는 안식일에 회당에 들어가셔서, 청중들 앞에서 이사야 예언자의 말씀을 선포하셨다. "주님께서 나에

을 적용함으로써" 획득된다. 그는 계속 적어 내려간다. "이냐시오 성인은 『영신수련』에서 찾을 수 있는 영적 가르침으로 두 번째 양식을 설명한다. 영혼 안에서 일어나는 '다른 움직임들—또는 영들—선한 움직임은 받아들이고 악한 움직임은 배척하는…'(『영신수련』, 313번) 식별을 통해 이 두 번째 양식을 설명한다. 그는 또한 여전히 '타고난' 식별의 은총이나 은사를 소유하고 있다는 점을 반복해서 분명한 증거를 들어 보여 준다. 이는 이냐시오의 『자서전』이나 다른 많은 편지를 읽으면 알 수 있다. 하지만 무엇보다도 이냐시오에게는—'영의 식별'을 통해 영적으로 식별하기를 바라는 이들을 위해—식별의 규칙을 적는 은총이 주어졌고, 이 책에서 우리는 이 식별의 규칙을 살펴보았다." 식별로 나아가는 첫 번째 길은 (성령의 선물이나 은사로서의 식별) 단순히 하느님께서 주시는 길이라 할 수 있다. 두 번째 길이며 (식별의 규칙을 배우고 적용함으로써) 식별로 나아가는 일상의 길은 점진적으로 그리고 반복된 실행을 통해 생겨난다. 이 두 번째 길이 우리가 이 책에서 살펴본 중심 주제였다.

206 *Plain and Parochial Sermons*, vol. 1 (Christian Classics; Westminster, Md. 1966), 264.

207 *Life*, VIII.4, 5, 9; XIX.4.

게 기름을 부어 주시니 주님의 영이 내 위에 내리셨다. 주님께서 나를 보내시어 가난한 이들에게 기쁜 소식을 전하고 **잡혀간 이들에게 해방을 선포**하며 눈먼 이들을 다시 보게 하고 **억압받는 이들을 해방해 내보내며**"(루카 4,18).

잡혀간 이들이 해방된다는 메시지는 오늘날도 역시 구세주께서 선포하시는 메시지이다. **잡혀간 이들에게 해방을 선포**하시는 구세주의 충실한 사도, 이냐시오가 전하는 바로 그 메시지이기도 하다. 바로 이것을 위해 14개의 영의 식별 규칙은 고안되었다. 영적 실망과 악한 영의 속임수에 **억압받고 있는 사람들을 해방하여 자유롭게 해 준다.** 영의 식별은 자유를 향해 원정을 떠나는 것이며, 끊임없이 사랑을 주시는 하느님을 향해 가는 영적 모험이다.

참고 문헌

Angela of Foligno. *Complete Works*. Translated by Paul Lachance. New York: Paulist Press, 1993.

Conroy, Maureen. *The Discerning Heart: Discovering a Personal God*. Chicago: Loyola University Press, 1993.

De Guibert, Joseph, S.J. *The Jesuits: Their Spiritual Doctrine and Practice. A Historical Study*. St. Louis, Mo.: Institute of Jesuit Sources, 1986.

Dirvin, Joseph, C.M. *Mrs. Seton: Foundress of the American Sisters of Charity*. New York: Farrar, Straus & Giroux, 1975.

Dyckman, Katherine, Mary Garvin, and Elizabeth Liebert. *The Spiritual Exercises Reclaimed: Uncovering Liberating Possibilities for Women*. New York: Paulist Press, 2001.

Fiorito, Miguel Angel, S.J. *Discernimiento y Lucha Espíritual: Comentario de las Reglas de Discernir de la Primera Semana del Libro de los Ejercicios Espirituales de San Ignacio de Loyola*. Buenos Aires: Ediciónes Diego de Torres, 1985.

Francis of Assisi. *St. Francis of Assisi: Writings and Early Biographies. English Omnibus of the Sources for the Life of St. Francis*. Edited by Marion Habig. Chicago: Franciscan Herald Press, 1973.

Gil, Daniel, S.J. *Discernimiento según San Ignacio: Exposición y Comentario Practico de las Dos Series de Reglas de Discernimiento de Espíritus Contenidas en el Libro de los Ejercicios Espirituales de San Ignacio de Loyola (EE 313—336)*. Rome: Centrum Ignatianum Spiritualitatis, 1983.

Green, Thomas, S.J. *Weeds among the Wheat. Discerment: Where Prayer & Action Meet.* Notre Dame, Ind.: Ave Maria Press, 1984.

Ignatius of Loyola. *La Intimidad del Peregrino: Diario espiritual de San Ignacio de Loyola.* Translated by Santiago Thió de Pol, S.J. Bilbao: Mensajero-Sal Terrae, 1990.

____. *Letters of St. Ignatius of Loyola*. Translated by William Young, S.J. Chicago: Loyola University Press, 1959.

____. *Sancti Ignatii de Loyola Exercitia Spiritualia: Textuum Antiquissimorum Nova Editio Lexicon Textus Hispani*, Edited by José Calveras, S.J., and Candido de Dalmases, S.T. Rome: Institutum Historicum Societatis Jesu, 1969.

____. *San Ignacio de Loyola: Obras Completas*. Edited by Ignacio Iparraguirre, S.J. and Candido de Dalmases, S.J. Madrid: Biblioteca de Autores Cristianos, 1982.

____. *The Autobiography of St. Ignatius Loyola with Related Documents.* Translated by Joseph O'Callaghan. New York: Harper & Row, 1974.

____. *The Spiritual Diary of St. Ignatius Loyola: Text and Commentary.* Edited by Simon Decloux, S.J. Rome: Centrum Ignatianum Spiritualitatis, 1990.

____. *The Spiritual Exercises of St. Ignatius of Loyola: Translated from the Autograph.* Translated by Elder Mullan, S.J. New York: P. J. Kennedy & Sons, 1914.

____. *The Spiritual Exercises of St. Ignatius: Based on Studies in the Language of the Autograph*. Translated by Louis Puhl, S.J. Chicago: Loyola University Press, 1951.

Julian of Norwich. *Showings*. Translated by Edmund Colledge and James Walsh. New York: Paulist Press, 1978.

Leseur, Elisabeth. *My Spirit Rejoices: The Diary of a Christian Soul in an Age of Unbelief*. Manchester, N.H.: Sophia Institute Press, 1996.

Merton, Thomas. *The Seven Storey Mountain*. London: Sheldon Press, 1975.

Palmer, Martin, S.J., trans. *On Giving the Spiritual Exercises: The Early Jesuit Manuscript Directories and the Official Directory of 1599*. St. Louis, Mo.: Institute of Jesuit Sources, 1996.

Pascal, Blaise. *Pensées*. Translated by A. J. Krailsheimer. Reading, Pa.: Penguin Books, 1966.

Ruiz Jurado, Manuel, S.J. *El Discernimiento Espiritual: Teologia. Historia. Práctica*. Madrid: Biblioteca de Autores Cristianos, 1994.

Teresa of Avila. *The Collected Works of St. Teresa of Avila, Volume One: The Book of Her Life, Spiritual Testimonies, Soliloquies*. Translated by Kieran Kavanaugh and Otilio Rodriguez. Washington, D.C.: ICS Publications, 1976.

Thérèse of Lisieux. *Story of a Soul: The Autobiography of St. Thérèse of Lisieux*. Edited by John Clarke, O.C.D. Washington, D.C.: ICS Publications, 1996.

Toner, Jules, S.J. *A Commentary on Saint Ignatius' Rules for the Discernment of Spirits; Guide to The Principles and Practice*. St. Louis, Mo.: Institute of Jesuit Sources, 1982.

____. "Discernment in the Spiritual Exercises." In *A New Introduction to the Spiritual Exercises of St. Ignatius*. Edited by John Dister, S.J, Collegeville, Minn.: Liturgical Press, 1993.

____. *Spirit of Light or Darkness: A Casebook for Studying Disernment of Spirits*. St. Louis, Mo.: Institute of Jesuit Sources, 1995.

영의 식별
성 이냐시오가 안내하는 매일의 삶

교회 인가   2019년 3월 12일 서울대교구
1판 1쇄 발행   2020년 2월 29일
2판 1쇄 발행   2024년 12월 28일

지은이   티모시 갤러허
옮긴이   김두진
발행인   강언덕
발행처   도서출판 이냐시오영성연구소
편집인   강언덕
디자인   손지현
주소   03388 서울특별시 은평구 연서로20길 6-5(대조동)
전화   02-3276-7799
이메일   iispress12@gmail.com
홈페이지   inigopress.kr
성경 ⓒ 한국천주교중앙협의회

ISBN   978-89-97108-46-6 03230